Société en commandite
LES VERRIÈRES DU GOLF
2400, rue des Nations
Saint-Laurent, Qc, H4R 3G4

D1189544

LES ANNÉES DU SILENCE

DU SILENCE

– TOME 5 –

Les Bourrasques

Louise Tremblay-D'Essiambre

LES ANNÉES DU SILENCE

– TOME 5 –

Les Bourrasques

Guy Saint-Jean
ÉDITEUR

Données de catalogage avant publication (Canada)
Tremblay-D'Essiambre, Louise, 1953-
Les années du silence
Sommaire : t. 5. Les bourrasques.
ISBN 2-89455-123-1 (v. 5)
I. Titre. II. Titre : Les bourrasques.
PS8589.R476A 75 1995   C843'.54   C95-940768-5
PS9589.R476A 75 1995
PQ3919.2.T73A 75 1995

Nous reconnaissons l'aide financière du gouvernement du Canada
par l'entremise du Programme d'Aide au Développement de l'Industrie de l'Édition (PADIÉ)
ainsi que celle de la SODEC pour nos activités d'édition.

Gouvernement du Québec – Programme de crédit d'impôt pour l'édition
de livres – Gestion SODEC

© Guy Saint-Jean Éditeur inc. 2001
Conception graphique : Christiane Séguin
Révision : Nathalie Viens
Dépôt légal 4e trimestre 2001
Bibliothèques nationales du Québec et du Canada
ISBN 2-89455-123-1

Distribution et diffusion
Amérique : Prologue
France : CDE/Sodis
Belgique : Diffusion Vander S.A.
Suisse : Transat S.A.

Guy Saint-Jean Éditeur inc.,
3154, boul. Industriel, Laval (Québec) Canada H7L 4P7. (450) 663-1777.
Courriel : saint-jean.editeur@qc.aira.com. Web : www.saint-jeanediteur.com

Guy Saint-Jean Éditeur France,
48, rue des Ponts, 78290 Croissy-sur-Seine, France. (1) 39.76.99.43.
Courriel : gsj.editeur@free.fr

Imprimé et relié au Canada

À Alexie, ma toute petite fille, ma douce, mon amour...

NOTE DE L'AUTEUR

*J*e le sais, j'avais parlé de l'automne 2002 pour la parution de ce livre. Le nombre sans cesse croissant de den.= ndes pour avoir la suite des Années du silence *a fait que j'ai précipité les choses... avec un plaisir immense. Je vous l'avoue, moi aussi je m'ennuyais de Cécile, François, Sébastien et tous les autres. Moi aussi, j'avais hâte de savoir ce que la vie leur avait réservé. J'ai donc repris ma plume pour eux, tout en préparant un autre livre. Ce n'est pas la première fois et ce ne sera pas la dernière non plus. J'aime bien apporter des modulations au thème parfois un peu monotone de mes journées.*

De toute façon, François ne m'avait jamais vraiment quittée au moment où j'avais fermé temporairement la dernière page du tome 4. Il continuait de hanter mes pensées, s'imposait de plus en plus souvent à mon cœur, hurlant sa peur, son désespoir. Il n'a que vingt-six ans. Marie-Hélène vient d'apprendre qu'elle attend un enfant de lui. Il devrait être le plus heureux des hommes. Mais le destin en a choisi autrement. Et François crie à l'injustice. Pour lui, bien sûr, mais surtout pour sa femme qu'il aime profondément, pour ce bébé qui n'a pas encore vu le jour mais à qui la vie réserve déjà une destinée peut-être difficile, probablement marginale. A-t-il le droit de laisser naître ce tout-petit qui n'a rien demandé à personne? La question le harcèle, le déchire. Je le revois, arpentant les rues de Montréal, il y a de cela quelques mois à peine, reconnaissant les intersections aux fissures dans les trottoirs, plein d'espoir, son idéal aussi grand que le monde. Il avançait dans la vie en conquérant, surtout depuis qu'il avait chassé ses fantômes, aidé par la douce Marie-Hélène. Mais voilà que les fantômes l'ont retrouvé. Aujourd'hui, plus rien n'a de sens. Il arpente les mêmes rues, les épaules affaissées comme un vieillard, ployant sous le poids de son silence, de son terrible secret.

Je vois aussi Sébastien, assis sur une clôture de cèdre, près de la grande maison blanche et rouge des Cliche, au coucher du soleil. Il aime bien entendre le chant des oiseaux de campagne, le soir, quand la journée s'achève. Mais son regard reste tourné vers l'ouest. Sa vie, c'était la ville et ceux qu'elle sait si bien cacher quand elle le veut. Il n'a jamais tant pensé à Maxime, son frère, que depuis qu'il est ici, loin de lui. Pourtant, ça fait combien de temps qu'ils ne se sont pas vus ? Trois, quatre ans ? Il ne saurait le dire avec précision. Tout ce qu'il comprend désormais, c'est qu'il aime vraiment l'odeur de la terre, mais surtout ce qu'elle produit. Les fleurs, les fruits le fascinent et l'attirent. La nature dans tout ce qu'elle a de beau et de généreux l'interpelle à chaque jour un peu plus. Cela ne fait maintenant aucun doute pour lui. Mais l'odeur du macadam chauffé au soleil lui manque, l'anonymat des rues également. Cela aussi, il l'a vite compris. « On a tous besoin de faire les choses à notre manière », lui avait déjà dit Gilbert. Alors, il ne sait pas, il ne sait plus quelle direction va prendre sa vie. Tout près de lui, assise à califourchon sur cette même clôture de bois et appuyée contre son dos, je devine, à sa silhouette, que Claudie est là. Par contre, pour sa part, la jeune fille n'a pas assez de ses deux yeux pour dévorer le paysage. En elle refluent des milliers de souvenirs venus tout droit de son enfance et elle se demande ce qui a bien pu se passer pour qu'un beau matin, elle décide de quitter sa Gaspésie natale pour s'en venir en ville. Quelle diable d'idée a-t-elle eue ce jour-là ? Depuis qu'elle habite ici, chez Cécile et Jérôme, Claudie a l'impression de s'être enfin réveillée d'un profond sommeil. Elle retrouve ses assises, ses priorités. Ne lui manque, pour être parfaitement heureuse, que la senteur forte et saline du poisson...

Et assis sur la galerie, tout près l'un de l'autre, se berçant mollement, il y a aussi Cécile et Jérôme qui veillent jalousement sur leur petit monde. La cidrerie, le verger, les enfants, Mélina qui se déplace de plus en plus difficilement mais toujours aussi alerte, l'esprit vif comme la lueur de l'éclair et la langue acérée comme un couteau, et tous les petits-enfants devenus adultes à leur tour... Oui,

Cécile et Jérôme vieillissent peut-être comme tout le monde, les gestes sont parfois plus lents, mais le cœur, lui, a gardé son idéal et sa fougue de jeunesse. Ils sont toujours amoureux, ils sont toujours à l'écoute des autres. Comme le dit si bien Cécile : « À quoi ça sert le bonheur si on ne le partage pas avec ceux qu'on aime ! »

Et du bonheur, ils ont l'impression d'en avoir à revendre !

CHAPITRE 1

La seule chose que vous avez à offrir à un autre être humain,
en tout temps, c'est votre propre façon d'être.

RAM DASS

MAI 1996, EN BEAUCE

Une bonne odeur de café vient de s'infiltrer sous la porte de la chambre. Puis, un peu plus subtile, celle du pain grillé s'y faufile à son tour. C'est ainsi que Sébastien s'éveille tous les matins depuis qu'il habite chez Cécile et Jérôme. Nul besoin du cri strident d'un réveille-matin. Ici, les choses se font tout en douceur. Et c'est peut-être ce qu'il apprécie le plus : cette facilité de vivre intimement liée au rythme de la nature. Tout coule de source, chez Mamie Cécile, sans remous, comme une belle et grande rivière, large, calme sous le soleil du petit jour. Pour un gars de la ville comme lui, les gens d'ici, dans leurs gestes et à travers les choses du quotidien, semblent vivre au ralenti. Il ne déteste pas cela, il en est tout simplement surpris. Même la décoration de la maison reflète cet état de sécurité immuable, de calme serein et, presque malgré lui, Sébastien repense de plus en plus souvent à la maison de ses parents. C'était une demeure cossue, la résidence de Mᵉ Duhamel, aux tableaux rares, aux bibelots délicats. Une maison comme on en voit parfois dans les revues, parfaite jusque dans les replis de ses draperies, les couleurs, les agencements, les petits détails. Pourtant, le souvenir que Sébastien en garde a quelque chose de froid, d'impersonnel, d'un peu vague. Même si c'était là la maison de son enfance. Bien sûr, il avait une chambre que nombre d'enfants auraient pu lui envier : moquette douce sous les pieds et qu'il avait lui-même choisie, mouchetée comme un ciel étoilé ; mobilier de luxe, toujours verni comme un miroir tel que son père l'exigeait ;

jouets à profusion, trop peut-être, rangés militairement sur l'étagère. Malgré cela, Sébastien n'y était pas heureux. Caprice, enfantillage? Ou tout simplement le fait que seul l'accès à la cuisine et à leurs chambres était autorisé aux enfants? Longtemps, Sébastien s'était posé la question. Son père avait-il raison? Sébastien ne serait-il qu'un éternel insatisfait? Car c'est cela qu'il disait, Me Duhamel. En plus de tout le reste. En mettant les pieds dans la cuisine de Mamie Cécile, réchauffée par les milliers d'odeurs imprégnées dans ses murs au fil des années, Sébastien avait compris qu'il n'y était pour rien dans cet état de choses.

La maison de son enfance n'avait pas d'âme et les enfants sont d'abord attirés que par ce qui est vivant.

On lui avait réservé l'ancienne chambre de Jérôme. Une vraie chambre de garçon avec ses murs de bois sombre, sa grosse commode joufflue montant la garde dans un coin, sa penderie immense comme un coffre-fort de banque et quelques oriflammes fanées, accrochées de travers sur les murs, vestiges d'une jeunesse envolée mais toujours aussi précieux aux yeux de leur propriétaire.

— Tu es ici chez toi, avait alors dit Jérôme en lui ouvrant tout grand la porte, curieusement ému de penser que sa chambre d'adolescent allait avoir un autre occupant. Tu en fais ce que tu veux.

Sébastien avait jeté un large regard autour de lui. Puis il avait souri, conquis par la chaleur masculine que la pièce dégageait.

— C'est parfait comme ça... Sauf peut-être pour...

Sur ces mots, le jeune homme avait déposé sur le lit le long rouleau de carton fort qu'il tenait précieusement contre lui depuis que Jérôme l'avait recueilli au terminus d'autobus. Un long cylindre grisâtre qui avait grandement attisé la curiosité du vieil homme. Une multitude de dessins avaient aussitôt parsemé la couverture à carreaux sombres posée sur le lit. D'un seul coup, les papillons aux ailes diaphanes et les fleurs multicolores avaient semblé tirer la chambre d'un profond sommeil. Devant une telle luxuriance, Jérôme était resté bouche bée. Sébastien, lui, semblait un peu gêné.

— Est-ce que je peux les mettre au mur?

Sa voix avait une curieuse intonation. Comme s'il demandait une permission qu'il savait refusée à l'avance.

— Et comment! C'est absolument splendide. C'est toi qui fais ça?

Et dans la voix de Jérôme, il y avait ce que Sébastien avait toujours rêvé d'entendre: une sincère admiration doublée d'une pointe d'incrédulité. Le jeune homme avait alors redressé les épaules.

— Oui, c'est moi. Mais c'est trois fois rien. Des dessins d'enfant...

— Tu appelles ça des dessins d'enfant? Moi je dirais que c'est de l'art, jeune homme. Du grand art, même...

Et, se retournant, il avait lancé à travers toute la maison:

— Cécile, viens voir! C'est fabuleux! On ne le savait pas, mais c'est un artiste qu'on va héberger chez nous.

Alors Sébastien avait su qu'il serait heureux, ici. Parce que dans le timbre de la voix de Jérôme, il y avait une forme de respect qui le faisait se sentir important...

C'est ainsi que la vie avait commencé entre Sébastien et les Cliche. Une vie différente de tout ce qu'il avait connu. Une vie simple faite d'eau et de sirop d'érable dans un premier temps, les deux pieds dans la neige fondante ou se chauffant tranquillement sur la bavette du gros poêle qui bouillait la sève. Puis une vie de travail au soleil quand il montrait ses rayons ou de labeur à la cidrerie quand le ciel était boudeur. Une vie entortillée dans les bonnes odeurs de la cuisine de Mamie Cécile et de Mélina, du réveil au coucher, et qui lui avaient fait découvrir qu'un appétit d'ogre sommeillait en lui.

Comment avait-il bien pu faire pour survivre au régime frugal de la rue? Mystère!

Puis, beaucoup plus tôt que prévu, Claudie était venue le rejoindre. À peine quelques soirées à bavarder avec Jérôme au coin du gros poêle à sirop, dans la cabane à sucre, et l'invitation était lancée.

— Voir si ça a de l'allure de tenir des amoureux à distance

comme ça! Allez, jeune homme, appelez votre dulcinée sans tarder. Je suis certain que Cécile aura de quoi l'occuper.

La jeune fille ne s'était pas fait prier longtemps. Une semaine de préavis au restaurant où elle travaillait parce qu'elle était fille de principes, quelques heures à rassembler le maigre bagage qui était le sien, deux ou trois soupers mouillés des quelques larmes de Virginie qui devait trouver une nouvelle colocataire rapidement, le tout assaisonné des sempiternelles recommandations de Gilbert qui se tordait les mains d'inquiétude : « Mon doux Jésus! Mais tu vas être loin sans bon sens, toi là. Québec! C'est quoi l'idée? Pis qu'essé tu vas faire si t'as des problèmes pis que je suis pas là pour t'aider, hein? » Puis, dans un soupir théâtral : « M'en vas m'ennuyer de toi, ma belle, comme ça a pas d'allure... Pis oublie pas de dire bonjour à mon beau Sébastien! Lui avec il me manque en tit-péché! » Et à son tour, Claudie débarquait au terminus d'autobus avec armes et bagages.

— Une seule restriction, avait cependant imposée Cécile. Elle occupera la chambre de Judith, la sœur de Jérôme. Il y a ici une vieille dame qui n'accepterait pas que deux jeunes gens comme vous partagent le même lit. Il faut la respecter.

Sébastien avait accepté de bonne grâce.

— Pas de trouble, ça me convient tout à fait.

En fait, le jeune animal rétif qui veillait toujours en lui n'était pas encore prêt à tout partager, faisant ainsi table rase de son passé. Sébastien avait toujours besoin de solitude en lui et autour de lui, et la demande de Cécile ne faisait que rejoindre ce qu'il restait foncièrement : un être solitaire, un peu sauvage. Et puis, on ne quitte pas la rue sans regret. Malgré tout... Les quelques heures passées seul dans sa chambre, le soir, à la veillée, lui permettaient de mettre ensemble les morceaux disparates de sa vie. Ces moments face à lui-même lui étaient aussi vitaux que la vie de la rue l'avait été pendant un certain temps.

Le quotidien avait ainsi continué de couler ses jours paisibles, un peu prévisibles, toujours sereins. Depuis, Sébastien se surprend souvent à essayer d'imaginer ce que serait devenue sa vie sans la présence de François, de Gombi, comme il continue de l'appeler affectueusement quand il pense à lui. Comme ce matin, tandis qu'il prolonge un tantinet l'espèce de rêverie éveillée dans laquelle il se complaît. C'est curieux, mais depuis quelque temps, il n'a reçu aucune nouvelle du jeune travailleur de rue. Et cela l'inquiète un peu. Serait-il encore une fois malade ?

L'odeur du café est de plus en plus intense, soutenue maintenant par celle du bacon mis à griller. D'en bas lui parvient le son de quelques voix étouffées. Mélina doit être debout. Sébastien se surprend à sourire. Il aime beaucoup Mélina et son franc parler, lui qui n'a jamais connu ses grands-mères. D'une certaine manière, elle lui fait penser à Dolorès, une ancienne bonne que ses parents engageaient parfois, ou à Gilbert, cet homosexuel rencontré au hasard des rues et devenu depuis un ami sincère. Même façon de dire crûment ce qu'elle pense, même gros bon sens... Avec le recul, la distance aidant l'esprit à s'y retrouver, Sébastien a fini par comprendre la drôle de relation qui l'unit au gros homme à l'allure farfelue : Gilbert est à la fois le père qu'il considère n'avoir jamais eu, la parenté qu'il n'a pas vraiment connue et l'ami à qui on peut tout dire parce qu'on sait qu'il va prendre le temps d'écouter. C'est pourquoi, et cela aussi il l'a compris depuis un bon moment déjà, il s'ennuie de Gilbert.

Le temps d'un long étirement sous les draps tout chauds et Sébastien remise ses réflexions pour y revenir plus tard, se promettant même de prendre quelques instants pour écrire à ceux qu'il a laissés derrière lui. Puis il se lève d'un bond. La journée vient de commencer. Dans la chambre d'à côté, il entend Claudie qui s'active elle aussi. Alors Sébastien dessine un large sourire en se rappelant le programme prévu pour la journée. Avec Jérôme, ils doivent se rendre à Québec pour faire quelques achats.

Et Sébastien sait qu'il a terriblement hâte de se fondre à une foule. Question, peut-être, de vérifier certaines suppositions...

Cette année, il n'y a pas eu de printemps. L'hiver s'est permis d'étirer ses froidures jusqu'à la fin d'avril puis, d'un seul coup, l'été l'a bousculé et s'est installé, du jour au lendemain, sans préavis. Fin mai, il fait chaud, presque la canicule, et les lilas comme les pommiers offrent déjà leurs fleurs en grappes fanées. De quoi réjouir le cœur de Sébastien dont la vie reste encore influencée par les sautes d'humeur de la température! Quand on vit dans la rue, vaut mieux une journée de chaleur torride qu'un perpétuel combat contre un froid de canard. Et la rue, finalement, quand on y pense bien, c'est un peu comme la vie en campagne: le temps qu'il fait joue un grand rôle dans le quotidien.

Pourtant, quand il entre dans la cuisine, Sébastien s'aperçoit vite que Mamie Cécile, elle, ne semble pas sur la même longueur d'ondes que lui. Elle est différente de ce qu'il connaît d'elle. La vieille dame semble agacée, impatiente. Son habituel bonjour empreint de douceur et de sourire est presque évasif, comme forcé. Elle sursaute même quand Claudie l'interpelle joyeusement en arrivant à son tour dans la pièce, la salue un peu brusquement. Mais aussitôt, Cécile se retourne vers elle et se reprend:

— Pardon, ma belle. Je ne sais pas ce que j'ai ce matin... On dirait que je ne suis éveillée qu'à moitié. Tu veux des œufs?

Cécile a les traits un peu tirés et ses cheveux qu'elle porte habituellement sagement attachés pendent librement sur ses épaules, ce matin. Tout au long du déjeuner, à plusieurs reprises, Sébastien surprend des regards particuliers entre Cécile et Jérôme. De ces regards qui n'appartiennent qu'aux couples vraiment amoureux, qui se connaissent l'un l'autre intimement et qui se posent comme des interdits entre eux et les autres. Il y a dans l'air comme une gêne d'être là et d'être les témoins indiscrets de cet instant d'intense communion. Alors, tout en les enviant, Sébastien repense à ce que François lui avait dit: sa grand-mère avait été malade l'hiver dernier. Une pointe d'inquiétude lui pique aussitôt le cœur. Mamie Cécile est trop gentille pour que le jeune homme puisse même imaginer qu'il pourrait lui arriver quelque chose de désagréable. Pour Sébastien, cela ferait partie de ce qu'il appelle les injustices de la vie et cet état de choses l'agresse toujours autant. Il ne peut concevoir que le destin se montre mesquin envers quelqu'un qui ne le mérite pas. Sa philosophie de vie n'a pas atteint cette espèce de sérénité qui permet d'accepter certains revers, certaines situations avec un grain de sel et d'en tirer les leçons positives que chaque événement porte invariablement en lui. Le regard que Sébastien pose autour de lui s'est peut-être légèrement modifié, amendé même, il n'en reste pas moins que foncièrement il est toujours aussi critique, voire dur. Alors, qu'on ne vienne pas lui apprendre que Mamie Cécile est malade ou quelque chose du genre, Sébastien ne le prendrait tout simplement pas. Son retour à une vie sociale normale est encore bien fragile. Il est un peu comme un convalescent qui ne peut se permettre la moindre rechute sans risquer le pire.

Pourtant, l'attitude de Cécile n'a rien à voir avec son état de santé...

Cette nuit, peut-être à cause de la chaleur, peut-être aussi à cause d'un mauvais rêve dont elle ne se souvient pas, la pleine lune l'avait éveillée comme dans ses plus sombres souvenirs. Elle avait tourné son visage vers la fenêtre par instinct, comme répondant à un vieux rituel connu d'elle seule. Au loin, elle entendait l'appel tourmenté de quelques grenouilles en retard. La lueur de la lune était pâle, gommée par le rideau de vapeur sucrée qui montait du verger. Sur la table de nuit, le cadran égrenait lentement ses minutes. Quatre heures. Quatre heures du matin... Comme avant, comme en 1942. Cette nuit, le clair de lune l'avait réveillée comme il l'avait fait en mai 42 quand, sans être mariée, elle avait compris qu'elle était enceinte. L'été maudit. Cécile en revoyait les moindres détails, ressentant de nouveau chacune de ses émotions. Le souffle profond de Jérôme endormi paisiblement près d'elle s'était alors greffé à ses souvenirs, mémoire et sentiments confondus. À ses côtés, curieux caprice de l'esprit, c'était maintenant Louisa, sa jeune sœur, qui dormait. Lentement, Cécile s'était tournée sur le dos, ses jambes se promenant entre les draps moites à la recherche d'un peu de fraîcheur, puis, sans même qu'elle eût besoin d'y réfléchir, sa main s'était posée sur son ventre. C'était hier, c'était il y a si longtemps maintenant, pourtant c'était toujours aussi présent en elle. Comprenant que le sommeil se refuserait à elle, Cécile s'était levée et tout doucement, sans faire de bruit, elle était sortie de la maison pour venir s'asseoir au verger, le dos contre le tronc d'un pommier. De nouveau, dans son cœur comme dans son corps, elle retrouvait les angoisses et les déchirures de ses dix-huit ans. Elle venait de comprendre qu'elle était enceinte et elle avait peur.

C'est là que Jérôme l'avait trouvée. Le jour naissant commençait à éclaircir l'horizon d'une clarté rose orangé intense. Au loin, le chant d'un coq réveillait hardiment la nature, et la brume diaphane s'envolait déjà en longs filaments vaporeux. Inquiet, il l'avait rejoint en quelques enjambées. La mémoire de Cécile avait-elle décidé de lui jouer encore un mauvais tour, comme l'hiver dernier à la suite d'un accident cérébral vasculaire qui était passé inaperçu? Pourtant, depuis quelque temps, sa femme semblait prendre du mieux, beaucoup de mieux. Le sourire qui avait répondu à son inquiétude l'avait aussitôt rassuré. C'était le sourire de sa douce, à la fois un peu triste et moqueur. Un sourire unique, qui n'appartient qu'à Cécile et qui a suivi Jérôme tout au long de sa vie, même pendant ces années interminables où il était loin d'elle.

— Que se passe-t-il mon amour pour que tu sois à ce point matinale?

Cécile n'avait pas répondu tout de suite. Elle était restée silencieuse un long moment, le regard perdu sur l'horizon, les genoux relevés, retenus par le cercle de ses bras. Puis elle avait demandé d'une voix absente:

— Te rappelles-tu, Jérôme?

Elle n'avait pas eu besoin d'en dire plus. Elle avait relevé la tête et cherché son regard. Leurs pensées s'étaient aussitôt rejointes dans les souvenirs que leur offrait ce merveilleux lever de soleil d'un matin de mai un peu trop chaud. Puis Cécile avait eu ce geste qui avait bouleversé Jérôme: d'un mouvement brusque de la tête, elle avait repoussé la longue mèche de cheveux qui zébrait son visage. Comme elle le faisait si souvent quand elle était une jeune femme. Alors le vieil homme s'était laissé tomber sur l'herbe à ses côtés et, lui entourant les épaules d'un bras protecteur, il avait murmuré:

— Oui, je m'en souviens. Il faisait un printemps comme celui de cette année.

Ils n'avaient pas eu besoin d'ajouter autre chose. Ensemble, l'un contre l'autre, ils avaient admiré le jour qui se levait, sachant que leurs cœurs étaient unis comme jamais, chevauchant passé et présent en une sensation d'abandon total entre eux. Le passage du temps n'existait plus. Ils n'avaient plus d'âge, car les émotions du moment présent étaient les mêmes que celles d'hier. L'été 42 avait tracé le chemin de leur vie sans qu'ils n'aient le droit d'en modifier le moindre détour. Cécile avait accouché d'une petite fille qu'elle avait dû céder à l'adoption à son corps défendant ; Jérôme était parti pour la guerre ; ils s'étaient perdus de vue pendant plus de quarante ans sans jamais cesser de s'aimer. C'était peut-être pour cela que la vie leur avait réservé ce merveilleux cadeau : à l'aube de leurs soixante ans, ils s'étaient retrouvés et avaient repris la route ensemble. Et présentement, l'un comme l'autre, ils savaient que leurs espoirs étaient les mêmes. Oser croire qu'ils avaient encore devant eux de longues et belles années...

Au moment où ils entraient dans la maison, Jérôme avait demandé, une lueur coquine dans l'œil :

— S'il te plaît, ma douce, n'attache pas tes cheveux. Tu es si belle comme ça!

C'était un peu sa façon à lui de dire qu'il n'avait rien oublié. C'est donc pour tout cela que, ce matin, Cécile a les traits tirés, qu'elle semble absente et qu'elle porte ses cheveux librement sur ses épaules.

Pourtant, tout au fond d'elle-même, il y a autre chose. Comme un sentiment d'urgence qu'elle n'arrive pas à comprendre. Comme une intuition qui la pousse, dès que Jérôme, Sébastien et Claudie s'en vont, à refaire ce qu'elle appelle son pèlerinage, sachant que Mélina ne manquera de rien.

— T'inquiète pas pour moi, ma Cécile. Si t'as envie d'une promenade, t'as ben beau y aller. Moi, j'm'en vas profiter des rayons du soleil, sur la galerie, avant qu'y fasse trop chaud... Pis promis, je t'attends pour faire le dîner.

Sans perdre une minute, Cécile quitte la maison, devinant qu'elle répond ainsi à ce curieux appel qu'elle sent grandir en elle. D'un pas allègre, elle remonte le chemin croche devant la maison, profite un instant de l'ombre du petit boisé qui précède la croisée des chemins entre le rang du Bois de Chêne et le Deuxième rang où se situait la ferme de son père et que son frère Paul occupe depuis longtemps déjà. Puis elle s'arrête, un peu essoufflée. La grosse roche plate pointe toujours hors des broussailles. Quelques criquets hâtifs ajustent leurs cordes et une famille d'oiseaux, cachés dans les arbres, se répondent joyeusement. Comme dans son souvenir. Impulsivement, d'un pas prudent, Cécile traverse le fossé, remonte la petite butte de sable et vient s'asseoir sur la grosse roche. Cécile est une femme d'émotion, de cœur. D'intuition aussi. Jamais elle n'a repoussé avec désinvolture ce que son cœur pressentait. Même si elle ne comprend pas toujours ce qu'il essaie de lui dire. Même si ce matin, elle ne comprend pas très bien d'où lui viennent ces battements imprévus. Pourquoi revit-elle aussi intensément toutes les émotions d'hier? Ce n'est pourtant pas la première fois qu'il fait un peu trop chaud en mai et qu'elle repense à son passé. Alors que se passe-t-il? Pourquoi revivre avec autant d'acuité toutes les émotions de son unique maternité?

Longtemps Cécile reste assise, le visage levé vers le soleil, les yeux mi-clos. Et sans raison autre que celle de se fier à son intuition, elle laisse refluer en elle tout ce que son cœur et ses souvenirs ont à lui suggérer : la voix intransigeante de son père ; celle de sa tante Gisèle, toujours un peu bourrue mais combien sage et aimante, et puis celle de Jeanne, sa mère, comme toujours fatiguée par la vie et n'ayant plus la force de se battre. Et enveloppant tout cela, elle sent viscéralement les mouvements de son bébé dans son ventre et le vertige qui les accompagne quand elle se répète, cruelle litanie, qu'elle n'aura pas le droit de l'aimer, cet enfant qu'elle porte. Puis, elle revoit la pouponnière où sa petite Juliette n'est plus, et les cris de ce bébé affamé, Gabriel, son petit frère, orphelin dès sa naissance... Comme une spirale immense qui l'emporte loin du moment présent sans que Cécile ne cherche à se retenir. Malgré les douleurs que ces images suscitent en elle. Avec sa sagesse coutumière, elle se dit que la vie saura bien lui faire signe un jour ou l'autre et qu'elle comprendra alors le pourquoi des choses.

Quand elle revient finalement vers la grande maison blanche et rouge, les cloches du village sonnent déjà midi. Aussitôt Cécile accélère le pas. Mélina doit s'impatienter. Mais tout au fond d'elle-même, elle sait qu'elle a eu raison d'agir comme elle l'a fait.

Parce que présentement, une grande paix habite son cœur...

Pendant ce temps, une joyeuse troupe se dirige vers Québec. Chacun pour ses propres raisons.

Probablement à cause de ses longues années de réclusion dans un monastère, Jérôme apprécie grandement les quelques heures qu'il passe régulièrement en ville. Il se rappelle invariablement à quel point il aimait se rendre à Caen pour négocier la vente du cidre que les moines mettaient en bouteilles ou encore pour s'attabler devant un ballon de rouge au petit bistrot, seul face à lui-même, renouant ainsi entre elles les ficelles enchevêtrées de sa vie. Quand il vient seul en ville et que la température le permet, il s'offre même quelques instants de détente à une terrasse du Vieux-Port. C'est ce qu'il appelle sa petite folie, son jardin secret.

Claudie, quant à elle, imagine déjà les quelques vêtements d'été qu'elle s'est promis d'acheter avec le salaire que Jérôme et Cécile tiennent scrupuleusement à leur donner, à Sébastien et à elle.

— Tout travail mérite salaire, Claudie. On a toujours payé nos employés, et je ne vois pas ce qui ferait que ce serait différent pour vous deux. Par contre, si ça peut te mettre à l'aise, tu nous paieras une pension... Qu'est-ce que tu dirais de quinze dollars par semaine? À moins que ce ne soit trop?

En disant cela, Mamie Cécile avait l'air mal à l'aise! Claudie avait éclaté de rire. Voir si quinze dollars par semaine était trop cher payé pour être logée comme une princesse et nourrie comme un coq en pâte!

Mais c'est grâce à cela que ce matin, elle a en poche suffisamment d'argent pour s'offrir quelques folies...

Jérôme dépose les deux jeunes au centre commercial. Ils se sont donné rendez-vous tous les trois en fin d'après-midi, au même endroit.

— Tu viens, Sébastien?

L'auto de Jérôme s'éloigne déjà à travers le stationnement. Sébastien la suit des yeux un instant puis se tourne vers Claudie, l'air un peu absent.

— Qu'est-ce que t'as dit?

— Coudonc, toi, on dirait que tu as attrapé la même maladie que Mamie Cécile. T'as pas l'air vraiment là.

— Comme ça tu as remarqué, toi aussi?

— Et comment! Je me demande ce qui... Et puis ça ne nous regarde pas. S'il y avait quelque chose de grave, jamais Jérôme n'aurait quitté la maison. Tu as vu comment ils se regardent ces deux-là?

Sébastien lui répond par un sourire. Comment ne pas voir les liens intenses qui unissent Cécile et son mari! Puis il demande en faisant une petite grimace:

— Dis donc, Claudie... Est-ce que ça serait bien bien grave si je ne t'accompagnais pas là-dedans, fait-il en pointant le centre commercial du menton. Tu sais, moi, le magasinage...

C'est au tour de Claudie d'esquisser un petit sourire. Elle s'y attendait!

— T'as envie d'aller te promener, n'est-ce pas?

De se voir percer à jour aussi facilement surprend toujours autant Sébastien. Ne serait-il qu'un grand livre ouvert? Il fronce les sourcils, à la fois agacé et surpris.

— Comment est-ce que tu fais pour toujours deviner ce...

— C'est peut-être que je t'aime.

Puis, se haussant sur le bout des pieds, Claudie dépose un gros baiser sonore sur la joue de Sébastien.

— C'est sûr que je t'aime, gros bêta... Allez, file. La ville t'appelle!

Finalement, Sébastien est reconnaissant à Claudie de si bien le comprendre. Il prend le temps de la tenir tout contre lui avant de s'éloigner. En se retournant, il lance:

— On se retrouve ici vers trois heures ? Ça te va ?

— Parfait. À tout à l'heure...

Sébastien se détourne pour de bon, regarde un moment autour de lui. Ici, c'est la banlieue. Et à ses yeux, cela ne compte pas. Ce n'est pas la vraie ville, celle qu'il connaît, celle qui lui était aussi chère qu'un ami. Il a besoin de retrouver rues et ruelles, de sentir l'odeur des camions, d'entendre les gens qui s'apostrophent d'un balcon à un autre. Il a surtout besoin de se perdre dans l'anonymat d'une foule. S'orientant un instant, il gagne le trottoir et dirige ses pas vers l'est, le cœur battant curieusement, comme s'il avait le trac.

Et si la ville ne lui parlait plus ?

Pendant de longues heures, Sébastien se promène, d'une rue à l'autre, empruntant quelques ruelles, s'attardant devant les vitrines, repérant par instinct les endroits où il pourrait passer la nuit. Cette ville, il ne la connaît pas comme Montréal. Il n'y a ni repères ni habitudes. Pourtant, il l'entend comme on entend la voix d'un ami perdu de vue et que l'on retrouve par hasard. Sébastien se sent à l'aise, comme chez lui.

Ses pas l'ont mené jusqu'à sur la Terrasse, derrière le Château Frontenac. Midi tape fort, le soleil pique la peau. Sébastien repère un kiosque et s'y dirige aussitôt avant de se laisser tomber sur un banc de bois. La brise venant du fleuve est douce, quelques voiliers se livrent une course nonchalante sur l'eau d'un bleu profond, les traversiers font leur navette monotone entre les deux rives. Sébastien a l'impression d'être un personnage dans un décor de théâtre. La ville, ici, a un petit quelque chose de touristique, de théâtre, d'irréel qu'il ne ressentait pas à Montréal.

Comme une légèreté d'être, une impression de vacances...

Mais il y a peut-être plus. Autre chose. Quelque chose qu'il ne comprend pas tout à fait. D'où lui vient ce malaise qu'il a commencé à ressentir en quittant Montréal ?

Pendant un moment, Sébastien se soulève, regarde intensément autour de lui avant d'appuyer ses coudes sur ses cuisses. Et tout en posant sa tête au creux de ses mains, il porte son regard au-dessus de l'eau marine tachetée de vaguelettes blanches et le laisse voguer jusqu'à la pointe de l'Île d'Orléans.

Cette impression de grandeur, d'horizon sans limite, de liberté totale, Sébastien l'inspire profondément. Jusqu'au fond de ses poumons, jusqu'au fond de tout son être. Il est bien. Bien de cette solitude retrouvée, de ce temps où il n'a rien à faire ni comptes à rendre à personne, bien de cette senteur d'asphalte chauffé au soleil. Pourtant, venue de nulle part, l'image du sourire de Cécile s'imprime sur l'écran de sa pensée, effaçant la sérénité qu'il y avait dans son regard. Ses sourcils se froncent. Maintenant, dans sa vie, il y a aussi Jérôme et Cécile. Deux êtres exceptionnels, qui n'imposent rien sinon le respect et l'envie de leur plaire. Et ils l'ont accueilli comme un fils. Jérôme et Cécile lui ont offert de partager leur vie, spontanément, en toute sincérité. Une vie toute simple qui rejoint une partie de ce qu'il est. Sébastien ne peut le nier. N'est-ce pas là un cadeau de l'existence? Comme s'il avait gagné à la loterie de la vie un prix d'une valeur inestimable? Le jeune homme a envie de répondre oui. Impulsivement, sans la moindre hésitation.

Alors pourquoi ce malaise qui ressemble à un regret?

De nouveau, Sébastien regarde autour de lui. À quelques pas sur sa gauche, un autre jeune comme lui gratte sa guitare, tendant la main aux passants entre deux chansons et, près de l'abri du funiculaire, un clown un peu triste jongle avec des balles multicolores, un chapeau à ses pieds pour la monnaie qui paiera probablement son souper.

Et eux aussi rejoignent une partie de ce que Sébastien croit être.

Arrivera-t-il un jour à concilier tous les Sébastien qu'il y a en lui?

« Tu n'es qu'un ingrat, un éternel insatisfait... »

La voix dédaigneuse de son père, impatiente, sans chaleur... À force de se le faire dire, peut-être bien, oui, que Sébastien est devenu un éternel mécontent, qui ne sera jamais heureux car il voudra toujours autre chose.

D'un soupir colérique, Sébastien essaie d'éloigner la voix de Me Duhamel. Mais elle persiste, s'incruste, posant un nuage presque tangible entre le soleil et lui. Le jeune homme se relève alors avec impatience, retourne vers la rue, jetant même quelques pièces au clown en passant près de lui. D'abord avec désinvolture puis avec conviction. Pourquoi pas ? Il en a les moyens, aujourd'hui. Et qui mieux que lui peut savoir à quel point ces quelques cents peuvent faire une différence ?

C'est en posant ce geste que la réalité, sa nouvelle réalité le rattrape. Ce soir, lui, il aura droit à un copieux repas. Un repas que son travail lui aura permis de mériter. Et cela aussi, il l'apprécie. Pourtant, en même temps, presque à regret, il se dirige vers la rue du Trésor, constatant que le temps passe vite, trop vite. Il doit déjà penser à retourner vers Sainte-Foy. Il respire profondément l'air surchauffé comme s'il devait en faire des provisions. Dans quelques heures, la ville sera de nouveau derrière lui. Brusquement, il craint le grand calme de la campagne. Comme s'il avait peur de ce silence imposé. Pourtant, Sébastien aime la solitude.

Mais que se passe-t-il donc ?

D'un coup de pied colérique, envers la vie qu'il ne comprend toujours pas mais aussi envers lui-même parce qu'il est encore si compliqué, il envoie valser un papier graisseux qui traînait sur le bord du trottoir. Il enfonce les mains dans ses poches et traverse la Place d'Armes, les yeux au sol.

Seule la vue des tableaux exposés le long des murs des maisons de la rue du Trésor arrive à le détendre pour un moment, lui faisant oublier le mal d'être qui l'a envahi.

Il constate que, finalement, Jérôme a raison : les dessins qu'il fait ne sont pas mauvais. Pas mauvais du tout...

Pourtant, quand il retrouve Claudie, son regard est fermé, sombre. Il est brusque, taciturne, la colère envers lui-même ayant eu le dessus. Alors la jeune fille n'insiste pas. De renouer avec la rue a dû ramener Sébastien dans le passé. Un passé qu'il ne regrette peut-être pas vraiment. Et elle peut comprendre même si elle n'approuve pas totalement. Pourquoi retourner le fer dans la plaie ? À ses yeux, la rue ne sera jamais une solution. Pourquoi Sébastien y revient-il avec nostalgie ? Elle aurait envie de lui dire qu'il perd son temps. Malgré tout, elle s'oblige à respecter le silence de son ami et parle pour deux de choses et d'autres, de banalités. Elle entretient ensuite la conversation avec Jérôme, car Sébastien s'est engouffré à l'arrière du véhicule et il reste enfoncé dans son coin, le regard vrillé sur le paysage qui défile.

Cependant, quand Sébastien décline son invitation à faire une promenade et qu'il part seul le long du sentier qui borde le champ où les voisins ont semé du maïs, Claudie ne peut retenir les larmes qui lui montent aux yeux.

Quand donc Sébastien cessera-t-il de se faire du mal ?

Quand donc décidera-t-il à ouvrir son cœur pour de bon ?

Et dire qu'elle croyait avoir eu une bonne idée pour lui, pour eux. Elle vient de comprendre que ce n'est pas ce soir, ni même demain probablement qu'elle pourra en parler à Sébastien. Dommage.

Debout sur la galerie à l'arrière de la maison, ravalant ses larmes et sa déception, Claudie lève la tête et cherche Sébastien du regard. Il est déjà presque rendu à l'orée de l'érablière. Le soleil couchant éclaire violemment son chandail rouge et Claudie peut le voir distinctement contre le mur sombre des troncs d'arbres. En ce moment, il marche à pas rapides, les mains dans les poches, les yeux au sol. Il a cette allure d'un homme d'affaires très occupé. L'allure qu'il avait quand il marchait sans but dans les rues de Montréal.

Chapitre 2

On trouve toujours ce que l'on cherche. La réponse est toujours présente et, si on lui en donne le temps, elle se révèle à nous.

Thomas Merton

Toujours au mois de mai, à Montréal

La touffeur de l'air trop chaud et humide pesant sur la ville depuis quelque temps rejoint intimement celle qui a envahi la vie de François.

« Je ne sais comment... Vous êtes séropositif. »

La voix du médecin comme une douleur lancinante sur sa vie, un scalpel qui tranche dans la chair vive, arrachant un cri qui part du ventre, immense. Depuis cet instant, il n'y a plus que ces mots en lui qui résonnent à l'infini, qui le rongent comme un cancer, qui rendent chaque geste lourd à poser, qui l'empêchent de respirer.

Et quelques heures plus tard, il y avait eu le regard lumineux de Marie-Hélène, sa voix vibrante de tout l'espoir, de toute la fierté du monde comme seule peut l'être celle d'une future mère.

— Je suis enceinte, François. Ça y est, je suis enceinte...

Marie-Hélène dégageait une douceur nouvelle, cette manière d'être particulière quand le geste et la voix se font attente heureuse. François avait ressenti cette douceur jusqu'au fond de son être. Alors, il y a aussi ces mots qui rendent les battements du cœur douloureux. Cette peur immense en lui. Peur de l'irrévocable mais peur de l'inconnu, aussi.

Comment dire à celle que l'on aime qu'elle porte la mort en elle ?

Ce bébé, leur bébé, celui qu'il espérait tout autant que Marie-Hélène, aujourd'hui, il n'en veut plus. Il ne veut pas d'une vie marquée au fer de la marginalité, il ne veut pas de douleur pour ce petit qui ne demande qu'à être aimé. Qui a droit à tout ce qu'il y a de meilleur en eux et à qui, lui, François, son père, a légué ce qu'il y a de pire.

Il voulait donner la vie, il n'a semé que la mort.

Chaque pas qu'il fait est devenu pénible parce que lourd du terrible secret qu'il porte en lui. Car François n'arrive pas à parler.

Les mots restent coincés entre son cœur et sa tête, l'étranglant au point de faire venir les larmes.

Comment dire à celle qui rêvait d'être mère qu'elle devrait se faire avorter ? Qu'elle ne pourra jamais porter d'enfant ?

Parce que François en est convaincu : ils n'ont pas le droit de laisser naître cet enfant. Pas le droit de le condamner à une vie de reclus, de souffrances. Ni lui ni aucun autre. Alors il ne veut pas parler de leur bébé. Ni avec Marie-Hélène ni avec personne d'autre. Il ne veut surtout pas s'attacher en laissant son cœur parler comme il en aurait envie. La vie est devenue un chaos où François ne retrouve ni ses valeurs ni ses choix.

Et ses devoirs envers Marie-Hélène, celui de la rendre heureuse, de l'aimer, de la respecter, qu'en a-t-il fait ?

François est coupable, l'unique responsable et il doit demander à Marie-Hélène de porter avec lui le poids de sa culpabilité. Belle preuve d'amour ! François se déteste tout autant qu'il a peur. Toutes les parties de sa vie, les bonnes comme les mauvaises, les difficiles comme les plus douces, se heurtent en lui, le laissant haletant, blessé. Implacablement blessé...

Depuis qu'il sait, François pense de plus en plus souvent à Marco, son ami d'adolescence qui avait choisi de se donner la mort parce qu'il ne voyait pas de raisons valables de vivre. Malgré les apparences et tout ce que François avait pu en penser jusqu'à ce jour, finalement, c'est Marco qui a eu la meilleure part parce que sans le savoir, c'est lui qui a fait le bon choix.

Toute la vie de François est étranglée par la spirale sans pitié qui l'emporte loin de tout ce qu'il y avait d'important, d'essentiel pour lui. Toute sa vie brisée par un instant de stupidité, par un instant de cette naïveté de l'adolescence qui fait que l'on ne voit que le moment présent. Sans relâche, comme si un index accusateur était posé sur lui, François revoit la cave humide de Caen, en France, où il avait succombé à l'envie irrépressible qu'il avait de se perdre dans l'oubli des artifices, de la drogue. La seringue, la douleur de l'injection puis le silence, le grand silence de la paix enfin retrouvée. Cette illusion de paix, courtisane déloyale, qui vous dérobe à la réalité, qui vous rend vulnérable pour mieux vous faire payer par la suite. C'était la seule fois où il avait utilisé une seringue. L'unique occasion où il a pu être contaminé...

Aujourd'hui, l'amertume viscérale qui le consume rend le souvenir presque sarcastique. Parce qu'il avait été prévenu. Les travailleurs sociaux, ses parents, Mamie Cécile, Jérôme. Les regards inquiets que tous posaient alors sur lui et dont il se moquait. Les mises en garde, les supplications. Mais François les ignorait. Personne ne pouvait savoir, personne ne pouvait comprendre. Lui, François, il était bien au-dessus de toutes ces préoccupations. Il avait la foi railleuse et suffisante de l'adolescence. Il avait quinze ans. Et à quinze ans, l'avenir s'arrête souvent sur le moment présent. Pourtant, tous les autres qu'il voyait parfois comme des ennemis, tous, ils avaient raison. Aujourd'hui, François doit payer son dû. On ne joue pas avec la mort, on ne la nargue pas impunément. Il aurait dû le savoir, lui qui avait retrouvé Marco les veines ouvertes et l'avait bercé contre lui comme on berce un enfant.

Maintenant, c'est lui, François, qui aurait envie d'être bercé. Même s'il n'y a pas droit. Même si par sa faute, il a perdu tous ses droits.

Comment demander pardon quand on n'a droit à aucune indulgence?

François avance en fuyant les regards, en évitant les mains tendues. Malgré la logique, malgré tout ce qu'il en sait, lui, le travailleur de rue, l'homme confronté aux douleurs des autres, il fuit comme s'il était pestiféré. Pourtant, il sait bien que le sida ne saute pas sur les gens. Il le sait mais n'y croit plus. Il a peur. Et ce qui était normal pour les autres ne l'est plus pour lui. Car si les gens savaient, ne le fuiraient-ils pas? François juge et condamne à leur place. Peut-être par besoin de se punir ou de se prémunir des jugements. Par crainte des regards qui condamnent, justement. Désormais, la normalité des choses à travers le quotidien lui sera interdite. Ainsi la vie en a-t-elle décidé.

Alors François ne sait plus les mots à dire. Les mots qui le délivreraient mais qui enchaîneraient les autres. Tous ces autres qu'il aime...

Il garde au fond d'un tiroir la demande de consultation que son médecin lui a donnée. Parce qu'il ne veut pas se faire confirmer le pire. Mais en même temps, s'il craint l'inconnu dans lequel il est plongé, il voudrait être rassuré.

Il se tait parce que les mots à dire sont porteurs de mort. Parce que tout ce qu'il devra inévitablement dire un jour tuera l'essence même de sa vie en détruisant Marie-Hélène et l'assurance heureuse qui est la sienne depuis qu'elle sait l'enfant en elle.

Il se tait parce qu'il est égoïste et qu'il a la hantise de perdre Marie-Hélène. Que serait-il sans elle? Quel sens donner à sa vie sans la présence de cette femme qu'il aime plus que tout?

C'est pourquoi François ne dit rien. Par lâcheté, par certitude. Il ne veut pas voir s'éteindre la merveilleuse étincelle de joie de vivre qui a toujours brillé dans le regard de sa femme. Il sait que le jour où il parlera, cette étincelle s'éteindra à jamais. Alors il reporte le devoir qu'il a de dire les choses. Demain peut-être, ou la semaine prochaine. Laisser le temps à Marie-Hélène d'être heureuse pour une dernière fois avant de détruire l'amour entre eux. Elle est si belle depuis qu'elle est enceinte.

Entretenir par son silence l'illusion d'une vie sans déchirure comme il entretenait l'illusion d'une paix intérieure quand il se droguait...

Sur la table de la cuisine, coincée entre la salière et la poivrière, une grosse bouteille de vitamines a pris la place d'honneur. Tous les matins, scrupuleusement, Marie-Hélène se force à avaler l'énorme capsule comme si elle souscrivait au rituel d'une religion nouvelle. «C'est bon pour vous et le bébé» lui avait dit son médecin lors de la première visite. Marie-Hélène s'oblige donc à prendre ses vitamines malgré le goût amer qui lui reste dans la bouche et qui perdure jusqu'au midi. Tout comme la lourdeur de ses seins qui est une douleur joyeuse. Son corps change, se prépare, s'épanouit à cause de ce minuscule bébé qui prend tout doucement sa place.

Et Marie-Hélène est heureuse. Profondément, totalement.

Même si François lui semble un peu distant. Elle se dit que c'est normal. De sa grossesse, on ne voit rien. Ce n'est pour l'instant qu'une sensation intérieure pour elle-même, une intuition. L'instinct animal déposé en elle depuis des millénaires rend ses gestes protecteurs et son cœur plus fort. Mais pour le reste... Elle se dit que lorsqu'il pourra sentir le bébé bouger, François sera différent. Marie-Hélène en est convaincue. Ils en ont tellement parlé de cet enfant. Ils l'ont tellement voulu, tous les deux. La suite coulera de source, en son heure... C'est un peu pour cela qu'elle a accepté de ne pas parler tout de suite de son état.

— Ça nous a pris tellement de temps à le faire, ce bébé. Attendons un peu, d'accord? avait plaidé François. Pour être bien certain que tout va bien...

Curieusement, François avait l'air inquiet en prononçant ces quelques mots. Mais comme ces paroles rejoignaient la crainte que Marie-Hélène avait, elle aussi, cette petite peur que les femmes ont toutes concernant cet enfant en elles qu'elles voudraient parfait, elle n'a rien dit. François a raison. Quand on aura l'assurance que tout se passe bien, on avisera parents et amis.

Et c'est à cela qu'elle pense, Marie-Hélène, debout dans la cuisine, énorme vitamine et verre d'eau tiède à la main, admirant le soleil qui cabriole à travers les petites feuilles dentelées du vieil érable qui étire ses branches tordues au-dessus du toit de la maison voisine. Une autre belle journée qui commence... Avec un profond soupir, rassemblant tout son courage, fermant les yeux à demi et grimaçant, elle avale l'infecte pilule au moment où elle entend François qui arrive dans la cuisine à son tour.

— Ouache! C'est donc bien gros, soupire-t-elle en se retournant vers lui et en retenant le haut-le-cœur qui lui monte aux lèvres.

Mais en disant cela, la jeune femme a un large sourire. Il faut bien qu'il y ait quelques désagréments parce que, autrement, elle ne se sentirait pas vraiment enceinte. Tout va si bien !

— Tu veux un café ?

Marie-Hélène n'a pas attendu que François lui réponde et se dirige déjà vers le comptoir où la cafetière échappe une vapeur chaude et odorante. Puis elle prend deux tasses. Depuis quelque temps, François semble un abonné absent. Un peu comme au printemps dernier et l'autre d'avant, finalement. Cela doit être la fatigue accumulée tout au long de l'hiver, à force d'arpenter les rues, de s'inquiéter pour ses jeunes... Cette fois-ci, Marie-Hélène a décidé qu'elle ne s'en ferait pas inutilement. Après les vacances annuelles, tout va rentrer dans l'ordre. Comme d'habitude...

S'affairant à préparer les rôties et à verser le café, elle continue donc de parler comme si François lui répondait, formulant toute seule questions et réponses. Passant de son travail au bébé, de la température idyllique au bébé, des courses à faire au bébé... Puis, en déposant les tasses sur la table, elle demande :

— Alors, tu viens avec moi ou pas ?

Elle vient de rappeler le rendez-vous prévu avec le médecin pour la fin de l'après-midi.

— Je ne pourrai pas... Une rencontre avec les intervenants du Refuge...

Marie-Hélène dessine une petite grimace de déception. Malgré tout, elle commence à avoir hâte que François s'implique un peu. Quand bien même ce ne serait que pour lui montrer qu'il est heureux, lui aussi...

— Dommage...

Elle laisse ce dernier mot en suspens, espérant que François va le reprendre, s'excuser, se faire tendre pour elle. Mais rien. François se contente d'avaler rapidement sa dernière bouchée, de terminer en une gorgée le reste de son café avant de se relever pour déposer sa vaisselle sale dans l'évier. Puis :

— Ne m'attends pas pour souper, je risque d'être en retard.

Baiser sur la joue, comme à contrecœur et il est déjà parti.

Pendant un bref instant, Marie-Hélène entend la dégringolade de ses pas dans l'escalier. La porte qui claque la fait sursauter puis c'est le silence. Un grand silence en elle et autour d'elle que le bruit des autos au loin n'arrive pas à briser. Deux grosses larmes perlent à ses paupières avant de glisser sur ses joues. Pourquoi ? Pourquoi François est-il si distant depuis qu'il a appris qu'elle était enceinte ? Elle revoit les dernières semaines. C'est à peine si son mari traverse la maison en coup de vent. Parti bien avant elle le matin alors qu'habituellement il quittait la maison vers midi, il ne revient que le soir tombé et parfois même la nuit entamée. Il ne lui fait même plus l'amour alors qu'elle-même rêve de se fondre en lui comme jamais cela ne lui est arrivé auparavant. Cette communion entre eux qui serait si totale sachant qu'un bébé est né de leur amour... Pendant un moment, elle laisse ses larmes couler puis, d'un geste brusque, elle se relève. Du revers de la main elle essuie son visage en reniflant son chagrin.

— Grosse bête, pourquoi douter ? murmure-t-elle en ramassant les vestiges du repas. Ce doit être le changement d'hormones dont on parle tant qui te rend si mélancolique. Et tu le sais, à cette époque de l'année François est toujours un peu grognon... Allons donc ! Ce n'est qu'un rendez-vous chez le médecin, à peine cinq minutes dans ta journée...

Machinalement, elle pose la main sur son ventre.

— Ton papa est un drôle de coco ! Attends de le connaître, tu vas voir !

Passer de la tristesse la plus dure à une sensation d'euphorie qui fait oublier tout le reste. Petit à petit, Marie-Hélène commence à s'y faire. Tous ces bouleversements en elle, toutes ces attitudes nouvelles dont elle ne connaissait même pas l'existence. Jamais avant elle n'avait été à l'écoute de son corps comme elle peut l'être depuis quelque temps. Il faut dire cependant qu'elle a l'impression de ne plus être la même. Tout semble amplifié en elle, les sensations physiques comme les émotions. Curieuse nature... Lentement, d'un geste très doux, elle caresse son ventre, émue, un peu déçue malgré tout de n'avoir personne avec qui partager tout ce qu'elle est en train de vivre.

— J'ai hâte de te connaître, toi.

Alors elle reporte ce besoin de complicité sur son bébé. Ce tout petit bébé, à peine plus gros qu'un pois vert et qui prend déjà tant de place dans sa vie.

Finalement, Marie-Hélène quitte la maison en chantonnant...

* * *

— Tout est normal.

D'une main amicale, le médecin aide Marie-Hélène à se relever après l'examen.

— L'utérus grossit conformément aux prévisions et à la prochaine visite nous devrions entendre battre le cœur du bébé.

Marie-Hélène est radieuse.

— Déjà?

— Eh oui! Vous en serez à votre treizième semaine, normalement le cœur devrait être assez vigoureux et assez gros pour qu'on puisse l'entendre... D'ici là, j'aimerais que vous passiez cet examen.

Et le médecin de lui tendre un papier.

— Formule sanguine et tout le tralala... Simple routine. Pas besoin d'être à jeun. Vous n'aurez qu'à prendre rendez-vous au numéro de téléphone inscrit au bas de la feuille. Et nous, on se revoit dans un mois.

— C'est tout?

Le médecin éclate de rire.

— À part le fait que nous pourrions avoir une conversation sociale intéressante, oui, c'est tout. Dans le fond, je ne suis que le témoin de votre grossesse. C'est vous qui allez le fabriquer, ce bébé-là. On ne fait que vérifier que la nature coopère bien. Et n'ayez aucune crainte, dans votre cas, tout va pour le mieux. Dans sept mois vous devriez nous mettre au monde un beau gros bébé en parfaite santé.

Marie-Hélène lui rend son sourire.

— Merveilleux! On se revoit donc le mois prochain...

Marie-Hélène a préparé un bon repas et choisi d'attendre que

François revienne pour le partager avec lui, même si elle a une faim de loup. Qu'importe l'attitude de son mari, elle a décidé de prendre le taureau par les cornes !

— Veut veut pas, il ne s'en tirera pas comme ça, le futur papa, murmure-t-elle joyeusement en s'asseyant sur le balcon, face à la rue.

Depuis qu'elle est ressortie du bureau du médecin, Marie-Hélène a l'impression d'avoir des ailes. Et la force pour soulever des montagnes. Tout va bien, le docteur l'a confirmé, alors plus question d'attendre pour annoncer l'heureuse nouvelle. Présentement, Marie-Hélène aurait envie de crier son beau secret au monde entier tellement elle est heureuse. Que François s'attelle solidement, rien ne la fera changer d'avis ! Il est temps qu'il accepte sa grossesse avec l'enthousiasme qu'il mettait à en parler avant. Et c'est ce soir qu'ils vont clarifier la situation.

La soirée est douce de brise odorante et le soleil couchant se nimbe d'une lueur rosée au-dessus des toits de la ville. En biais, la croix du Mont-Royal vient d'allumer ses lumières et tout en bas, sur la droite, Marie-Hélène aperçoit le va-et-vient nonchalant de la rue Saint-Denis. Dans le parc du Carré Saint-Louis, les gens semblent vivre au ralenti, tout simplement, en accord avec cette soirée parfaite. Les couples vont à pas lents, main dans la main, et les enfants s'interpellent joyeusement. Marie-Hélène se dit que François ne pourra faire autrement qu'être sensible lui aussi à la magie que l'on sent ce soir.

Pourtant, quand il arrive enfin à la maison, François a son visage des mauvais jours. Il semble tendu, irritable, et c'est à peine s'il touche au repas que Marie-Hélène a préparé.

— Tu m'excuseras mais je n'ai pas faim. J'ai eu une journée de fou...

Et avant même que Marie-Hélène n'ait le temps de penser qu'elle voulait lui parler, il est déjà sous la douche. Déçue, elle range machinalement la cuisine, se prépare elle aussi pour la nuit, à gestes lents, comme retenus par une pudeur toute nouvelle face à François. Parce que, en ce moment, elle a l'impression d'être avec un étranger. Quelqu'un de différent devant qui elle ne se sent pas à l'aise. Puis son énergie revient. Mais qu'est-ce que c'est que ces idées folles? Pas question de s'endormir encore une fois sur une déception. L'homme qu'elle entend dans la salle de bain est son mari. Celui qu'elle aime plus que tout au monde, avec qui elle a vécu des espoirs, des difficultés, des victoires quand il a décidé de se prendre en mains et d'attaquer sérieusement sa désintoxication. C'est aussi celui avec qui elle fait des projets depuis des années. Et ce petit bébé, c'était vraiment un projet à deux. Elle ne l'a pas rêvé. François, c'est aussi son ami le plus cher, celui pour qui elle n'a aucun secret. Alors ensemble, tous les deux, comme avant, ils vont comprendre ce qui arrive et trouver des solutions. À cette dernière pensée, Marie-Hélène ne peut s'empêcher de faire une moue de tristesse. Trouver une solution, comme si ce qu'ils sont en train de vivre était un problème. Lentement, elle remonte le drap sur elle au moment où elle entend François qui arrête l'eau dans la salle de bain.

Ne sachant trop comment aborder le sujet, Marie-Hélène laisse François se coucher et éteindre la lampe de chevet. Et tout à coup, comme si la pénombre se faisait complice, elle se sent mieux. Malgré le fait que, selon ses nouvelles habitudes, François lui ait tourné le dos. Sans en tenir compte, elle se glisse tout contre lui, enveloppe sa taille de son bras, l'embrasse sur l'épaule. Et c'est comme si François recevait une décharge électrique dans tout son être, jusqu'à son âme. Marie-Hélène, sa douce, sa pure, sa toute belle. Serrant les poings, sans se retourner vers elle, il tente désespérément de ravaler le sanglot qui lui encombre la gorge. Puis d'une voix rauque:

— Pas ce soir... Je suis fatigué.

Pourtant, Dieu lui est témoin qu'il rêve d'elle toutes les nuits. L'envie qu'il a de lui faire l'amour est chaque soir plus présente, plus forte. Comme avant, et même plus depuis qu'il sait qu'elle attend un enfant. Leur enfant. Pourtant, chaque fois, le spectre de sa maladie s'infiltre insidieusement entre lui et Marie-Hélène, l'obligeant à se retenir, tuant peu à peu la spontanéité joyeuse qui était la leur. Alors il répète:

— Je suis vraiment fatigué.

Mais c'est comme s'il n'avait rien dit. Marie-Hélène se love encore plus étroitement contre son dos. Elle ne se rappelle ni les choses qu'elle avait à dire ni même les mots qui sauraient les dire. Pour l'instant, il n'y a que le langage du corps qui l'unit à François et, glissant sa main sur son ventre, elle l'oblige à se retourner, cherche ses lèvres dans un élan passionné. Elle sent bien la retenue de François mais ne s'y attarde pas. À gestes lents, amoureux, elle laisse sa main glisser tout au long du corps de son mari, s'arrête sur son sexe qu'elle commence à caresser langoureusement. Pendant un bref moment, elle sent que François est crispé malgré la réponse évidente de son corps. Elle insiste, devinant que le langage de son corps est tout aussi éloquent que celui des mots. Marie-Hélène se fait douce et dure à la fois. Puis brusquement, c'est la détente. La prenant tout contre lui avec une vigueur nouvelle, François la rejoint, pose sa tête sur ses seins lourds, étreint son ventre encore plat. Ses caresses se font plus précises, combien tendres et passionnées en même temps. Leurs corps retrouvent cette complicité qui est la leur, bougent ensemble à la recherche du plaisir. François sent chez Marie-Hélène une sensualité nouvelle, différente, comme si elle était encore plus femme. Alors il se laisse emporter loin de leur chambre, loin des fantômes qui l'assaillent, incapable d'y résister. Mais quand il éclate de plaisir en elle, il n'y a qu'un mot, un seul qui explose à l'intérieur de sa tête en lettres de feu : « Pardon... »

Et cette nuit-là, incapable de dormir, il tient sa femme et son enfant tout contre lui, écoutant son cœur se débattre, découvrant que de bercer ceux qu'on aime est aussi doux, aussi réconfortant que de se faire bercer soi-même.

Et curieusement, au clair de lune, les fantômes lui semblent plus diaphanes...

Sans avoir vraiment réussi à lui parler, car au matin François semblait avoir retrouvé le confort de sa carapace, Marie-Hélène lui a quand même arraché la promesse de se rendre en Beauce la fin de semaine suivante.

— S'il te plaît, François. On vit en reclus depuis quelque temps. J'ai envie de voir du monde, de changer de décor.

— D'accord pour la Beauce. Mais on ne parle pas du bébé tout de suite.

L'opportunité d'aborder le sujet s'offre sur un plateau d'argent. Et Marie-Hélène, elle, saute sur l'occasion à pieds joints!

— Mais pourquoi? J'ai vu le médecin, hier, et tout va bien. Il dit qu'on devrait même entendre le cœur le mois prochain, tu te rends compte? Je ne comprends pas ce qui...

Marie-Hélène parle très vite de peur de ne pas arriver à tout dire, de ne pas être suffisamment convaincante. Pourtant, François reste de glace.

— S'il te plaît...

Marie-Hélène se tait brusquement. Malgré la froideur du timbre de la voix, il y a tellement de détresse dans l'intervention de François qu'elle n'insiste pas. Elle ne comprend pas, l'attitude de son mari la blesse, mais elle n'insistera pas. Peut-être bien, finalement, que François n'a fait ce bébé que pour lui faire plaisir et que lui, dans le fond, il n'y tenait pas vraiment. Cela expliquerait bien des choses. Connaissant François comme elle le connaît, cela expliquerait surtout son mutisme devant sa grossesse. Il a besoin de s'y faire avant d'en parler. Il a toujours été comme ça: apprivoiser les choses, les faire siennes avant de les dévoiler aux autres. Ce n'est qu'une question de temps. C'est pourquoi elle se pliera à la volonté de François. De toute façon, bien au-delà de la réaction surprenante de son mari, devenir père est probablement moins instinctif que devenir mère. Entre dire que l'on veut un bébé et se retrouver devant le fait accompli, il y a un monde. François doit s'ajuster à la situation nouvelle. C'est tout. Et il ne doit pas être le seul homme à réagir comme il le fait. Alors Marie-Hélène ravale les paroles qu'elle n'a pas eu le loisir de prononcer en même temps que sa grande déception. Par contre, sa décision est prise: le mois prochain, le futur papa n'aura pas le choix et il va l'accompagner chez le médecin. Entendre battre le cœur de son bébé devrait faire fondre sa résistance...

Depuis ce jour et jusqu'à leur départ pour la Beauce, Marie-Hélène a évité de parler du bébé. Par contre, l'enthousiasme évident de Cécile quand elle l'a appelée pour lui faire part de leur visite prochaine lui a fait un bien immense. Enfin, quelqu'un de joyeux. Car, chez elle, hormis la nuit d'amour dans les bras de François, rien n'a vraiment évolué. À se demander parfois si elle n'a pas rêvé cette fameuse nuit...

* * *

La chaleur en Beauce est beaucoup plus supportable qu'à la ville. La fraîcheur s'élevant des champs au coucher du soleil favorise le sommeil, le rend confortable. En s'éveillant, ce matin-là, Marie-Hélène se sent en pleine forme. De la cuisine, en bas, montent des éclats de voix tout joyeux. Dans le lit, à côté d'elle, la place est vide et même déjà froide. François doit être levé depuis un bon moment. Repoussant les couvertures d'un coup de pied enjoué, Marie-Hélène se lève d'un bond. D'être ici, avec les grands-parents de François, loin de la ville et de ses inquiétudes récentes, lui insuffle une vitalité nouvelle. L'intuition que tout va rentrer dans l'ordre... Marie-Hélène attrape sa robe de chambre au vol. L'odeur du pain grillé lui rappelle qu'elle a encore et toujours faim depuis quelques semaines!

— Qu'est-ce que tu dirais d'une longue promenade, Marie-Hélène? On pourrait aller saluer mon frère et l'inviter à un barbecue ce soir.

Quand la jeune femme est entrée dans la cuisine et a constaté que François n'y était pas, Cécile n'a pu faire autrement que de lire la déception qui a traversé son visage. De la déception et peut-être aussi de l'inquiétude. Brusquement, son regard s'est éteint comme une bougie que l'on souffle et qui fait de la pénombre une grande noirceur... Pourtant, hier soir, quand son petit-fils et sa femme étaient arrivés, à voir l'étincelle lumineuse qui brillait dans les yeux de Marie-Hélène, Cécile avait cru comprendre qu'ils étaient ici pour leur annoncer enfin l'heureuse nouvelle. Peut-être s'est-elle trompée? Cependant son intuition lui souffle qu'il y a autre chose. C'est pourquoi elle insiste.

— Alors, qu'est-ce que tu en dis? D'accord pour la promenade?

Après un instant d'indécision visible, comme si elle était subitement fort mal à l'aise, Marie-Hélène lève les yeux vers Cécile.

— D'accord. C'est vrai qu'il fait pas mal beau... Mais je préférerais aller vers l'érablière. Le boisé doit être tellement beau avec toutes ces petites feuilles qui poussent!

— Allons-y donc pour l'érablière! J'appellerai Paul et Gabriel en rentrant...

Et dès que Sébastien et Claudie quittent la maison en devisant vivement afin de rejoindre Jérôme au verger, Cécile s'empresse de ranger la cuisine et d'installer confortablement Mélina.

— Ce matin aussi, je vous laisse toute seule pour un moment. Ça ne vous dérange pas trop, Mélina?

La vieille dame a levé un regard coquin vers Cécile.

— Ben voyons donc! Si tu savais le nombre incalculable d'heures que j'ai passées toute seule dans ma vie à attendre après tout un chacun, tu te ferais pas du sang de punaise pour si peu. Je me suis tellement bercée sur c'te galerie-là que j'comprends pas qu'il y ait pas un trou dedans! Pis c'est juste normal que le monde continue de tourner rond même si moi, j'ai pu mes jambes d'avant pour le suivre! Allez, file! M'en vas en profiter pour jongler à mes vieux péchés. J'sais pas si c'est l'printemps qui m'fait ça, mais je m'ennuie de mon vieux mari sans bon sens depuis quelque temps!

Cécile l'avait donc quittée en riant. Merveilleuse Mélina, toujours de bonne humeur, toujours soucieuse des autres malgré son grand âge. Cécile l'envie, espère être de cette trempe, elle aussi, quand viendra ce temps de la vieillesse avancée.

La matinée est merveilleuse. Le soleil monte lentement dans le ciel, raffermissant ses rayons, les projetant de tous bords tous côtés, effleurant au passage la rivière que l'on voit briller en bas, dans la vallée. Malgré son immobilité, le paysage frémit de vie retenue, de vie naissante. Le bruissement des feuilles, le pépiement des oiseaux et même quelques grillons surpris de cet été hâtif... Du verger, maintenant loin derrière elles, Cécile entend l'éclat de voix joyeuses qui montent librement dans l'air tout léger de ce beau matin. Elle ne peut s'empêcher de sourire. Après quelques jours de maussaderie, Sébastien semble avoir repris son erre d'aller. Tout en restant celui qu'il est, à la fois réservé et ouvert, un solitaire qui a besoin des autres, le jeune homme a repris goût à son travail. Glissant son bras sous celui de Marie-Hélène, Cécile ajuste son pas sur le sien. Quoi de plus normal pour une vieille dame comme elle! Mais bien au-delà d'assurer sa démarche, Cécile pressent qu'elle a besoin de créer une forme d'intimité entre la jeune femme et elle. Faire couler cette chaleur de l'une à l'autre pour peut-être aider les mots à venir. Car Cécile en est persuadée: Marie-Hélène est différente. Heureuse et malheureuse à la fois... Sachant que d'entendre les autres se confier aide parfois à susciter les confidences, Cécile se met à raconter, d'une voix un peu absente:

— Beau printemps, n'est-ce pas, cette année?

Parler de soi à la surface des choses, tout doucement, du bout des mots et des intentions. Surtout ne rien brusquer et se fier à ce que son cœur lui dicte. Marie-Hélène reste un moment silencieuse, perdue dans ses pensées, comme absente. Cécile a même senti son bras tressaillir lorsqu'elle a commencé à parler. Puis:

— Pardon? Oui, oui, c'est vrai. Il fait très beau cette année.

Alors la vieille dame enchaîne, toujours sur le ton de la confidence:

— Il y a parfois de ces saisons que l'on n'oublie pas...

— En effet...

Cette fois-ci, la réponse de Marie-Hélène a fusé avec une spontanéité douloureuse. La pression de la main de Cécile se fait plus forte. Elle vient de comprendre qu'elle a vu juste. Une grande tristesse soutient les propos de Marie-Hélène. Elle poursuit donc.

— J'ai souvenir, tu sais, d'un printemps en tous points pareil à celui-ci. C'était il y a fort longtemps. La plupart du temps, c'est comme si un banc de brume s'étendait sur ce souvenir. Mais curieusement, cette année, c'est un peu comme si c'était hier. Je revois les événements, je ressens les émotions d'alors avec une telle précision... Veux-tu savoir de quoi il s'agit?

Et sans vraiment attendre une réponse qui ne viendra peut-être pas, Cécile attire Marie-Hélène vers l'avant.

— Viens. On va s'asseoir sur le banc des amoureux...

Tout en parlant, les deux femmes sont arrivées à la cabane à sucre. Et le petit banc de bois tout à côté de la porte semble les attendre. Avec une curieuse émotion, Cécile se souvient brusquement que c'est ici, l'automne dernier, qu'elle avait, pour une première fois, osé prononcer les mots qui disaient sa grande inquiétude. Elle se croyait atteinte de la maladie d'Alzheimer et Marie-Hélène était à ses côtés... Fermant les yeux un instant, il lui semble même que la senteur des feuilles mortes est toujours présente. Puis elle ouvre les yeux, obligeant le souvenir à reculer dans l'ombre. Dieu soit loué, elle n'est pas malade. Le destin devait savoir bien avant elle qu'elle avait encore des tas de choses à faire. «Des tas de cœurs à consoler», se dit-elle en entendant le profond soupir que pousse Marie-Hélène. Alors elle reprend là où elle avait laissé, devinant aisément que le sujet qu'elle tente d'aborder n'est pas très loin de la réalité de Marie-Hélène.

— Oui, je me rappelle que c'était une année de chaleur inusitée pour un mois de mai. Comme maintenant... Je n'avais que dix-huit ans, tu sais. L'âge pour être heureux, paraît-il. L'âge de l'insouciance, des projets joyeux, de la foi indéfectible en l'avenir. L'âge de l'amour fou. Mais moi...

Pendant un court instant Cécile laisse revenir en elle tous les souvenirs, les douleurs de l'époque, les espoirs et les déceptions. Mais ce dont elle se souvient le plus, en ce moment, c'est l'amour sincère qu'il y avait entre Jérôme et elle. Un amour comme celui qu'elle a toujours senti battre entre François et Marie-Hélène.

— Mais moi, reprend-elle dans un murmure, j'étais prise entre deux émotions. Heureuse et malheureuse à la fois. Un peu comme je te sens, ma belle, fait-elle en tapotant affectueusement la main de Marie-Hélène. Oui, c'est ça : heureuse comme on ne peut pas imaginer que ce soit possible et profondément malheureuse de ne pouvoir crier sa joie au monde entier. Je venais d'apprendre que j'étais enceinte. Et tu sais, en 1942, attendre un bébé sans être mariée, ça ne se faisait pas... Alors j'étais heureuse et malheureuse en même temps. Par chance, Jérôme était là.

— Mais moi, on dirait que François est absent.

Comprenant que Cécile avait tout deviné, les mots de Marie-Hélène sont venus spontanément. Dans le fond, c'est ce qu'elle espérait sans se l'avouer en venant ici. Que son secret soit percé afin de pouvoir enfin en parler au grand jour. Et qui mieux que Cécile pouvait le faire? À son tour, la main de Marie-Hélène cherche le bras de Cécile, le serre presque durement. Puis toutes les tristesses des dernières semaines se bousculent.

— Oui, Cécile, vous avez vu juste, je suis enceinte. Merveilleux, n'est-ce pas? Et je croyais bien sincèrement que François allait sauter de joie en apprenant la nouvelle. Vous vous rappelez l'an dernier quand je vous disais à quel point on était déçus parce que ça ne marchait pas et qu'on rêvait tous les deux d'avoir un bébé? Eh bien, non. C'est comme si j'avais assommé François en lui apprenant la nouvelle. J'ai vraiment l'impression que je prenais des vessies pour des lanternes et que mes certitudes n'étaient rien d'autre qu'une illusion. On dirait que la venue de ce bébé est une catastrophe dans la vie de François. Il ne veut pas que j'en parle et refuse même d'en parler avec moi. Chaque fois que je prononce le mot bébé, c'est comme si je l'attaquais. Il devient même agressif... Je ne comprends pas, Cécile. Ça me fait tellement mal.

— Oh tu sais, les hommes!

La vieille dame se veut rassurante. Et tout d'un coup, présentement, c'est presque toute sa vie qui court et galope en tous sens dans la tête de Cécile. Comme les flashs d'un appareil photo elle revoit Jérôme, à ses vingt ans puis encore lui, à soixante ans. Leurs choix réciproques, leurs décisions différentes. Et entre les deux apparaît Charles, son premier mari, le meilleur des hommes, qu'elle n'arrivait pas toujours à comprendre.

— Oui, les hommes sont bien différents de nous, tu sais, enchaîne-t-elle pour elle-même comme pour Marie-Hélène. Et c'est l'expérience de toute une vie qui me fait parler. Tu vois, ma belle, ça m'a pris des années pour enfin accepter que l'expression d'une même émotion puisse parfois prendre des allures totalement différentes. Malheureusement, quand on est jeune, cela engendre souvent des incompréhensions, des rejets... C'est dommage.

— Vous êtes sincère quand vous dites ça ?

— Tout à fait.

— Alors je dirais que c'est du temps perdu.

— Pas nécessairement. Avec le recul, je peux même affirmer que si ça permet de faire un bout de chemin, ça n'est jamais perdu. On dit que l'on apprend de nos propres expériences et non de celles des autres. C'est peut-être à ça que servent les déceptions... Mais j'admets que ton mari pourrait être... comment dire... pourrait être plus délicat. Je me souviens à quel point j'avais l'impression de flotter quand j'étais enceinte. C'était comme si je participais à un miracle. Oui, c'est ça : j'étais la complice directe du bon Dieu !

— Vous avez tout compris.

Pendant un moment, les deux femmes se regardent en souriant. Finalement, c'est peut-être pour cela que les souvenirs de Cécile se faisaient si précis cette année. Se rappeler ses émotions d'hier pour comprendre celles de Marie-Hélène aujourd'hui. Cette envie de crier sa joie alors que par respect elle doit se taire. Chacune à sa façon, pour des raisons différentes. Mais cela n'explique pas pourquoi François est si réticent.

— Tu sais, ma belle, je crois connaître ton mari comme le fond de ma poche. Avec le temps et les expériences vécues avec lui, j'ai parfois l'impression de lire dans un grand livre ouvert avec ce garnement. Et si je ne me trompe pas, c'est le bouleversement qui rend François, disons, distant. Il n'aime pas être bousculé, ton homme. Et puis, malgré une sensibilité à fleur de peau, il reste un être pragmatique. Il est probablement aussi heureux que toi mais en même temps, il prévoit tous les chambardements que cela va créer dans votre vie. Peut-être qu'il a peur de ne pas être à la hauteur. Et peut-être aussi qu'il a peur que tout n'aille pas comme il le souhaiterait. Tu sais, les hommes n'ont pas cette intuition que l'on ressent quand on est enceinte. Dans un sens, il n'est que le témoin de tout ce qui se passe en toi. Et ça l'inquiète probablement.

— C'est vrai.

— Alors donne-lui un peu de temps.

À ces mots, Marie-Hélène s'emporte un peu.

— Mais du temps, il en a eu, non? Ça fait presque deux mois qu'on sait...

Cécile sent que Marie-Hélène trépigne d'impatience. Et elle la comprend fort bien. Elle aussi, à l'époque, elle aurait voulu annoncer la bonne nouvelle à tous ceux qui lui étaient chers. Alors elle demande:

— Veux-tu que je lui parle, à ton François?

Marie-Hélène se tourne aussitôt vers Cécile.

— Non, non... Je lui avais promis de ne rien dire.

— Mais tu n'as rien dit, rétorque alors la vieille dame avec un sourire taquin. C'est moi qui ai tout deviné!

En entendant Cécile parler de la sorte, avec cette conviction amusée dans la voix, Marie-Hélène ne peut s'empêcher d'éclater de rire. Un rire qui vient du fond du cœur parce que retenu depuis si longtemps. Elle se sent soulagée, toute légère.

— Mais ça ne change rien, Cécile. Vous avez probablement raison pour François: je vais laisser couler encore un peu d'eau sous les ponts. Mais je crois que c'est à moi de parler à mon mari si jamais ça s'avérait nécessaire.

— Alors je ne dirai rien. Ce secret, c'est le tien, le vôtre, devrais-je dire.

Puis de nouveau, se sentant taquine et le cœur tellement joyeux à la pensée du petit bébé en route, la vieille dame ajoute:

— Mais n'oublie pas de me faire signe le jour où je pourrai en parler... C'est merveilleux: Jérôme et moi, on va de nouveau être arrière-grands-parents.

— Promis, Cécile. J'espère seulement que ça ne tardera pas trop.

Marie-Hélène éclate de rire encore une fois, comme une gamine malicieuse, tellement libérée d'avoir pu enfin partager ses joies et ses déceptions.

— De toute façon, la nature se chargera bien d'annoncer toute seule la nouvelle si jamais François restait réticent, laisse-t-elle tomber, moqueuse, en posant la main sur son ventre. La bedaine devrait me grossir un de ces jours, non?

— Oh pour ça! Et en parlant de bedaine, comment ça se passe? Pas trop de nausées?

— Des nausées? Connais pas. En fait, il faut vraiment que je m'arrête pour y penser parce que pour l'instant, je ne me sens pas enceinte. Sinon les émotions qui sont comme exacerbées. J'ai envie de pleurer pour un oui ou pour un non et l'instant d'après, je pouffe de rire comme une enfant.

— C'est normal...

Pendant un bref instant Cécile semble perdue dans ses pensées. Puis, sur le ton de la confidence, comme on le fait entre grandes amies, elle demande:

— Et toi, est-ce que tu as des goûts bizarres? Moi je me rappelle que je rêvais de crème glacée presque toutes les nuits. C'est un peu fou, tu ne trouves pas?

— C'est vrai? Ça me soulage d'entendre ça. Moi aussi, parfois, j'ai envie de choses complètement farfelues. Comme l'autre nuit...

Et toutes les paroles, toutes les émotions que Marie-Hélène gardait muselées en elle faute de quelqu'un avec qui les partager s'échappent d'un coup. Comme un jeune chiot libéré de son enclos qui se met à courir partout. Garçon, fille, Amélie ou Samuel?, vitamines et seins douloureux, tout y passe. Tout au long du chemin de retour, le mot bébé revient à toutes les phrases. Puis, alors qu'elles arrivent près du potager et aperçoivent Mélina qui se berce toujours sur la galerie, Marie-Hélène ralentit le pas.

— Si vous saviez comme j'ai hâte d'en parler à mes parents, à ceux de Jérôme. Je sais que ça va tellement leur faire plaisir. Ce n'est pas toujours facile de garder le secret.

Marie-Hélène se penche vers Cécile, effleure sa joue d'un baiser.

— Mais vous, ce n'était pas pareil... Merci Cécile de m'avoir écoutée. Merci d'être là.

Cécile lui rend son sourire.

— Pas de quoi, ma belle. Une grand-maman c'est à ça que ça sert...

Puis levant le bras et haussant la voix :

— Mélina, nous sommes de retour ! Qu'est-ce que vous diriez d'un barbecue, ce soir ?

Toute la fin de semaine, François a fait des efforts surhumains pour se mêler le plus naturellement possible aux conversations. De Sébastien qui voulait tout savoir de la ville depuis son départ à Claudie qui lui confiait combien elle avait envie de retourner en Gaspésie, en passant par Jérôme qui s'entêtait à l'intéresser à la fabrication du cidre et par Cécile qui le regardait avec un drôle d'air. Comme il connaît sa grand-mère, François est persuadé qu'elle a compris que quelque chose ne tournait pas rond dans sa vie. Il n'a jamais rien pu lui cacher ! Mais avec elle, aussi, les mots se sont refusés.

Comment dit-on à un être que l'on chérit tendrement et qui vous le rend bien, comment dit-on que l'on est condamné ? François ne sait pas...

Au moment où il entre dans la cuisine de leur appartement, le dimanche soir, il aperçoit la demande d'examen que le médecin a remise à Marie-Hélène. Elle l'a épinglée sur le babillard près du téléphone, comme elle le fait toujours quand elle ne veut pas oublier quelque chose. Et c'est à ce moment-là que la réalité le rattrape. Sa réalité... Sur le papier, à travers des tas de mots, trois lettres. VIH. François a l'impression que le sol se dérobe sous ses pieds. Pendant un long moment, il reste là, immobile, à fixer le papier comme si l'insistance de son regard avait le pouvoir d'effacer les mots. Et quand Marie-Hélène l'appelle depuis leur chambre pour lui demander s'il vient se coucher, il sursaute violemment. Ses mains se mettent aussitôt à trembler.

— Pas tout de suite. Je... J'en ai pour quelques minutes. Je veux regarder un dossier. Installe-toi, je te rejoins dans une demi-heure...

Tout ce qu'il souhaite, c'est que Marie-Hélène ne vienne pas le retrouver. Pas tout de suite. Il a besoin de temps pour se ressaisir. Besoin de temps pour trouver le courage de parler avant qu'il ne soit trop tard...

Mais le mot courage semble bien avoir disparu de son vocabulaire. Le lundi matin, quand il fuit la maison comme un voleur pris en flagrant délit, François n'a toujours rien dit. Seul le baiser donné à Marie-Hélène avant de partir était différent, passionné, presque brutal. L'éclat de surprise heureuse qu'il a alors cru apercevoir dans le regard de sa femme lui a fait mal. Très mal. C'est pourquoi, au lieu de se diriger vers le local qui lui sert de bureau, François se laisse dériver au gré des rues.

Ses pas l'ont amené jusqu'au Vieux-Port. Avec un soupir de lassitude, il se laisse tomber sur l'herbe. À cette heure de la matinée, autour de lui, il n'y a que des passants qui semblent préoccupés, qui foncent droit devant eux et ils ne s'intéressent pas à lui. Tant mieux. De l'autre côté du bassin, on s'affaire déjà à préparer les pédalos pour la journée qui s'annonce encore une fois belle et chaude...

Mais en lui, François a l'impression que l'orage gronde en permanence sous un amoncellement de nuages noirs. L'éclat du soleil le rejoint à peine. Il se sent fébrile, frissonnant. Assis à même le sol, les bras entourant ses jambes et le menton appuyé sur ses genoux, il fixe le vide droit devant lui. Quiconque l'observerait pourrait conclure qu'il est fasciné par la préparation des petits bateaux de plaisance. Pourtant il n'est pas vraiment ici, François. Ni ailleurs ni nulle part. Il dérive dans son monde intérieur, incapable de s'accrocher à quoi que ce soit, à la recherche inutile d'un havre de paix, d'une sécurité inaccessible. Il écoute grandir en lui l'envie irrésistible de faire comme s'il ne savait rien. S'en remettre à d'autres, s'en remettre au destin pour prévenir Marie-Hélène. Dans quelques jours, elle va passer l'examen... Alors elle saura, tout le monde saura.

Le bruit guttural du klaxon d'un gros camion le fait sursauter violemment. Pendant un instant, François regarde autour de lui, presque surpris d'être là, assis dans l'herbe devant le bassin du

Vieux-Port. Il s'étire longuement, le temps d'un soupir. Il fait si beau! Puis il reprend la pose. Le souvenir d'un petit bout de papier blanc accroché sur le babillard de sa cuisine lui revient avec une précision douloureuse. Il joue les indécis, fronce les sourcils, soupire de nouveau.

Pourtant, il sait que sa décision est prise.

Se relevant lourdement, François prend le temps de regarder autour de lui. Il aime bien cet endroit de la ville, y revient souvent quand il a besoin de faire le point. Et si la vie en avait voulu autrement, c'est ici qu'il aurait aimé promener son fils... Un dur sanglot lui secoue les épaules. Son fils... Pendant un instant, son cœur se gonfle. Cet enfant, ce tout petit être, il l'aime déjà plus que sa propre vie. S'il pouvait revenir dans le temps, tout reprendre à zéro, effacer les erreurs et soulever sa femme dans ses bras en lui redisant à quel point il l'aime. En lui disant merci pour cet enfant qu'elle porte pour eux. Dire merci à la vie d'être si belle, si généreuse. Oui, pendant un instant, François se laisse porter par ce qui aurait pu être, le visage levé vers le ciel. Il laisse cette émotion de père qui bat instinctivement en lui prendre la place qui est sienne. Se sentir fort, protecteur, invincible... Puis, lentement, ses épaules s'affaissent. Les images heureuses s'effacent peu à peu dans son esprit, la réalité remplace l'espoir.

Parce que cela aussi lui est refusé: désormais il n'aura même plus le droit de rêver...

Chapitre 3

*En dépit de toute l'affection que nous portons aux êtres qui
nous sont chers, il peut arriver que, pendant leur absence,
nous ressentions une paix inexplicable.*

Ann Shaw

Début juin 1996, en Beauce et à Montréal

Sébastien s'ennuie. De son périple à Québec, il a retenu et
compris qu'il s'ennuie de la ville. Pour l'instant, il ne saurait
mettre en mots ce qu'il ressent exactement. Comme un vague à
l'âme qui surveille ses réveils et assiste à ses couchers. Entre les
deux, cela peut toujours aller! Il aime le travail qu'il fait, il apprécie la présence des gens qui l'entourent. Mais il lui tarde
quand même d'avoir quelques jours de repos pour retourner
chez lui. Un chez-soi qui n'a rien à voir avec l'image tradition-
nelle que l'on en a. Le chez-soi de Sébastien est fait de trottoir,
de foule bigarrée, de macadam chauffé au soleil, de coups de
klaxon... Le chez-soi de Sébastien, c'est aussi un salon un peu
rococo, jalousement entretenu par un gros homme en tablier à
fleurs et à la voix un peu trop haut perchée. Gilbert, sa famille
à lui. Alors de vivre ici entouré d'une vraie famille qui véhicule
de vraies valeurs lui donne envie de retourner à Montréal pour
vérifier certaines choses.

Le retour au bercail de la brebis toujours un peu perdue!

Simplement pour quelques jours. Jamais il ne pourrait laisser
tomber Jérôme. Ce fait est peut-être nouveau pour Sébastien,
mais il est aussi essentiel que sa vie d'errance l'était l'an dernier:
il a donné sa parole, et en réponse au respect que les gens lui té-
moignent, il tiendra cette parole jusqu'au bout.

— Hé Sébastien!

Comme souvent au coucher du soleil, le jeune homme est
assis sur la clôture en perches de cèdre qui sépare le champ de

maïs des voisins du lopin de terre de Jérôme. Devant lui, en contrebas, la grande maison blanche et rouge des Cliche se découpe sur un ciel d'été qui vire à l'orange et au mauve, spectacle grandiose qui rejoint Sébastien. Ici ou en ville, c'est le même soleil qui se couche ; la fascination qu'il ressent reste identique et porte en soi ce pouvoir presque magique de le réconforter, créant une espèce de continuité dans sa vie. C'est un peu pour ça qu'il fait le point ici, tous les soirs, quand la température le permet, qu'il essaie de se comprendre... Courant sur le petit sentier, Claudie vient vers lui. Sa jeune amie, habituellement plutôt calme, semble tout excitée !

— Devine !

Elle arrive enfin à sa hauteur, une main sur la poitrine, essayant de reprendre son souffle. À son tour, elle grimpe sur la clôture de cèdre, s'installe à califourchon, une main sur la cuisse de Sébastien.

— Jérôme vient de m'annoncer qu'on pourrait prendre deux semaines de vacances. Merveilleux, non ? Il dit que c'est un peu plus tranquille au début de juin quand les pommiers viennent d'être arrosés contre les parasites. Si on veut en profiter, c'est le temps de le faire. Tout de suite. Après ça, paraîtrait que ça va ressembler à une course contre la montre !

Au fur et à mesure que Claudie parlait, une lueur de plaisir s'est allumée dans le regard de Sébastien.

— Ah ! Oui ? Super...

— Et moi, je sais fort bien ce que j'ai envie de faire de ces deux semaines... Dis, Sébas, j'aurais quelque chose à te proposer...

La jeune fille se fait câline. Depuis le temps qu'elle y pense, elle se dit que c'est peut-être l'occasion ou jamais. Elle pose sa tête sur l'épaule de Sébastien, laisse courir ses doigts le long de son dos.

— Qu'est-ce que tu dirais de prendre ces quelques jours de repos pour venir chez moi, en Gaspésie ?

Et voilà ! L'idée est lancée. Cela doit faire au moins un mois qu'elle en rêve, la belle Claudie. Malheureusement, Sébastien semble un peu sceptique.

— En Gaspésie?

Claudie s'emballe.

— Pourquoi pas?

Se redressant, la jeune fille lève les bras au ciel comme si elle voulait étreindre toute la campagne environnante contre son cœur. Puis son regard cherche celui de Sébastien.

— C'est toi qui me disais l'autre jour à quel point c'est beau ici. Mais ce n'est rien comparé à chez moi. La Gaspésie, Sébas, c'est la mer à perte de vue, c'est un ciel immense, c'est le soleil qui joue à l'infini sur les vagues. Pas juste un petit reflet dans le fond d'une vallée comme ici... Comment je pourrais t'expliquer? Quand je regarde autour de moi, à cause des collines qui coupent le regard, à cause des champs trop bien quadrillés, à cause de la rivière qui ressemble à un petit lacet, j'ai l'impression que la nature a foulé au lavage. Tandis que chez moi...

Claudie se veut convaincante. Elle voudrait tant présenter Sébastien à ses parents, espère du plus profond de l'ennui qu'elle a de son coin de pays que son ami partagera avec elle cette attirance pour les grands espaces, pour la senteur de poisson, à la fois âcre et douce...

— Alors, qu'est-ce que tu en dis?

Il lui semble que personne ne peut résister à cet appel de la mer. Pour elle, il n'y a rien de comparable. Pourtant, l'enthousiasme de Sébastien tarde à se manifester. Sans répondre, le jeune homme déplie les jambes, s'étire longuement. Puis il se réinstalle sur la clôture, les coudes appuyés sur ses cuisses, les yeux ramenés sur l'horizon où le soleil se couche lentement derrière le boisé de sapins.

— C'est bien gentil mais...

Sébastien hésite. Comment lui dire que pour lui, l'espace qu'il y a ici est déjà bien assez vaste? Qu'il lui semble même un peu trop vaste à son goût, presque étourdissant? Il n'est pas habitué à exprimer à voix haute ce qu'il ressent. Il préfère garder pour lui ses sentiments, ses émotions. Par pudeur naturelle, par manque d'habitude. Déjà que vivre entouré de gens, avoir à entretenir une conversation qui lui semble démarrer implacablement tous les matins et perdurer jusqu'au soir lui demande un effort considérable, il ne voit pas la nécessité d'en rajouter. Pourtant, il est sincère quand il dit aimer Claudie. Sa présence lui est aussi nécessaire que le besoin de solitude qu'il sent grandir en lui, de plus en plus envahissant depuis quelque temps. Cette fichue ambivalence, en lui, qui le harcèle de nouveau. Alors, si Claudie a envie de retrouver ses grands espaces et sa famille, il peut fort bien le comprendre parce que, lui, c'est retrouver un peu de silence dans sa vie dont il a envie. Un silence particulier, qui n'appartient qu'à l'itinérant qu'il a été et qu'il reste un peu dans l'âme, porté sur fond de bruits de ville, sur fond d'anonymat... Il espère simplement que son amie va le comprendre à son tour.

— Tu sais, Claudie, je suis un gars de la ville, moi. Et de voir la rivière, loin, très loin en bas de la colline, d'être entouré d'arbres, de champs et de vaches suffit amplement pour que je me sente un peu perdu. Alors la Gaspésie...

— Mais la mer, Sébastien, l'interrompt vivement Claudie, toute la conviction du monde dans la voix. La mer, c'est différent. As-tu déjà vu l'océan à perte de vue ? Senti les embruns de...

Sébastien hausse les épaules, un peu agacé, l'interrompant à son tour.

— Bien sûr. Et même à plusieurs reprises. L'Atlantique, la Méditerranée et même le Pacifique, une fois.

Ainsi donc, Sébastien a déjà voyagé ? À cette pensée, Claudie reste un moment silencieuse, prenant conscience subitement qu'ils ne savent rien l'un de l'autre, finalement. Que Sébastien avait une vie avant la rue et que de cette vie, elle, Claudie, n'a pas la moindre idée. Une curieuse émotion lui fait battre le cœur. Comme une jalousie qui naît de ce constat et s'impose en elle. Jalousie de ce temps qu'elle ne connaît pas, de ce passé que Sébastien n'a pas cru bon partager avec elle. Pourtant, il lui a déjà dit qu'il l'aimait. Alors pourquoi tous ces secrets ? Brusquement Claudie se sent triste.

— Si j'ai bien compris, tu ne viendras pas ?

— Pas cette fois-ci, non. Moi, vois-tu, j'ai envie de sentir l'odeur des autos et celle des sous-bois du Parc La Fontaine. C'est peut-être moins romantique, mais c'est comme ça.

Le ton qu'il emploie est catégorique, sans espoir de compromis. Pourtant, d'une voix plus douce, comme pour se faire pardonner, se penchant vers Claudie, Sébastien ajoute :

— J'ai envie de revoir Gilbert. De parler avec François qui m'a semblé un peu bizarre l'autre jour... Et Virginie aussi, j'ai hâte de la revoir. Tu n'as pas envie de savoir ce qu'ils deviennent ?

Claudie est déçue. Au-delà de ce simple refus de l'accompagner, elle a l'impression qu'il y a un mur en train de se dresser entre Sébastien et elle. Rien de tangible, seulement une intuition. Malgré cela, pour une fois, elle n'a pas envie de compromis, elle non plus.

— Comme tu veux, fait-elle en sautant en bas de la clôture, le visage sombre.

— Claudie, s'il te plaît, essaie de comprendre !

À ces mots, Claudie se tourne vivement vers Sébastien.

— Mais tu ne vois pas ? C'est exactement ce que je fais, essayer de te comprendre. En fait, j'ai l'impression que c'est toujours à moi d'essayer de comprendre quelque chose. Alors que toi... Oh ! Et puis, fait-elle en soupirant, ce n'est pas grave. Tu... Tu diras bonjour à Virginie et à Gilbert de ma part. J'irai les voir plus tard... Pour l'instant, je rentre faire mes bagages.

Et sans attendre de réponse précise venant de Sébastien, de toute façon qu'aurait-il pu ajouter, elle reprend le sentier qui mène à la maison. En courant. Parce qu'elle ne veut pas que Sébastien voit les larmes qui lui montent aux yeux ni n'entende les sanglots qu'elle n'arrive pas à retenir...

* * *

Elle est partie dès le lendemain. À l'aube pour pouvoir attraper le premier autobus en partance pour Gaspé. « La route est longue entre la Beauce et la Gaspésie », avait-elle expliqué à

Jérôme et Cécile en entrant dans la cuisine.

— C'est bien ce que tu disais ? C'est tout de suite qu'on doit prendre nos vacances, n'est-ce pas ? J'aimerais arriver chez moi pour le souper, avait-elle ajouté pour justifier sa précipitation.

Et comme elle avait les yeux un peu rouges et que sa voix avait un petit quelque chose de fébrile, Jérôme avait immédiatement acquiescé à sa demande.

— Pas de problème. Appelle la compagnie de transport pour connaître l'heure exacte du départ et c'est comme si tu étais déjà partie. De toute façon, j'aime bien me lever à l'aube à cette époque de l'année. Le lever du jour a un petit côté magique qui me remue jusqu'au fond du cœur !

C'est pourquoi Sébastien n'a pas eu l'occasion de s'excuser. Quand il est enfin revenu à la maison, après avoir longuement soupesé les paroles de Claudie, son amie était déjà couchée et à son réveil, elle était partie. Pourtant, il aurait bien aimé lui dire qu'ils se reprendraient à la fin de l'été et qu'il l'accompagnerait avec plaisir. Qu'il regrette sincèrement la peine qu'il lui fait, mais que c'est plus fort que lui : il a besoin de retourner en ville pour quelques jours. Il aurait voulu lui dire aussi à quel point il apprécie tout ce qu'elle fait pour lui, sa présence, sa délicatesse. Mais que pour l'instant, à cause de tous ces changements dans sa vie, il n'est pas capable d'en faire plus. Mais Claudie n'était plus là pour l'entendre. Il a donc gardé pour lui ses bons mots en se redisant, un peu cynique, à quel point la vie peut parfois être bête. Et compliquée !

Puis il a entrepris ses propres babages.

Deux jours plus tard, un vendredi matin, il refait à contresens la route qui l'a amené jusqu'à Québec au printemps. Un peu nerveux. Il n'a prévenu personne, ne sait même pas où il va coucher ce soir. Il prend place au fond de l'autobus en haussant les épaules, glissant son sac à dos sous ses jambes et se calant contre la fenêtre pour éviter d'avoir à entretenir une conversation dont il n'a surtout pas envie en ce moment. Ce ne serait pas la première fois, non, qu'il ne saurait pas où dormir la nuit venue ? Curieusement, le plaisir ressenti à s'installer sous les arbres ne ressemble plus à celui d'avant. Brusquement, Sébastien a l'impression d'être en train de lire un livre. Le livre de sa vie, finalement. Et voilà qu'au moment de tourner une page, il n'est plus certain d'avoir envie de connaître la suite de l'histoire.

L'autobus traverse des fermes, des petits villages puis une forêt interminable. Sébastien bâille son ennui. C'est long avant de voir poindre la civilisation! Mais une fois Drummondville traversée, le paysage change. Sébastien se redresse, le nez collé à la fenêtre comme s'il pouvait humer les odeurs de la ville à distance et à travers la vitre scellée...

Tout à coup, au loin, le mat du Stade pointe dans la brume du matin. Alors Sébastien étire un sourire. Enfin! Enfin, il revient à la maison...

Sac à dos à l'épaule, il sort du terminus à Berri. Il est au coin de Maisonneuve. De la chaussée monte une chaleur indéniable malgré l'heure matinale. Le bruit des moteurs lui chante aux oreilles. Pendant un moment, les yeux mi-clos, Sébastien respire l'odeur de la ville à pleins poumons, comme d'autres le font quand ils se trouvent dans une région sauvage sentant bon le sapin et la terre humide des sous-bois. Puis il redresse les épaules, s'oriente un instant. S'il remonte, il va se retrouver sur le Plateau, s'il redescend, il sera au Vieux-Port. Sébastien hésite, ayant envie de tout voir de la ville d'un seul coup. Retrouver ses repères, repasser dans ses pas d'hier, essayer de comprendre tout ce qui se passe en lui depuis quelques mois. Son ennui de la ville, son plaisir à travailler sur une ferme, les liens qui se créent à son corps défendant parfois, et d'autres qui semblent plus fragiles... Peut-on arriver à tout concilier? Bâtir une harmonie qui nous est propre? Sébastien l'ignore.

À ce moment, un jeune traverse la rue en courant et le bouscule au passage. Un jeune aux bottes de marcheur presque neuves mais au jeans élimé. Un jeune qui avance du pas pressé de l'homme d'affaires préoccupé, les yeux au sol. Ce jeune, c'est un peu lui, c'est encore une partie de lui, même si l'image ne correspond plus. Alors, spontanément, Sébastien se tourne vers l'est. Il sait où il doit aller. Où il allait toujours quand il voulait mettre de l'ordre dans ses pensées, dans ses émotions.

De toute façon, en se dirigeant vers le Parc La Fontaine, il se rapproche de chez Gilbert...

Il avance d'un bon pas, son sac à dos battant joyeusement la cadence contre ses reins. Blotti sur sa fesse droite, il sent la présence de son porte-monnaie. Un porte-monnaie tout neuf, en cuir brun, que Jérôme lui a offert quand le jeune homme a ouvert un compte à la Caisse populaire de Sainte-Marie, en Beauce.

— Pour ne pas briser ta carte de guichet, c'est fragile ces fichus bidules-là, avait-il expliqué. Mais de nos jours, c'est presque indispensable...

Maintenant, il y a donc aussi sa carte de guichet automatique. Comme une étape dans la vie de Sébastien. Il le reconnaît : dans ce domaine, il ne voudrait pas faire marche arrière. Contre sa fesse, ce sont de nombreuses heures de travail qu'il trimbale avec lui. Et il en est fier.

Curieusement, ce tout petit bout de plastique lui procure une sensation de sécurité dont il ne pensait jamais avoir besoin.

— C'est le début de l'esclavage, avait-il dit à Jérôme devant le cadeau offert, mi-sérieux, mi-taquin, quand même ému que le vieil homme ait pensé à cela. Ton porte-monnaie, Jérôme, c'est un cadeau de Grec. C'est juste une paire de menottes déguisée...

Jérôme avait alors éclaté de rire. Il aime bien le franc-parler de Sébastien, ses réflexions toujours imagées, souvent justes. Puis, redevenu sérieux :

— L'important, c'est de bien choisir son esclavage, le jeune. Alors il se transforme en plaisir et les menottes disparaissent comme par enchantement.

Sébastien a l'impression de se tenir exactement là : sur l'invisible démarcation entre deux mondes.

Et les deux l'attirent...

Sébastien a passé l'avant-midi assis sur un banc, se chauffant au soleil, essayant de faire le vide dans sa tête, sachant que pour lui, il arrive souvent que la lumière naisse du silence. L'appel lointain de l'invisible cloche d'une église lui fait ouvrir les yeux. Midi. Et comme la vie de Gilbert est réglée au métronome, le temps de se diriger vers l'appartement du gros homme, il devrait arriver en même temps que lui...

— Mon doux Jésus, un revenant! Mais entre, voyons, reste pas planté là comme un cactus en pot!

La porte de l'appartement s'est ouverte sur un Gilbert en grande forme, chemise à fleurs et tablier rose bonbon.

En apercevant Sébastien sur le palier, son visage s'est empourpré, virant au rose comme son tablier. Fidèle à lui-même, le gros Gilbert brasse de l'air comme jamais, susurre la bouche en cul de poule.

— Mais veux-tu ben me dire ce que tu fais ici, toi-là? J'pensais que t'étais caché dans ta campagne jusqu'à l'automne... Pis ça me regarde pas. T'as-tu mangé? Non? Ben, envoye, assis-toi. Quand y'en a pour un, y'en a pour deux. De toute façon, ça va juste être bon pour ma bedaine.

Puis se tournant vers Sébastien, les yeux roulant son inquiétude:

— Tu trouves pas que j'ai engraissé un peu? Me semble que je suis à l'étroit dans mon linge d'été...

Et Gilbert de se tortiller un moment. Adoptant une pose théâtrale, il lance:

— As-tu remarqué ma chemise? De l'importation italienne, mon cher!

Comme si Sébastien pouvait ignorer le tissu jaune soleil à fleurs indigo! Curieusement, sur Gilbert, la chemise n'a même pas l'air ridicule. Comme si elle faisait partie intégrante du personnage et que c'est plutôt une banale chemise blanche qui semblerait incongrue...

À peine le temps de se retourner et Sébastien est assis devant une table joliment dressée, la vapeur d'un appétissant ragoût d'agneau lui chatouillant les narines. Pendant un moment, les deux hommes mangent en silence. Puis Gilbert se relève, retire les couverts.

— Un morceau de gâteau? Non? Alors un café? Va t'installer

sur le balcon, je te rejoins dans l'instant...

Quinze minutes à peine et Sébastien a l'impression qu'il n'a pas quitté la ville ! Des derniers potins aux plus récentes transformations, rien n'a échappé à la verve galopante de Gilbert.

— Bon, c'est pas que je m'ennuie en ta compagnie, mon beau, fait-il en se relevant, mais faut que j'y aille, moi là. L'boss sera pas content si j'arrive en retard. On a une commande d'Europe qui rentre justement cet après-midi pis faut toute que je place ça en vitrine. Tu devrais voir les tendances de l'été ! Une vraie merveille ! Les hommes de Montréal vont être beaux, mon Sébastien, beaux comme ça a pas d'allure ! Oh ! J'allais oublier...

Avant de quitter la terrasse, Gilbert glisse la main dans sa poche, tend une clé à Sébastien.

— Tiens, prends ça. J'sais pas ce que t'as l'intention de faire, mais tu sais que t'es ici chez toi.

La délicatesse du geste ne surprend pas le jeune homme. Il lève les yeux vers Gilbert, lui sourit.

— Merci. Ça ne dérange pas si je crèche ici pour quelques jours ?

Est-ce bien lui qui se demandait où coucher, il y a de cela quelques heures à peine ? Quand on rentre au bercail après une longue absence, il n'y a que chez soi où l'on se sente bien. Et c'est vraiment l'impression que Sébastien a en ce moment : il vient de rentrer à la maison. C'est même une évidence à ses yeux. Gilbert, lui, semble aux anges.

— Me déranger ? Mais pourquoi grands dieux que tu me dérangerais ? J'viens de le dire : t'es ici chez toi... Bon, astheure, je file. J'suis déjà en retard.

Et Gilbert retourne à l'intérieur avant de pointer de nouveau la tête par la porte de la terrasse.

— On soupe ensemble ?

Il y a tellement d'attente dans cette banale question que Sébastien ne peut s'empêcher de sourire. Sacré Gilbert !

— C'est sûr, ça. On soupe ensemble.

Gilbert quitte alors l'appartement en sifflotant, concoctant en pensée un petit filet de porc à la moutarde.

Ce n'est qu'au moment où il entend le pas lourd du gros homme dans l'escalier que Sébastien prend conscience que son ami n'a pas parlé de son grand amour. S'il se rappelle bien, au printemps, Gilbert en était convaincu : avec Marcel, c'était pour la vie !

— Pauvre Gilbert, murmure-t-il en quittant l'appartement à son tour.

Sans aucun doute, l'idylle de son ami s'est terminée comme toutes les autres. Un feu de paille vite éteint !

Sébastien a passé l'après-midi à arpenter les rues avec un plaisir viscéral. Là, l'immeuble qui l'a abrité pendant quelques semaines a été démoli et ici, le petit café où il aimait s'arrêter à l'occasion a été remplacé par une boutique de cadeaux. Curieux comme les choses changent parfois rapidement et comme on a tendance à tenir à certains petits détails. Malgré l'apparence d'une vie d'errance, sans but et sans attaches, il se crée malgré tout une routine à laquelle on s'identifie. Spontanément, les pas de Sébastien l'ont amené sur la rue Saint-Hubert, là où il sait que François occupe un local qui lui sert de bureau. Sans hésiter, il grimpe au deuxième étage, retrouve Michel, seul.

— Désolé, François n'est pas ici. En fait, depuis quelque temps, il ne fait que traverser notre local en coup de vent. C'est pas vraiment ici que tu vas avoir la chance de le croiser. Mais si je le vois, je vais lui dire que tu es passé.

Puis pensif, en hochant la tête, il ajoute :

— Oui, vraiment dommage qu'il ne soit pas ici. Ça lui aurait peut-être fait du bien de te voir. J'sais pas ce qui se passe avec lui, mais le moins qu'on puisse dire, c'est que François n'est pas dans son assiette depuis quelques semaines.

En disant cela, Michel a l'air à la fois désolé et inquiet.

Sébastien a donc rebroussé chemin, un peu déçu. Inquiet à son tour. « On dirait bien que le printemps n'est pas la saison de Gombi » a-t-il alors conclu en revenant vers le centre-ville. « D'abord la vilaine grippe de l'an dernier, puis ce drôle d'air absent cette année. »

— On aurait dit qu'il n'était pas là, murmure-t-il, se parlant à lui-même en revoyant les quelques jours que François a passés en Beauce.

Sébastien a ensuite oublié François, sollicité qu'il était de toutes parts par les souvenirs que chaque coin de rue lui offrait.

C'est en arrivant à la hauteur de la rue Ste-Catherine qu'il a repensé à Virginie. Et à l'envie joyeuse de la revoir qui lui trotte dans la tête depuis quelque temps. Pourtant, une fois arrivé devant la boutique où elle travaille, Sébastien ne sait plus. De loin, pendant quelques instants, il observe la jeune fille qui va d'un client à l'autre. Il hésite avant de revenir sur ses pas sans même oser traverser la rue. Pensivement. D'où lui vient cette retenue subite et inexplicable?

C'est l'image de Claudie, seule face à la mer, cheveux au vent, qui fait office de réponse. À défaut d'autre chose, sans qu'il ne cherche à comprendre.

Il rentre alors à l'appartement pour attendre Gilbert...

Tel qu'il s'y attendait, Gilbert est arrivé sur le coup de dix-huit heures, les bras chargés de sacs et de petites boîtes bien ficelées.

— On va se faire un vrai festin, mon beau. Pour fêter ta visite.

Sans en avoir parlé, juste par intuition, il se doutait bien que Sébastien n'était là que pour un temps. Raison de plus pour en profiter, les jours lui semblant par moments fort longs et fort semblables. Il laisse dégringoler ses achats sur la table en soufflant comme un phoque hors de l'eau.

— Ouf! Bonté divine qu'il fait chaud, lance-t-il alors, sa courte main boudinée en éventail brassant l'air tiède devant son visage dégoulinant de sueur. Donne-moi deux minutes et quart pour me rafraîchir pis je reviens... Tu peux fouiller dans les sacs si t'en as envie, ajoute-t-il en haussant le ton tout en disparaissant derrière la porte de la salle de bain. On mange un filet de porc avec sa garniture!

Un filet de porc et sa garniture! Sébastien éclate de rire. Finalement, on rit souvent chez Gilbert. Les petits riens de l'existence prennent une telle importance qu'on en vient à oublier ses tracas. Et le jeune homme en convient aisément: cela lui fait du bien. Parce que la vie, c'est aussi une pléiade de petits détails auxquels il n'est pas désagréable de s'attarder...

Les deux hommes ont mangé sur la terrasse avant de rentrer en catastrophe, de gros nuages noirs s'étant rapidement pointés à l'horizon. En quelques minutes à peine une pluie torrentielle s'abat sur Montréal.

— Tant mieux, ça va changer l'air...

Puis ils passent au salon pour le dessert et le café. En silence. Comme si tous les deux, ils retenaient quelques questions qui leur tiennent à cœur, mais qu'ils n'osent demander à voix haute. La pluie fouette rageusement les carreaux de la fenêtre, le vent gémit contre la porte moustiquaire, le tonnerre fait vibrer la maison.

— Un autre café, mon beau?

Sébastien regarde sa tasse pensivement. Puis la tend à Gilbert.

— Pourquoi pas?

Le gros homme se lève aussitôt, se dirige vers la cuisine en jetant par-dessus son épaule:

— Sors la bouteille de cognac. On va baptiser notre café...

Sébastien se lève à son tour, se rappelant que la dernière fois où il a bu du cognac, ici, en compagnie de Gilbert, il en avait été malade. Pourtant, le souvenir ne lui est pas désagréable. Parce que pour une première fois peut-être, il avait réussi à mettre des mots sur ce qu'il vivait. Il avait enfin réussi à parler de lui...

— Et voilà! Quelques gouttes de cognac, un peu de crème et ça va être un vrai régal.

Tandis que Gilbert s'affaire, un violent éclair zèbre le salon suivi d'un bruyant coup de tonnerre qui fait trembler les murs.

— Doux Jésus, la maison va s'écrouler!

Mais en fait d'écroulement, il n'y a que lui, le gros Gilbert, qui se laisse tomber sur la causeuse, laquelle par principe et habitude émet quelques gémissements. Puis un autre éclair, suivi d'un roulement sinistre et d'un claquement qui fait même sursauter les deux hommes.

— Malgré tout, j'aime les orages, constate le gros homme une main sur le cœur. Ça fait sentir son petit chez-soi confortable.

Placé à l'angle de la bâtisse, le salon donne à la fois sur le fleuve et la montagne. En ce soir d'orage, la vue est saisissante. Toute la ville a l'air d'une zone sinistrée. C'est vrai que Gilbert a raison : Sébastien se sent bien, comme à l'abri. Comme on devrait toujours se sentir chez soi... C'est à cet instant qu'un souvenir d'enfance lui revient en mémoire. Clair et précis. Maxime, son jeune frère... Maxime qui a peur des orages et vient se blottir contre lui, dans son lit, parce qu'il est interdit de déranger les parents, la nuit. Cette maison de leur enfance, construite et décorée à l'image de leur père. Immense, froide, sans chaleur. Est-ce qu'il s'y sentait bien, le petit Sébastien, en sécurité, heureux ? Malheureusement, c'est un non catégorique qui lui vient à l'esprit.

Lentement, Sébastien regarde autour de lui. Ici, c'est comme chez Mamie Cécile, même si les deux endroits n'ont rien en commun. On y est bien. Comme si l'âme des propriétaires s'était installée en permanence dans les lieux, les rendant confortables, accueillants. Il semble si facile parfois de créer de la joie autour de soi. Certains êtres en ont le secret. Alors que d'autres... À cet instant, Sébastien remarque que la décoration du salon a changé. La potiche offerte par Claudie et Virginie, au Noël dernier, n'est plus là. Certains tableaux aussi ont été changés, et des bibelots ont disparu. Même le *Ladro*, cette drôle de statuette en porcelaine que Sébastien jugeait un peu terne mais que Gilbert bichonnait comme la septième merveille du monde, s'est volatilisée. Sur la tablette du foyer, c'est un banal pot de verre avec quelques fleurs séchées qui lui a volé sa place. Le mot volé lui saute alors à l'esprit. Se pourrait-il que...

— Dis donc, toi, qu'est-ce qui s'est passé ici ? T'as eu la bougeotte et tu as tout chambardé dans le salon, encore une fois ?

Pendant un moment, Gilbert reste silencieux. Puis Sébastien assiste à la métamorphose de nouveau. Comme si le masque de précieuse un peu ridicule craquait de partout et que le comédien effaçait les derniers vestiges de son maquillage après la représentation, Gilbert change d'apparence. Lentement, il dépose sa tasse sur la table, se penche vers l'avant, les bras appuyés sur ses cuisses dans une pose typiquement masculine. Même la voix qui consent enfin à répondre a baissé d'un ton.

— C'est Marcel.

Un nom, un seul et tout est clair. Le grand amour de sa vie était en fait amoureux des bibelots de Gilbert. Et dans la voix comme dans l'attitude, Sébastien comprend que c'est l'homme qui a été blessé. Profondément. Un être tel que Gilbert, foncièrement généreux et bon, ne pourra jamais comprendre la cupidité, la déloyauté, la trahison. Ces mots lui sont étrangers. Les sentiments qu'ils suscitent aussi.

— Je suis arrivé du travail, un bon soir, et la place avait été vidée, explique-t-il d'une voix éteinte. Et le délit était signé, sans l'ombre d'un doute : dans le garde-robe de la chambre, toutes les choses de Marcel avaient disparu en même temps que mes tableaux. Pis je l'ai jamais revu... Oh ! Je ne lui en veux pas... Pas trop, laisse-t-il encore tomber en reprenant sa tasse de café et la faisant jouer entre ses mains. Plus maintenant. Mais ça m'a fait mal, je l'avoue. J'étais tellement déçu...

Sébastien comprend aisément que la déception de Gilbert va bien au-delà des objets perdus. C'est une partie de son cœur que Marcel lui a volé...

— Déçu ? C'est normal. On le serait à moins que ça...

— J'sais bien. Mais quand même... Des fois, je me demande ce qui peut bien m'attirer chez les hommes.

Un constat, une interrogation sur sa propre vie... Pendant quelques instants, Gilbert reste de nouveau silencieux. D'une voix rauque, fort surprenante de sa part, les yeux rivés sur la tasse qu'il tourne machinalement entre ses doigts, il ajoute comme pour lui-même :

— Des fois je me demande qui je serais aujourd'hui si mon oncle avait pas... J'étais juste un gamin. On est tellement influençable à cet âge-là... Oui, juste un tout petit garçon qui aurait donné tout ce qu'il avait pour être capable de dire non quand le vieux vicieux m'amenait en arrière de la grange, chez mon grand-père... Mais j'avais peur. De lui, de ce que je ressentais. Parce que, malgré le dégoût pis l'envie de fuir, il y avait aussi une forme de plaisir qui m'attirait, qui m'excitait... Compliqué tout ça... Tout ce que j'ai retenu de ce temps-là c'est que le cul mène ben des affaires dans le monde.

La vulgarité de Gilbert sonne étrangement dans le salon. Cela lui ressemble si peu. Pourtant...

— Le cul pis l'amour, poursuit-il sur le même ton.

Puis, d'un coup, sa voix se fait vibrante.

— J'aimerais ça, moi aussi, être en amour pour vrai comme tout le monde. J'aimerais ça que quelqu'un tienne à moi, me le dise. J'aimerais ça, bâtir une vie à deux pis des souvenirs pour occuper les temps morts. Pas juste des partouzes qui durent le temps d'une nuit. Pis, en même temps, je me dis qu'il faut quand même être réaliste, non ? M'as-tu vu ? Comment peut-on tomber en amour avec une grosse tapette comme moi ? Hein ? Parce que c'est ce que je suis...

Jamais Sébastien ne s'est senti aussi mal à l'aise. Comment dit-on à quelqu'un qu'il a raison en même temps qu'il se trompe lourdement ? Gilbert n'a peut-être pas tort quant à l'image, mais pour le reste... Gilbert, c'est un cœur sur la main, c'est l'écoute attentive, c'est la générosité désintéressée. Gilbert c'est... Sébastien se redresse et, se penchant vers l'avant, il pose sa main sur le bras de son ami.

— Tu te trompes, Gilbert. Je le sais, moi, qu'on peut tomber en amour avec toi... C'est ce qui s'est passé avec moi... Dans la vie, il y a toutes sortes d'amour. T'es... T'es à la fois le père et la mère que je n'ai jamais eus. Pis ça aussi, c'est une histoire d'amour. Des fois, il faut se donner la peine de regarder derrière l'image. L'essentiel est là.

Gilbert a les yeux pleins d'eau. Jamais personne ne lui a parlé comme ça. Pendant un long moment, les deux hommes se regardent, immobiles. L'orage s'éloigne, le salon est plongé dans la pénombre, la pluie frappe toujours aux carreaux. Alors Gilbert se redresse lentement, dessine un petit sourire. Aux mots que Sébastien a prononcés, Gilbert vient de comprendre à quel point le jeune a changé. Ce n'est plus le gamin perturbé, un peu capricieux qui a quitté Montréal au printemps, mais l'homme qu'il est en train de devenir. Brusquement, une curieuse émotion lui envahit le cœur. Une émotion nouvelle, venue d'un petit coin caché dont il ignorait l'existence. Il ressent la joie d'un père devant son fils qui devient un homme à son tour, il ressent une gratitude immense envers la vie. Et l'envie de penser à l'autre plutôt qu'à soi.

— Merci, Sébastien. Ça fait du bien à entendre.

Sébastien hausse les épaules en rougissant légèrement.

— C'est pas pour ça que je l'ai dit. C'est parce que je le pense sincèrement. T'es un gars correct, Gilbert. Le plus correct que j'ai jamais connu. Pis en même temps, t'es une vraie mère-poule. Comme il s'en fait plus. Qu'est-ce qu'on peut demander de plus?

Sébastien souhaite seulement que Gilbert ait compris. Malgré ses mots malhabiles, pour une rare fois, il a laissé son cœur parler. Et curieusement, il se sent bien, tellement bien. Comme si c'était à lui-même qu'il venait de faire plaisir. Et lorsque son regard croise celui de Gilbert, il comprend que le gros homme a saisi ce qu'il voulait dire. Alors sa joie est encore plus grande. Petit à petit, les rides de sourires reprennent leur place, la bouche s'arrondit, les mains déposent la tasse, dansent un invisible ballet au-dessus de la table à café avant de se joindre à la hauteur du cœur.

— On devrait tous se faire parler comme ça de temps en temps, mon beau, susurre le gros homme, la voix à nouveau haut perchée. C'est les plus beaux mots d'amour que j'ai entendus. Pis ça fait du bien! Dommage que tu sois un gars *straight*, mon p'tit v'limeux...

La voix de Gilbert est de nouveau onctueuse comme le miel, sucrée à souhait.

— Pis toi? demande-t-il dans un soupir maniéré. Tu m'as toujours pas dit ce que tu fais à Montréal. Tu parles d'une idée de se cacher au fin fond des campagnes comme tu le fais depuis le printemps. Moi, j'comprends pas. Comment on fait pour vivre loin d'une ville? Pas de cinéma, pas de restaurants, pas de boutiques, pas de bars... Un vrai mystère.

Puis, roulant un regard d'incompréhension:

— Une vraie misère, non ?

À ces mots, Sébastien éclate de rire. L'atmosphère se détend, s'allège même si à travers son allure de caricature, Gilbert reste à l'essentiel des choses.

— C'est pas si pire que ça... Même si parfois...

Pendant quelques instants, c'est au tour de Sébastien de rester silencieux. Il revoit les derniers mois : le plaisir qu'il ressent à faire son travail, la présence attentive de Cécile et Jérôme, celle plus complexe de Claudie... Et sur tout cela, l'ennui. Un ennui qu'il ne comprend pas toujours. Qu'il aurait tendance, présentement, à caser à l'enseigne du caprice.

— Non, c'est pas si pire que ça, admet-il honnêtement. Même si j'ai l'impression que ce n'est pas vraiment ça que je recherchais.

Poussant un long soupir fait de déception, d'incompréhension :

— J'ai encore l'impression que j'avance dans la mélasse. J'aime pis j'aime pas. Un matin je me lève tout content d'être où je suis pis le lendemain je voudrais être à Montréal. Un instant, je suis bien comme ça se peut pas avec Claudie pis l'autre d'après, elle me tape sur les nerfs. Peut-être bien que mon père avait raison : je suis juste un capricieux qui sait pas ce qu'il veut.

— Ben voyons donc ! T'as le droit de te poser des questions. C'est normal.

— Normal ? C'est normal de jamais savoir ce que l'on veut, normal de toujours chercher ce qu'on n'a pas ?

— Ben oui !

À ces mots, Sébastien s'emporte.

— Ben, si c'est aussi normal que ça, dis-moi donc, toi, ce que je vais faire à l'automne quand il n'y aura plus d'ouvrage à la ferme ? Parce que moi, je le sais toujours pas. J'en suis encore à la case départ...

— Pis après ? Ça, mon beau, c'est juste dans la normalité des choses. C'est même pas une question existentielle, ça fait partie de la banalité du quotidien. J'appellerais ça de la planification d'avenir. Pis on en est tous au même point, crois-moi. T'es aussi bien de te faire à l'idée : ça revient souvent dans une vie d'avoir l'impression d'être encore revenu à la case départ, comme tu dis...

Et sachant que Sébastien a besoin d'intérioriser ces quelques mots à l'allure banale pour s'en faire une image précise, Gilbert se relève, cherchant un prétexte pour quitter la pièce un moment.

— Bonté divine, qu'il fait chaud. L'orage a pas amené l'humidité avec lui. On dirait même que c'est pire... Tu veux une bière ?

Et sans attendre de réponse, il se dirige vers la cuisine, en profite pour faire disparaître les vestiges du souper avant de revenir au salon. Sébastien n'a pas bougé d'un iota, lui donnant raison : le jeune avait besoin de réfléchir à tout ce qu'il venait d'entendre.

— Dans le fond, fait-il en prenant pensivement la bière que Gilbert lui tend, comment savoir où j'ai envie d'aller quand je sais même pas d'où je viens...

La question est lourde de sens. Gilbert en est conscient, en même temps qu'il prend conscience que c'est maintenant que Sébastien en vient à l'essentiel. Laissant volontairement le silence planer entre eux, il va à la fenêtre, l'ouvre toute grande sur une ville qui sent bon la pluie récente. Cette odeur de terre mouillée montant du parc de l'autre côté de la rue et qui le fait inspirer profondément. Puis il fait un peu de clarté, ajuste un coussin ou deux et revient s'asseoir face à Sébastien.

— Comment fait-on, reprend alors le jeune homme sur ce même ton pensif, pour savoir si c'est essentiel ou si c'est juste de la banalité ?

— Oh ! Attention, mon beau. De la façon dont tu dis le mot, on dirait que pour toi, de la banalité c'est juste du superflu, de l'inutile. C'est surtout pas ça que j'ai voulu dire. Quand tu entends banal faudrait que tu penses prévisible, naturel. C'est naturel de remettre les choses en question.

— Alors comment fait-on pour savoir si on apporte les bonnes réponses à ses questions ?

Gilbert hausse les épaules.

— À l'usage, avec le temps. À force de jongler pis d'essayer, il arrive qu'un beau matin la lumière se fasse sur ce qui était sombre. Alors on sait qu'on s'est pas trompé. Pis quand tu disais tout à l'heure que l'important c'est peut-être de savoir d'où l'on vient, t'as raison. De retrouver ses racines, de marcher dans les pas d'hier, ça oriente les pas de demain.

— Pis si on a l'impression que le passé ne veut rien dire du tout? Si on a l'impression qu'on n'a même pas de passé?

— Je te dirais alors que c'est une fausse impression. On a tous quelque chose en arrière de soi. Quand ben même ça serait juste de la *bullshit*.

Sébastien esquisse l'ombre d'un sourire amer.

— Okay, je suis d'accord. Parce que moi, c'est en plein ça que j'ai en arrière: de la merde. En veux-tu? En v'là, il y a juste ça.

— C'est pas vrai.

À ces mots, Sébastien s'emporte de nouveau.

— Comment pas vrai? Comment t'appelles ça, toi, un père qui boit pis qui te tabasse à tout propos pis une mère qui fout le camp sans laisser d'adresse? C'est quoi si c'est pas quelque chose qui pue?

— Ça, peut-être. Je suis pas là pour juger pis il y a juste toi qui peux savoir. Mais ce que je sais, par contre, c'est que t'as aussi un frère. De la façon que tu m'en as déjà parlé, lui, c'était pas de la *bullshit*.

Une simple allusion, pas même un nom, et Sébastien semble se tasser sur lui-même. Ses traits se creusent, son regard se fige. Gilbert a raison. Son passé, c'est aussi Maxime. Leurs espoirs, leurs dessins d'enfant, leur cabane dans le gros chêne du parc voisin. Maxime, c'est de longues minutes à écouter l'orage qui déferle et les courses folles, main dans la main, dans l'eau froide des vagues d'une plage quelconque. Maxime, c'est à la fois son passé et les longues heures qu'ils prenaient à parler d'avenir ensemble. Il n'y a finalement qu'au présent où Sébastien n'arrive pas à le conjuguer. Bien que…

— C'est fou, murmure-t-il pour lui-même, mais on dirait

que là, en ce moment, mon ennui de la ville et celui de Maxime, c'est juste la même chose. Pis que si je pouvais lui parler, tout prendrait sa place.

Levant la tête vers Gilbert, il demande :

— Mais comment faire pour le retrouver ?

Le gros homme le regarde un instant puis hausse de nouveau les épaules devant l'évidence de la réponse. Une réponse que Sébastien a déjà trouvée sans vouloir se l'avouer, il en est persuadé.

— Ça, je pense que tu le sais mieux que moi, non ? C'est juste que tu veux pas l'admettre. Ou que t'es pas encore capable de le reconnaître. Mais le jour où tu seras prêt, vraiment prêt, y'aura rien pour t'arrêter. Et ce qui semble difficile aujourd'hui, obscur et sans réponse en même temps, sera d'une banalité dont tu te moqueras, d'une évidence crasse...

Sébastien a rougi en entendant les mots de Gilbert. Parce que le jeune homme sait que son ami a raison. Parce que le jour où l'envie de voir son frère sera essentielle, Sébastien n'aura qu'à sonner chez son père. Comme Gilbert vient de le dire : c'est d'une évidence crasse. Un petit sourire effleure le visage de Sébastien.

Une banalité, quoi.

Et Sébastien le sait, l'a toujours su...

Pourtant, ce n'est pas durant ce séjour que Sébastien ose faire le pas, le tout petit pas qui le sépare de Maxime. Malgré l'envie, malgré ce qu'il croit être un besoin vital. S'imaginant que deux semaines c'est fort long, d'un jour à l'autre, il reporte sa décision. Puis se retrouve au terminus d'autobus, toujours aussi indécis. Surtout fort en colère contre lui-même de n'avoir pas su...

Et Virginie non plus, il ne l'a pas vue.

Par contre, s'il sait fort bien ce qui l'a retenu de sonner à la porte de son père, il ne comprend vraiment pas ce qui l'a poussé à refuser une rencontre avec Virginie. Même si Gilbert lui a proposé un souper à trois. Curieusement, contrairement à sa façon d'être habituelle, le gros homme n'a pas insisté. Et tout aussi curieusement, Sébastien en a été soulagé...

Alors, en grimpant dans l'autobus qui le ramène à Québec, s'avouant, pas vraiment surpris, que l'été risque de lui paraître un peu long, et au-delà de la colère qu'il ressent envers lui-même de ne pas avoir fait les quelques pas qui lui auraient peut-être enfin permis de rencontrer son frère, Sébastien se demande comment il va expliquer à Claudie que, finalement et contrairement à ce qu'il lui avait dit, il n'a pas revu Virginie.

CHAPITRE 4

Vous connaîtrez la vérité et la vérité fera de vous
des hommes libres.

JEAN, 8:32

FIN JUIN, À MONTRÉAL ET EN BEAUCE

Un jeudi soir, en revenant chez lui, François remarque que la demande d'examen n'est plus au babillard.

Le compte à rebours est donc commencé...

Il se couche le cœur battant jusque dans la gorge. Et ne s'endort qu'au moment où le soleil laisse poindre ses premières clartés sur l'horizon, tous les scénarios possibles et impossibles s'étant chevauchés dans sa tête sans répit...

Cela prend combien de temps encore avant d'obtenir les résultats à ces examens?

Pour Marie-Hélène, la prise de sang et le test d'urine n'ont été qu'une simple formalité sans conséquence autre que l'obligation de prendre une heure de congé par une belle journée de juin. Heureuse contrainte! Elle avait donc quitté son travail plus tôt pour profiter joyeusement de l'occasion afin de célébrer la température idyllique. Elle s'était offert une longue promenade jusqu'à l'hôpital.

— Beau temps, n'est-ce pas? Espérons que tout l'été sera à l'image de ce printemps exceptionnel.

L'infirmière qui l'avait reçue était gentille. Pendant quelques instants les deux femmes avaient parlé température. Puis faisant du coq à l'âne, elle lui avait demandé, les yeux fixés sur son bras tout en finissant de remplir un nombre impressionnant de tubes avec le sang rouge foncé de Marie-Hélène:

— Un premier bébé?

Devant l'affirmative, elle avait alors ajouté, une pointe d'envie dans la voix:

— Chanceuse ! Ça me rappelle tellement de beaux souvenirs.

Marie-Hélène avait été sur le point de lui demander comment son mari avait vécu la chose, lui. En effet, que sont les questions posées à une inconnue ? Elles n'engagent à rien. Mais tout aussi brusquement que la question lui était venue à l'esprit, elle avait renoncé à prononcer les mots. Peut-être par crainte d'une réponse qui l'aurait blessée...

Puis la jeune femme avait oublié la prise de sang. Son médecin l'avait prévenue qu'il lui donnerait les résultats à sa prochaine visite...

— Une simple formalité. Ne vous inquiétez surtout pas, avait-il dit en l'accompagnant à la porte de son cabinet lors de la dernière visite.

En effet, pourquoi s'inquiéter ? Il continue de faire très beau, Marie-Hélène vient d'apprendre que les semaines qu'elle avait retenues pour ses vacances ont été acceptées et ce matin, en enfilant sa jupe marine, elle a constaté, avec un battement de cœur tout joyeux, que le fermoir montait difficilement. Tant pis pour François, il n'aura plus le choix...

La journée a donc été merveilleuse.

* * *

En entrant chez elle, le rituel que Marie-Hélène fait toujours, c'est envoyer valser ses souliers sur la moquette du salon, déposer sa mallette et son sac à main contre le canapé puis aller dans la cuisine déposer sur la table les achats qu'elle vient de faire pour le souper. Puis, invariablement, elle se tourne vers le téléphone pour vérifier si le témoin lumineux clignote. Par habitude et par espoir, parce qu'avant, François lui laissait souvent un message. Parfois, juste pour lui dire qu'il l'aimait... En soupirant ce soir, parce qu'elle se rend compte que, depuis quelque temps, il n'y a plus jamais aucun message. Le temps d'amorcer son geste et le soupir meurt aussitôt sur ses lèvres, remplacé par un large sourire. Comme une petite lumière heureuse, le témoin rouge clignote. De joie, lui semble-t-il. La jeune femme s'empresse de prendre le combiné, signale le code, prête attention, négligeant même la crème glacée qu'elle ne met pas immédiatement au congélateur.

Ce n'est pas François...

C'est un message à la fois laconique et froid, mais porté par une voix qui lui semble vibrante d'une émotion qu'elle serait bien en peine d'identifier. Son médecin lui demande de le joindre dans les plus brefs délais...

Le sourire s'efface aussitôt des lèvres de Marie-Hélène et ses sourcils se froncent alors qu'elle retire machinalement sa veste pour la lancer sur le dossier d'une chaise. Le médecin n'avait-il pas dit qu'ils ne se reverraient que dans un mois ? « Il me semble que le rendez-vous est pour la semaine prochaine, non ? » songe-t-elle en regardant sur le calendrier par acquit de conscience. Pas d'erreur, il est fixé pour le mardi suivant, la date est bel et bien encerclée au crayon rouge.

Elle connaît alors quelques instants d'hésitation soutenus par une inquiétude subite, totale.

— Mon Dieu, le bébé, murmure-t-elle en pesant sur une touche pour entendre le message de nouveau pendant que, d'un regard nerveux, elle cherche la carte de la clinique du Dr Couture, affichée, elle aussi, sur le babillard, et qu'en esprit elle revoit tous les tubes de sang qu'on lui a retirés, il y a maintenant plus de deux semaines. Elle signale le numéro du médecin d'une main fébrile...

À peine quelques mots puis Marie-Hélène raccroche avant de se précipiter vers le salon.

Si elle remet ses souliers et prend son sac à main au vol, c'est uniquement par automatisme qu'elle agit. Parce que, présentement, dans sa tête et dans son cœur, une angoisse terrible l'empêche de réfléchir à quoi que ce soit.

Le médecin veut la rencontrer tout de suite. « Pour regarder ensemble les résultats de vos examens. Bien entendu, si c'est possible, mais le plus tôt serait le mieux ! » Mais aux yeux de Marie-Hélène, pour le bébé, tout est toujours possible. Qu'importe le souper à préparer et les draps de leur lit qu'elle voulait mettre à laver. Le médecin veut la voir et rien d'autre n'a d'importance.

Quand elle claque la porte d'entrée, sur la table de cuisine, le carton de crème glacée dessine déjà une flaque laiteuse sous le sac en papier brun...

* * *

La soirée est chaude. De cette humidité propre au mois de juin, collante, désagréable, sans le moindre souffle d'air. Dans le Carré Saint-Louis, les gens sont nombreux à profiter des bancs du parc ; sur la rue Saint-Denis, ils sont attablés aux terrasses ou déambulent à pas lents. C'est une soirée de vin rosé et frais, de petite bouffe à l'extérieur comme les Québécois aiment bien s'en offrir pour oublier que huit longs mois par année ils n'ont pas le choix de vivre enfermés. C'est la période des homards que les restaurants offrent à grand renfort de publicité et des cornets de crème glacée qu'on déguste lentement en se promenant. Toute la ville de Montréal prend un moment de répit et semble n'avoir rien de plus important à faire que de profiter du temps qui passe. On entend des rires, des appels joyeux. Même le bruit des klaxons d'autos a un petit quelque chose de léger et ne résonne pas avec l'impatience coutumière.

Recroquevillée sur elle-même, les yeux dans le vague, Marie-Hélène a pourtant très froid. Un frisson qui part du cœur et la fait trembler de la tête aux pieds.

Elle vient d'arriver de chez le médecin. Elle s'est changée pour revêtir un chaud cardigan et un pantalon de coton ouaté parce qu'elle était frigorifiée. Elle a fermé le battant des fenêtres du salon et s'est même demandé, hésitante, si elle ne devait pas faire une bonne flambée. Devant l'effort à fournir, elle a cependant haussé les épaules, épuisée, puis elle s'est installée sur la causeuse pour attendre. Attendre que François revienne peut-être ou tout simplement que le temps passe. Que sa vie passe...

Les deux mains sur son ventre, Marie-Hélène attend...

Sur la table de cuisine, la crème glacée n'est plus qu'une marée blanchâtre qui tombe goutte à goutte sur le plancher. Quelques mouches entrées par inadvertance s'entêtent au-dessus du sac d'épicerie, attirées par l'odeur des steaks que la jeune femme voulait faire griller sur le barbecue pour faire plaisir à François. Mais quelle importance maintenant? Marie-Hélène n'a plus faim. Elle n'aura probablement plus jamais faim comme avant. Avant les mots du médecin dont elle ne se rappelle presque plus rien. Sinon qu'il respecterait son choix quel qu'il soit. Peut-être devrait-elle songer à une interruption volontaire de grossesse?

— Il n'est pas trop tard. Mais ce n'est peut-être pas néces-saire, vous savez. Aujourd'hui, il existe des médicaments… Ça reste votre choix. Vous avez encore le temps d'y penser.

Son choix? Marie-Hélène avait longuement regardé le médecin sans répondre. Sans comprendre. Comment peut-il en-core parler de choix? Lui a-t-on demandé son avis à elle dans toute cette histoire? Par la suite, elle a vaguement entendu les propos du Dr Couture. Examens plus poussés, certaines techni-ques, certains nouveaux médicaments, l'urgence d'un traite-ment pour elle, l'intervention de spécialistes... Des mots, que des mots qui l'ont à peine effleurée.

— Donnez-vous un peu de temps. Je sais que ce n'est pas facile à apprendre… Cependant, il faut agir avec diligence, pour vous comme pour le bébé. Dans un cas comme dans l'autre... Tenez, lisez cela. On en reparle dès la semaine prochaine, dans cinq jours, lors de votre visite. J'aurai pour vous le nom d'un spécialiste…

Marie-Hélène s'était alors relevée de son fauteuil comme mue par un ressort, tendant la main pour prendre les quelques brochures que le médecin lui tendait. Oui, c'est cela, on en reparle la semaine prochaine ou l'an prochain si vous le voulez...

— Un dernier conseil: n'en parlez pas tout de suite autour de vous. Attendez, rien ne presse, vous savez.

Marie-Hélène l'avait regardé sans comprendre, sans chercher à comprendre, avait acquiescé du bout des lèvres avant de quitter la clinique précipitamment pour retourner chez elle. Elle avait besoin de se retrouver entourée de ses choses, de ses odeurs. Un besoin viscéral de se sentir à l'abri comme si les objets avaient le pouvoir de la protéger.

Et que le médecin se rassure : elle n'avait surtout pas envie d'en parler.

Maintenant, assise dans le salon, les deux mains pressées sur son ventre, elle attend.

Sous ses doigts, elle sent le ballon tout rond que forme déjà son utérus. Un peu comme un cantaloup. Son bébé... Encore impersonnel, sans identité, sans même de sexe. Mais c'est son bébé et pour lui, elle donnerait sa vie. Puis les mots du médecin lui reviennent. Que disait-il encore ? Ah ! oui. Il a parlé d'interruption de grossesse possible. Un choix parmi les autres, un choix que l'on respecterait si c'était là sa décision... Un long frisson convulsif secoue la jeune femme pendant qu'un gémissement vient mourir sur ses lèvres. D'un autre monde, lui semble-t-il, les bruits de la ville la rejoignent par vagues lentes, au rythme des battements de son cœur. Un cœur qui va probablement cesser de battre en même temps que celui de son enfant si jamais...

— Vous avez encore le temps d'y penser.

C'est aussi cela que le médecin a dit, n'est-ce pas ? Alors Marie-Hélène va attendre que le temps passe. Assise dans son salon, immobile, les yeux secs parce qu'il n'y a aucune larme qui pourrait la soulager, qui saurait apporter une solution, elle va regarder le temps qui tombe lentement, minute après minute, une seconde à la fois pour le faire durer l'éternité, les deux mains sur son ventre pour que le bébé sente sa chaleur. Sente l'amour immense qu'elle a pour lui.

Elle entend toujours la voix du médecin qui la harcèle, qui la secoue comme un arbre isolé dans la tourmente malgré la douceur du timbre et la bienveillance du regard. Dans le fond, il n'y a eu que quelques mots. Mais ces mots étaient irrévocables, inattendus, destructeurs. Et cette peur de l'inconnu qui l'avait envahie en même temps que les mots du médecin tombaient sur elle comme une pluie de grêlons. Séropositive, c'est bien ce que le médecin avait dit, comme une excuse dans la voix.

— Vous êtes porteuse du VIH...

Il avait eu la décence de ne pas poser de questions... Cela serait probablement pour la prochaine fois... C'est de cela que le médecin voulait lui parler. Les autres résultats de ses examens étaient normaux.

— Vous ne faites ni anémie, ni diabète...

Merveilleux! Comme si cette bonne nouvelle avait une quelconque importance après ce qu'elle venait d'apprendre... Le médecin avait continué de parler, mais Marie-Hélène n'avait pas vraiment entendu ce qu'il disait. Il y avait une stupéfaction posée en suspens au-dessus de sa vie qui empêchait la jeune femme de penser, d'écouter...

Tout doucement, dans la tête de Marie-Hélène, la voix du médecin s'éloigne comme s'éloigne un orage. Les orages finissent toujours par mourir quelque part au loin...

Maintenant, c'est le mot choix qui revient, hésite, recule et revient encore.

Avoir le choix...

Jusqu'où a-t-on le choix? Peut-on prendre les décisions au nom d'un autre? Marie-Hélène a-t-elle le droit de décider pour cet enfant qui grandit en elle?

Lentement, Marie-Hélène commence à se bercer, se laissant guider par les émotions qui l'envahissent. Se laisser conduire par l'instinct. Cet instinct de mère déposé en elle depuis la nuit des temps. Faire de son corps un geste lent et doux comme une mélopée. Bercer l'enfant en elle pour qu'il soit bien, pour le protéger. Le monde entier pourrait s'écrouler que cela ne la toucherait plus. Elle a plus important à faire que de se préoccuper du sort de l'univers. Elle doit décider si elle a le choix. Après, elle aura peut-être à décider de la vie de son enfant. Parce que maintenant, c'est de son bébé qu'il s'agit. François n'a plus rien à voir avec lui, avec elle. C'est dans son ventre à elle que ce bébé a cherché refuge et personne au monde ne décidera à sa place.

Le médecin lui a dit qu'elle avait du temps mais brusquement, Marie-Hélène sent l'urgence d'agir en elle. Tant qu'elle ne saura pas ce qu'elle va faire, elle ne pourra respirer à fond, elle ne pourra vivre. Le médecin ne sait pas de quoi il parle. Personne ne peut savoir...

Le jour n'est plus qu'un reflet mauve au-dessus des arbres du parc quand Marie-Hélène se relève enfin. Le salon est maintenant éclairé par la lueur jaunâtre du lampadaire recourbé à la hauteur de ses fenêtres. Elle regarde longuement autour d'elle comme au sortir d'un rêve, s'étire en bâillant. La sueur a collé ses longs cheveux sur sa nuque, sur son front. Est-ce bien elle qui avait froid tout à l'heure? Elle vient à la fenêtre et l'ouvre toute grande. L'air doux et humide sent bon les fleurs en pot qu'elle a mises sur sa galerie. Des géraniums rose saumon et des azalées blanches dans de longs bacs en bois, avec, dans le coin, un immense hibiscus orangé dans un vase de terre cuite, pour le contraste et le parfum. Odeur de terre et de fleurs, comme dans une serre à cause de l'humidité ambiante, ce soir. Fermant les yeux à demi, Marie-Hélène respire à fond et cela lui fait du bien. Sentir que l'on vit. Sentir qu'on est toujours vivante... Tout en bas, le Carré Saint-Louis ressemble encore à une mosaïque, tous ces gens se promenant à pas lents, mouvement de kaléidoscope comme celui qu'elle aimait tant quand elle était toute petite. Puis le rire d'un enfant monte, cristallin, dans l'air doux de cette merveilleuse soirée d'été et Marie-Hélène se surprend à sourire pendant qu'elle pose doucement la main sur son ventre.

— Dans un an, bébé, c'est toi qui riras, murmure-t-elle.

Sa décision est prise. Quel qu'en soit le prix. Quelles qu'en soient les conséquences...

Alors elle va à la cuisine. Même si elle doute avoir encore faim un jour, il lui faut manger.

Les mouches bourdonnent autour du sac d'épicerie, se posent un instant sur la crème glacée fondue, repartent, reviennent. D'un geste brusque, une grimace de dégoût sur les lèvres, Marie-Hélène attrape le sac d'épicerie et va le jeter dans la poubelle sur le balcon, ouvre toute grande la porte moustiquaire pour aérer la cuisine. Elle n'a surtout pas envie de manger un steak, ce soir. Quelle drôle d'idée elle a eue en achetant ces morceaux de viande...

Ensuite, elle essuie les dégâts, se fait un sandwich au fromage, se verse un jus de tomate et revient au salon. Pour attendre de nouveau. François ne devrait plus tarder.

Une à une les pièces du puzzle des dernières semaines s'emboîtent les unes aux autres. La froideur de François, son recul face à elle, son refus de parler du bébé.

François savait.

Depuis quand?

Marie-Hélène a un long frisson. François qui ne se doute probablement pas qu'elle sait. François qui l'a trahie par son silence.

Oui, Marie-Hélène l'attend. Marie-Hélène la douce, la conciliante est en ce moment plus dure que l'acier, plus froide que le marbre. Parce que Marie-Hélène n'est plus l'amie ou l'épouse. Et c'est François lui-même qui, par son silence, lui a refusé cette place dans sa vie. En ce moment, Marie-Hélène n'est plus que la mère. C'est tout ce qui lui reste pour l'instant. C'est tout ce qu'on lui a laissé pour s'accrocher à la vie. Une mère qui ne connaîtra probablement qu'une seule maternité, sachant désormais qu'elle est porteuse du virus du sida. Une mère qui devra être forte. Une mère qui vivra, avec comme toile de fond à sa vie, la peur de mourir pendant que son enfant aura encore besoin d'elle.

Quand elle entend la porte d'entrée qui s'ouvre et se referme puis les pas lourds de François qui monte l'escalier, Marie-Hélène vient de prendre une autre décision.

Les deux décisions les plus importantes de toute sa vie.

Et pour elle tout comme pour l'enfant, présentement, ce n'est qu'une simple question de survie. Pour le reste, elle avisera plus tard. Mais pour l'instant...

Levant la tête, elle surveille l'entrée du salon. Elle ne veut ni discussion ni apitoiement stérile. De toute façon, il n'y a rien à discuter et les larmes seraient inutiles. Tout ce qu'elle veut, c'est plonger son regard dans celui de François et le fouiller jusqu'au cœur. Pour qu'il comprenne. Pour qu'il n'oublie jamais. Après, dans quelque temps peut-être, viendront les explications. Mais pas ce soir, pas tout de suite. Comme le disait le médecin, elle a besoin de temps pour elle, pour se faire à l'idée. Comme si on pouvait se faire à cette idée que la mort n'est peut-être plus aussi loin qu'on aurait été tenté de le croire.

Sur la table à café du salon, quelques brochures en couleurs sont éparpillées. Les dépliants que le médecin lui a remis et que Marie-Hélène a consultés rapidement. Le mode d'emploi pour apprendre à vivre en harmonie avec le sida, a-t-elle pensé, cynique, en prenant connaissance des innombrables recommandations.

— Allô!

La porte du palier vient de se refermer et curieusement, François semble joyeux, ce soir. Détendu... Mais cela ne touche pas Marie-Hélène. Parce que la jeune femme, elle, n'a pas envie de rire. Ses sourires et ses rires, elle va les garder pour plus tard. En faire une provision immense, une réserve inépuisable pour que malgré tout, son enfant n'en manque jamais. Elle entend les pas dans le couloir. Alors elle redresse les épaules, oublie les brochures, se concentre sur les bruits qu'elle entend. Puis François paraît dans l'encadrement de la porte.

— Comment ça va?

Marie-Hélène ne répond pas. Elle se contente de fixer François froidement, sans émotion autre que la déception immense qui bat en elle. Désillusion envers cet homme qui n'a pas eu confiance, qui l'a reniée. François blêmit aussitôt.

— S'il te plaît, laisse-moi t'expliquer.

Vaine tentative. De toute façon, il n'y croit pas lui-même. Qu'y aurait-il à expliquer autre que sa lâcheté? Dans le regard de sa femme, il lit les reproches et la colère. Et il comprend. Il savait. Il savait et n'a rien dit. Il vient de l'avouer par ces quelques mots qui ne disent rien, qui disent tout... Longuement, Marie-Hélène regarde celui qu'elle aime encore tant et tant. Et l'envie de se jeter dans ses bras se fait violence pendant une fraction de seconde. Être ensemble, être deux à souffrir au-delà des mots. Mais la douleur qui lui déchire le cœur n'a d'égale que la peur immense qu'elle ressent depuis quelques heures. Seule, parce que

François n'a pas eu assez confiance. En elle comme en leur amour. Et cela suffit à justifier sa décision. Il y a comme une cassure entre eux. Marie-Hélène ressent une immense lassitude, de celles qui donnent envie de dormir pour longtemps, pour très longtemps. La jeune femme se redresse un peu plus, le regarde droit dans les yeux sans ciller. Sa voix est froide, glaciale. Qu'on en finisse pour aujourd'hui. Elle veut aller se coucher.

— Il n'y a rien à expliquer. Va-t'en.

François a l'impression que le sol se dérobe sous ses pieds. Il s'attendait à des larmes, des blâmes, des questions. Tous ces scénarios qu'il avait imaginés depuis quelques semaines… Il ne s'attendait pas à cette femme froide, distante. Une inconnue… Du regard il survole le salon comme s'il espérait y trouver une réponse. La réponse qui serait la panacée, l'unique, la brillante répartie qui permettrait de tout dire, tout expliquer, tout comprendre, tout pardonner en même temps. Quand ses yeux tombent sur les feuillets en couleurs éparpillés sur la table à café, il se met à trembler, sachant de quoi ils parlent, ayant les mêmes cachés au fond de sa mallette. Le petit carton vert et blanc avec un ruban rouge épinglé sur le coin gauche semble le narguer. Ce ruban, comme une marque distinctive. Tout à coup, il revoit quelques images d'un vieux film français, du temps de la guerre. Cette étoile jaune qui distinguait les juifs des autres. Il secoue la tête, revient à Marie-Hélène qui n'a pas bougé d'un pouce et qui continue de le fixer. Il fait un pas vers elle, voudrait la prendre dans ses bras, n'ose pas.

— Mais voyons.

— Sors d'ici, François. Sors de ma vie, de notre vie, ajoute-t-elle en mettant la main sur son ventre. On n'a pas besoin de toi.

Pour une première fois dans sa vie, Marie-Hélène sent qu'elle pourrait devenir méchante, agressive. Depuis l'instant où François est apparu dans la porte, l'air lui est devenu subitement irrespirable. Et lui qui ne bouge pas, qui reste là à attendre. Pendant une brève seconde, l'envie de lui sauter au visage la trouble. Lui faire mal comme lui l'a blessée. Puis ce réflexe meurt de lui-même. Marie-Hélène, c'est une douce, une femme de compromis. Et malgré tout, malgré son attitude présente, elle aime toujours François. Alors, elle redit les mêmes mots, mais d'une voix lasse, cette fois-ci, brisée par l'émotion :

— S'il te plaît, laisse-moi. Pour l'instant… J'ai besoin d'apprendre à être forte toute seule. Pour moi et pour lui, ajoute-t-elle la main toujours posée sur son ventre. Toi, finalement, malgré ce que je croyais, tu n'as jamais été là. Et devant ton attitude des derniers mois, je doute que tu n'y sois jamais. Alors va-t'en. S'il te reste un semblant de respect pour moi, tu vas attendre que je te fasse signe.

Ce n'est qu'au moment où elle entend la porte d'entrée se refermer sur François que Marie-Hélène pousse un profond soupir. De soulagement et de tristesse entremêlés.

Soupir de déception parce que François l'a écoutée et qu'il est parti sans rien dire, sans rien faire…

Soupir d'appréhension devant la solitude qu'elle voit poindre devant elle.

Soupir d'angoisse aussi.

Marie-Hélène voudrait pleurer, elle n'y arrive pas. Ce grand vent sec qui l'entoure, cette hébétude posée sur sa vie qui gobe toutes ses émotions. Et ce cœur qui débat à chaque fois que les mots du médecin reviennent dans sa tête.

Aujourd'hui, elle a appris qu'elle allait peut-être mourir bientôt.

Et son bébé aussi.

Pourtant, son mari l'a laissée seule. Malgré sa demande, pour une fois, Marie-Hélène aurait peut-être aimé que François ne l'écoute pas et la prenne tout contre lui.

Ambivalence d'un cœur blessé qui ne sait trop où trouver refuge…

* * *

Si François a abdiqué sans se battre, c'est uniquement parce qu'il savait qu'un moment comme celui-là allait venir et qu'il l'anticipait. Parce qu'il n'y avait rien à dire qui saurait implorer le pardon comme il aurait voulu le faire. Parce qu'il avait peur. Mais aussi parce que Marie-Hélène avait raison : il l'aimait toujours autant et la respectait, comme elle l'avait dit. Alors, il ne s'est pas défendu malgré l'envie qu'il avait de ne pas tenir compte de la demande de sa femme et de la prendre tout contre lui. Il se sentait coupable alors il n'a rien fait, rien dit.

Comment Marie-Hélène pourrait-elle lui pardonner un jour cette nouvelle réalité qui serait désormais la leur? La sienne...

Pendant un long moment, il a marché sans savoir qu'il marchait, heurtant les gens qu'il croisait, s'excusant sans même entendre le son de sa voix, par réflexe, par politesse apprise depuis toujours. Puis, sans l'avoir vraiment décidé, il se retrouve à Berri au terminus, demande un billet aller simple en partance pour Québec et s'assoit pour attendre le matin : le prochain bus ne sera qu'à six heures et il est deux heures de la nuit...

Au moment où il grimpe enfin dans l'autobus, il prend conscience de ne pas avoir pris de vêtements de rechange...

Quand Cécile s'est éveillée, ce matin, son cœur battait de façon désordonnée. Elle avait mal dormi. Cette intuition en elle qui ne s'est jamais démentie au fil des ans. Cette faculté qu'elle a, quant à tous les siens, de deviner les choses, de pressentir les douleurs ou les joies. Aussi n'est-elle n'est pas vraiment surprise quand le téléphone se met à sonner, à neuf heures trente, heure inhabituelle pour un appel chez les Cliche. Elle s'y attendait. À peine un regard de curiosité entre Jérôme et elle puis Cécile se relève et s'approche de l'appareil pour prendre la communication. C'est peut-être Claudie qui appelle pour expliquer son retard à revenir... Elle ne prononce que quelques mots avant de raccrocher en se retournant vers Jérôme. Une ride d'inquiétude marque son front.

— C'est François. Il demande si on peut aller le chercher au terminus à Sainte-Foy...

Quand François est enfin arrivé, il s'est excusé pour le dérangement, a prévenu qu'il aurait à leur parler puis a demandé s'il pouvait dormir un peu avant.

— J'ai passé la nuit sur un banc de métal tout raide. Je suis fatigué. Mais promis, je vous explique tout ça dès que je me réveille.

Il a dormi toute la journée. Cécile et Jérôme ont travaillé côte à côte, par besoin de sentir la présence de l'autre, sachant leur inquiétude identique. Quand François rejoint enfin ses grands-parents, le soleil commence déjà à descendre sur le boisé des sapins tout près du chemin et tout le monde est à terminer le souper. Comprenant que cette visite a un côté inattendu, parti-culier, Sébastien se relève aussitôt, comme mal à l'aise d'être le témoin de quelque chose qui ne lui appartient pas.

— Bon, c'est l'heure de ma promenade quotidienne, lance-t-il faussement joyeux. On se revoit plus tard.

Et sur un signe de tête en direction de François, comme un salut silencieux entre eux, une entente tacite entre deux hommes qui se respectent, il tourne les talons et claque la porte derrière lui. Alors à son tour, Mélina se relève, son intuition ayant joué dans le même sens.

— Cécile, viens m'aider à m'installer sur la galerie en avant de la maison, ordonne-t-elle de sa voix bourrue. J'vas profiter des derniers rayons de soleil pour boire ma tisane.

Puis elle lève les yeux au ciel un instant avant d'ajouter en re-gardant François :

— Imagine-toi donc que j'en suis rendue à la tisane, mon jeune. Fini le café pour moi, le soir, ça m'empêche de dormir… Des fois, j'ai l'impression que le bon Dieu m'a oubliée ici pis que j'vas traîner de même pendant l'éternité.

François ne peut s'empêcher de dessiner un petit sourire sans joie.

— Comme ça, je ne suis pas le seul à penser que le bon Dieu nous oublie parfois, approuve-t-il alors pensivement.

Puis levant la tête vers son arrière-grand-mère, il ajoute avec une tendresse évidente dans la voix :

— Mais ce n'est pas votre cas, Mélina. Vous, si vous êtes en-core ici, c'est parce qu'on a encore besoin de votre présence. C'est pour ça que le bon Dieu vous permet de rester avec nous…

Et en disant ces mots, sa voix s'étrangle subitement. Alors

Cécile se lève, aide Mélina à le faire et, sachant que parfois il est plus facile de parler entre hommes, elle déclare qu'elle va accompagner la vieille dame sur la galerie pour boire une tisane elle aussi. Mais son cœur bat très fort, jusque dans sa tête, alors qu'elle se dirige à pas lents vers l'avant de la maison en guidant Mélina qui se déplace difficilement avec sa marchette. Son esprit virevolte sans savoir où se poser. Marie-Hélène, François, le bébé… Que se passe-t-il donc pour que François ait l'air à ce point bouleversé?

Pendant un moment, François et Jérôme restent silencieux, perdus dans leurs pensées. Ils sont faits tous les deux du même bois, plutôt silencieux, les mots à dire ne venant pas spontanément. Puis Jérôme se relève.

— Un bol de soupe?

François sursaute.

— Je… Je n'ai pas tellement faim.

— Pas besoin d'avoir faim pour manger la soupe de ta grand-mère, bougonne alors Jérôme.

Il insiste, dépose le bol fumant devant François, se rassoit de l'autre côté de la table.

— Alors?

— Je…

Les mots ne viennent pas. Pourtant, François est conscient qu'il ne peut plus reculer. Malgré tout, la vie continue et la sienne n'a plus le choix d'aller par où elle doit passer. Alors…

Pendant quelques minutes, dernier sursis, il se concentre à manger la soupe, évitant le regard de son grand-père. Il s'aperçoit, surpris, que finalement il avait faim. Très faim. Puis il repousse le bol vide, soupire et lève les yeux.

— Je… Ce n'est pas facile à dire.

Il hésite encore. La sueur lui coule dans le dos. Pourtant, il n'a plus le choix. Il se décide tout d'un coup. Ce ne sont que des mots. Des mots à mettre sur une réalité qu'il ne pourra cacher très longtemps. Alors aussi bien plonger tout de suite. Ici, en présence d'un homme qui l'aime, qui l'a toujours soutenu. Comme on se décide à aller chez le dentiste, en se disant que ce n'est qu'un mauvais moment à passer…

— Je suis séropositif, Jérôme. Il y a quelques semaines j'ai appris que j'étais séropositif, répète-t-il comme s'il voulait être bien certain que son grand-père a compris ce qu'il disait.

Pendant qu'il parlait, François s'est redressé pour aussitôt se recroqueviller sur lui-même. Il a l'impression qu'il vient de mettre le doigt dans un engrenage qui va l'avaler tout entier. Que d'avoir prononcé les mots les rend encore plus vrais. Que l'irrévocable lui avait donné rendez-vous ici, dans la cuisine de ses grands-parents et qu'à partir de maintenant, plus rien, jamais, ne sera pareil. Et que c'est cela, finalement, qu'il repoussait avec autant d'énergie. Tant que les mots n'étaient pas dits, il restait, en lui, l'ombre d'un espoir. Inutile, peut-être, inconscient mais bien présent. François n'était pas prêt à faire face au recul des gens, à leur jugement. Pourtant, contrairement à ses craintes, dès que Jérôme entend les mots, voyant son petit-fils se tasser sur sa chaise comme un gamin en train d'avouer une bêtise, il sent son cœur se serrer avec une intensité douloureuse. François, le tout petit François. Là maintenant, c'est le gamin qu'il revoit. Puis l'adolescent qu'il a vu se battre pour se sortir de sa dépendance aux drogues et enfin l'étudiant qu'il a encouragé alors qu'il travaillait comme un forcené pour réussir ses études. Spontanément, sa main se tend, bouscule quelques plats restés sur la table et vient se poser sur celle de François avant de la serrer très fort. Très, très fort.

— T'inquiète pas, mon François. On est là.

Entre eux, les mots ont souvent été inutiles. C'est le regard qui parle. Alors, pendant de longues minutes, les deux hommes se regardent sans parler. Puis Jérôme répète :

— Oui, on est là.

À cet instant, François éclate en sanglots. Tout le désespoir des dernières semaines s'étale entre eux, à travers ses larmes. Jérôme se relève, contourne la table et vient se placer derrière François.

Et sans un mot, de toute la force de l'amour qu'il ressent pour son petit-fils, il entoure ses épaules de ses deux bras et le tient tout contre lui. Comme on tient l'enfant blessé contre son cœur pour le consoler…

Ce n'est que plus tard, quand le soleil n'est plus que rougeur sur l'horizon et qu'il entend Cécile et Mélina entrer dans la maison que François demande, une supplication dans la voix :

— Est-ce que tu peux parler à Mamie ? Je ne suis pas capable d'imaginer la voir triste à cause de moi… S'il te plaît !

À ces mots, à la tristesse de Jérôme se greffe une vive inquiétude. Cécile, sa Cécile, qui a été malade l'an dernier. Comment lui annoncer une telle nouvelle sans risquer une rechute ? Oui, François a raison : il n'y a que lui, Jérôme, qui puisse le faire.

— D'accord. Promis, je lui parle dès ce soir.

Jamais soirée n'a paru si longue à Jérôme… Continuer de sourire, parler de la cidrerie et du verger avec Sébastien comme si de rien n'était, le cœur et l'esprit à des lieux de toute discussion, sursauter chaque fois que Cécile l'interpelle. Finalement, c'est au moment où ils se retrouvent enfin seuls, dans leur chambre, au moment de se mettre au lit qu'il se décide. Dès que Cécile exprime la grande inquiétude qui a soutenu toute sa soirée.

— Alors ? Veux-tu bien me dire ce qui se passe ? Tu as l'air d'une chatte qui vient de perdre sa portée, mon pauvre Jérôme.

Pendant un moment, le vieil homme soutient le regard de sa femme. Il sait à quel point Cécile aime François. Comment va-t-elle réagir ? Comment va-t-elle encaisser le coup ? Il pousse un profond soupir. Cécile, c'est aussi une femme de sagesse et de grande compréhension. En plus d'être médecin…

— Ce qui se passe ? C'est François… Ce qui nous faisait peur quand il était jeune, ce dont on parlait parfois tous les deux, sans vraiment y croire parce qu'on pense toujours finalement que ça n'arrive qu'aux autres, le pire qu'on ait pu imaginer est devenu une réalité, Cécile. François a appris qu'il était porteur du VIH.

Pendant de longues minutes, de trop longues minutes, Cécile le fixe avec ce même regard absent qu'elle avait l'an dernier. Puis elle ferme les yeux en soupirant avant de secouer la tête dans un geste mécanique de négation, comme pour éloigner le mal, et pose de nouveau les yeux sur Jérôme. Son regard a la clarté limpide d'un ruisseau de montagne. Glacial et froid. Jérôme pousse un soupir de soulagement.

— Pauvre enfant…

Et sans plus, sans les questions que Jérôme s'attendait à entendre ou les larmes qu'il pensait avoir à essuyer, Cécile vient jusqu'à la fenêtre, repousse le rideau et prend une profonde inspiration. En une fraction de seconde, elle vient de tout comprendre. La conversation qu'elle a eue avec Marie-Hélène lui revient en mémoire avec une précision douloureuse. Alors elle demande :

— Et Marie-Hélène ? François a-t-il parlé de Marie-Hélène ?

— Non. En fait, il n'a presque rien dit. Autre que cette terrible nouvelle.

— Ah bon !

Curieusement, Cécile la douce, la femme d'émotion, capable de pleurs spontanés comme de rires faciles, semble plus froide que le marbre. C'est que présentement, un cruel combat se déroule dans sa tête comme dans son cœur. Pendant quelques instants, elle est tentée de dévoiler le secret que Marie-Hélène lui a confié. Presque aussitôt, elle y renonce. Si François n'a pas parlé… Et elle avait promis de ne rien dire. Alors…

— Demain, je vais à Montréal.

Jérôme relève la tête, d'abord surpris, puis inquiet.

— À Montréal ? Tu n'y penses pas ! À notre âge ! Tu n'es pas sérieuse, n'est-ce pas ? À notre âge, répète-t-il…

La réaction de Cécile est instantanée. Parce que présentement, il y a en elle une force qui la pousse à aller jusqu'au bout de cette douleur qu'elle ressent pour Marie-Hélène.

— Qu'est-ce qu'il a notre âge ? Je ne suis pas encore gâteuse. Et puis, je n'ai pas dit que je voulais conduire jusqu'à Montréal, j'ai dit que j'allais à Montréal. Nuance. Je vais y aller en autobus. Après avoir parlé à François…

Puis dans un élan, par besoin de sentir sa chaleur, Cécile vient se blottir dans les bras de Jérôme.

— Fais-moi confiance, Jérôme. Je sais que je dois aller voir

Marie-Hélène. Elle ne peut rester seule dans un moment aussi décisif de sa vie. Si François est ici, seul, c'est qu'il y a un problème quelque part, tu ne crois pas?

Levant les yeux vers son mari, elle redit avec toute la détermination dont elle est capable quand il est temps de venir en aide aux siens :

— Je dois partir, crois-moi. Je t'expliquerai à mon retour. Je te demande simplement de me faire confiance.

Jérôme referme les bras sur elle, rassuré. Parce que, justement, il a toujours eu confiance en elle.

— D'accord, ma douce. Demain, j'irai te conduire à l'autobus... Et maintenant, si on se couchait? J'ai l'impression d'avoir été roué de coups. Je suis épuisé.

Mais au rythme qu'avaient leurs respirations, ils ont compris, l'un comme l'autre, qu'ils ne dormaient pas. La tête blottie contre le dos de son mari, un bras passé autour de sa taille, Cécile a regardé la lune traverser le ciel et les carreaux de la fenêtre en pensant à Marie-Hélène. À Marie-Hélène qui devait savoir maintenant et qui attendait un petit bébé...

* * *

Ce matin, le ciel est triste. D'un gris blanchâtre, sans risque de pluie parce que les nuages sont très hauts dans le ciel, mais maussade quand même. Cécile savait que la journée serait sombre parce que le lever du jour n'avait été qu'une barre rouge sur l'horizon sans éclat avant de s'éteindre complètement dans la grisaille du ciel. Elle s'était alors levée, sans faire de bruit parce que Jérôme, lui, avait réussi à s'endormir, et elle était venue à la cuisine attendre le réveil des autres. Pour penser aussi. Au grand jour, il lui semblait que ses réflexions étaient plus claires, débarrassées de leur enveloppe d'émotions qui l'avait tenue éveillée toute la nuit. Jérôme était venu la rejoindre et l'avait prise dans ses bras. Sans un mot. La chaleur de ce corps contre le sien avait redonné tout son courage à Cécile et avait renforcé sa détermination à partir. Marie-Hélène devait avoir terriblement besoin de sentir la chaleur de quelqu'un.

Terriblement besoin de sentir la chaleur de François, même si Cécile avait l'intuition que la jeune femme avait repoussé son mari…

À ses yeux, avec le recul et toutes les émotions qui avaient traversé sa vie, Cécile savait que quelqu'un devait agir…

Quand François les a rejoints dans la cuisine, il a compris, au regard lancé par sa grand-mère, qu'elle était au courant. Il s'est servi un café avant de s'éclipser sur la galerie. Parce que, curieusement et pour une première fois peut-être, Mamie Cécile le regardait avec une grande sévérité.

Cette dernière le rejoint aussitôt que Jérôme et Sébastien s'éloignent vers le verger. Discrète, à la demande de Cécile, Mélina s'est retirée au salon.

— Pas de troubles, ma Cécile, m'en vas écouter les nouvelles. Tu viendras me le dire quand je pourrai revenir dans la cuisine pour t'aider…

Puis avec une certaine inquiétude dans la voix, l'intuition d'une vie d'écoute et de services guidant ses paroles, elle avait demandé :

— C'est pas trop grave au moins ?

— Je ne sais pas encore… Mais ne vous en faites pas, Mélina. Il y a des solutions à tout.

Alors la vieille dame lui avait offert un beau regard serein, empreint de la sagesse de toute une existence faite de confiance envers le destin et le bon Dieu.

— Ça, c'est ben vrai. Je l'ai toujours dit : faut faire confiance à la vie. Même si on comprend pas toujours ce qu'elle cherche à nous dire… M'en vas prier en t'attendant. J'ai quelques connections directes et personnelles avec le ciel…

Sur un sourire, Cécile est revenue à la cuisine, s'est servi un autre café et a gagné la galerie à son tour. Cécile prend le temps de s'asseoir, regarde longuement sa tasse, reporte les yeux sur l'horizon. Elle entend François qui bouge sur sa chaise, comme impatient. Ou encore mal à l'aise. Alors elle demande de sa voix toujours aussi douce mais en même temps décidée :

— Alors, c'est bien vrai ce que Jérôme m'a dit hier ?

— Oui.

La réponse de François n'est qu'un murmure, un filet de voix. Celle de Cécile, par contre, reste froide. Brusquement, François a l'impression que sa grand-mère lui en veut.

— Et depuis quand le sais-tu ?

— Quelques semaines.

De nouveau, un bref silence de la part de Cécile. Puis, d'une voix un peu incrédule :

— Quelques semaines et toi tu n'as rien dit ?

Du coin de l'œil, Cécile aperçoit François qui se redresse, même si en apparence elle continue de fixer la lisière de l'érablière.

— Comment sais-tu que…

Cécile hausse les épaules en soupirant. Impatience, blâme à peine caché ? François se recroqueville encore plus sur lui-même pendant que sa grand-mère explique de la voix de celle qui doit exposer une évidence :

— Parce qu'alors c'est avec Marie-Hélène à tes côtés que tu nous aurais annoncé tout ce qui bouleverse votre vie. Les bonnes choses comme les pires. Pour moi, c'est aussi visible que le nez en plein milieu de la face…

Puis se tournant vers son petit-fils :

— Je me trompe ?

— Non.

De nouveau, un simple murmure. François a détourné la tête et rabaissé les yeux.

— Je ne savais pas comment…

— Je comprends que ça puisse être difficile. Surtout dans les circonstances présentes. Mais ce n'est pas une excuse.

— Je sais. Pas besoin de me le dire, je le sais.

Au bout d'un petit silence embarrassé, comprenant à travers les mots prononcés que sa grand-mère sait pour le bébé, il demande :

— Comme ça, Marie-Hélène t'a parlé pour le bébé ?

— J'avais deviné… Marie-Hélène n'a pas trahi la promesse

qu'elle t'avait faite, elle n'a fait que confirmer ce que j'avais compris...

Encore une fois, reproche à peine déguisé. À ces mots, François baisse la tête encore un peu plus, fixe les planches disjointes de la galerie.

— Et qu'est-ce que tu comptes faire maintenant?

— Je ne sais pas. Marie-Hélène m'a demandé de quitter la maison pour un...

— Et tu l'as écoutée? Mais François, comment as-tu pu lui faire ça?

— C'est ce qu'elle voulait.

— Oh non! Je ne crois pas que c'est vraiment ce qu'elle voulait. Il faut savoir lire entre les lignes, François.

Brusquement, Cécile est épuisée. En elle, c'est la mère, la femme et le médecin qui s'affrontent. Et le combat s'annonce difficile. Pendant de longues minutes, elle reste silencieuse, essayant de comprendre ce que son cœur essaie de lui dire. Cette déchirure qu'elle ressent quand elle pense à Marie-Hélène et cette tendresse aussi envers François alors que le médecin, lui, crie à l'urgence d'agir. Elle se tourne vers François qui n'a pas bougé.

— Tu sais, mon grand, il ne faut jamais laisser la peur ou la colère dicter notre conduite. Il n'y a que le cœur qui soit bon conseiller.

Finalement, en elle, c'est la mère qui a gagné. Celle qui ne pourra jamais lancer la première pierre. François ne répond pas tout de suite. Pendant un long moment, il garde la pose, le corps vers l'avant, les bras appuyés sur ses cuisses, la tête penchée comme s'il était fasciné par l'alignement des planches de la galerie. Puis, lentement, il relève les yeux et cherche le regard de Cécile.

— Alors j'aurais dû rester avec elle, avoue-t-il enfin. C'est ça que mon cœur me disait de faire...

Cécile esquisse un sourire. Elle vient de retrouver son petit-fils.

— Je crois, oui. Mais je me trompe peut-être. Comment savoir le secret des êtres?

Spontanément, en écho à ses propres paroles, Cécile ouvre les bras.

— Viens ici, toi.

D'un seul geste, François se relève, s'approche de sa grand-mère, s'assoit sur le sol et pose la tête sur ses genoux. Alors, tout doucement, Cécile se met à caresser ses cheveux.

— Je t'aime, François. Tu ne dois jamais douter de ça. Et j'aime aussi Marie-Hélène et le bébé qui s'en vient...

— Justement, le bébé...

Pour une première fois depuis des semaines, il semble à François que les mots viennent tout seuls. Il se sent bien, en confiance, et tout ce qui lui semblait terrible ne l'est plus autant.

— Pour le bébé, reprend-il, tu ne crois pas que ce serait préférable qu'il ne voit jamais le jour? Je sais que c'est affreux de dire ça, mais a-t-on le choix? C'est pour ça que je ne voulais pas que Marie-Hélène en parle...

François y a tellement pensé depuis des mois qu'il arrive à prononcer ces mots sans émotion apparente. Pourtant, au creux de sa poitrine, il sent son cœur se serrer avec une intensité douloureuse. Et en même temps, il se sent soulagé d'en parler librement, de s'en remettre à quelqu'un d'autre. Mais devant cette question si lourde de conséquences, Cécile est déchirée. C'est le regard voilé d'une eau tremblante qu'elle demande à son tour:

— Comment savoir? On ne pourra jamais lui demander ce que lui voudrait pour sa vie, François. Jamais...

La voix de Cécile est chargée d'une émotion que son petit-fils ne pourrait pas comprendre.

— Par contre, même si je suis hors-circuit depuis quelques années, je sais qu'il existe maintenant des médicaments. Sont-ils efficaces? Je ne saurais le dire. Mais ce que je sais, c'est que ce n'est pas à toi tout seul de décider pour cet enfant. Vous êtes deux, ajoute-t-elle avec force, avec conviction.

— Mais Marie-Hélène ne...

— Chut! Ne dis rien.

Pendant quelques minutes, Cécile reste silencieuse, sa main

continuant de caresser doucement les cheveux de son petit-fils. Il y a tellement de souvenirs qui refluent en elle en ce moment qu'elle en est tout étourdie. Des tas de pensées qui tournoient sans savoir où se poser, qui s'imposent, disparaissent, reviennent. Puis l'image de François adolescent avale tout. François à seize ans, leur présentant sa nouvelle amie, Marie-Hélène. François leur annonçant que pour elle, il avait envie de se battre pour s'en sortir. Et cette toute jeune femme qui leur avait dit, à ce moment-là, la voix vibrante d'espoir :

— Vous allez voir, on va réussir.

Oui, Cécile s'en souvient comme si c'était hier. « On va réussir ! » Pour Marie-Hélène, c'était déjà leur vie à deux qui commençait. Et elle n'avait jamais laissé tomber François. Jamais. Alors…

— Je sais, moi, que Marie-Hélène a probablement besoin de toi comme jamais auparavant, mais qu'elle ne veut pas se l'avouer à elle-même, murmure enfin Cécile. Quand tu étais plus jeune, François, quand tu es entré en cure de désintoxication, combien de fois nous as-tu dit que tu ne voulais plus nous voir ? Que tu nous détestais ? Te souviens-tu ? Peux-tu me jurer que tu le pensais vraiment ? Non, n'est-ce pas ? Je crois que Marie-Hélène en est au même point. Elle croit te détester et a besoin de toi en même temps.

François ne répond pas, le même souvenir lui montant à l'esprit, il comprend fort bien ce que Cécile est en train de lui dire. La vieille dame reprend :

— Est-ce que je peux te demander une faveur, François ?

Le jeune homme lève les yeux sans comprendre.

— Une faveur ?

— Oui. La faveur de me mêler de ce qui ne me regarde pas… J'aimerais parler à Marie-Hélène. Si tu acceptes, j'irai à Montréal pendant que toi, tu vas attendre bien sagement ici.

— Mais pourquoi ? Puisque tu viens de dire que je devrais…

— Je sais. Mais je sais aussi que le drame que vous vivez tous les deux pourrait fausser les données entre vous deux. Quand on parle sur le coup des émotions…

— Mais toi? Je te connais assez, Mamie, pour savoir que tu dois bouillir en ce moment. Les émotions, ça te connaît non?

— Pour ça… Mais disons que la vie m'a suffisamment fait de crocs-en-jambe pour que je puisse me relever sans trop de mal… Et justement parce que je suis quelqu'un qui vit ses émotions librement, je crois que Marie-Hélène a besoin de parler de mère à mère d'abord et avant tout. En ce moment, il ne doit y avoir que la mère qui pense et vit en elle.

— Ouais… C'est vrai. Si tu voyais comment elle parle de ce bébé…

— C'est bien ce que je pensais…

Spontanément, François repose la tête sur les genoux de sa grand-mère, entoure ses jambes de ses bras et la serre avec affection. Cécile ajoute alors, la voix de nouveau froide:

— Commençons par remettre les émotions à la bonne place et ensuite on va attaquer le problème de front. Et là, c'est le médecin qui parle: chaque jour qui passe est un jour qui compte. On ne peut pas faire comme si de rien n'était…

Toute la sérénité que François commençait à ressentir s'évapore d'un coup. Le fait d'avoir parlé ne change rien à la situation. Le spectre de sa maladie étend son ombre de nouveau. D'une voix étranglée, il dit alors:

— J'ai peur, Mamie. Si tu savais comme j'ai peur…

— Je sais, mon grand, je sais… Et c'est normal d'avoir peur devant l'inconnu… Alors imagine ce que doit ressentir Marie-Hélène. Elle, en ce moment, elle a peur pour deux…

Quand Cécile a quitté Québec, le ciel était toujours aussi maussade. Ce qui ne l'a pas empêché de sourire devant les multiples recommandations de Jérôme.

— Cesse de t'en faire, grand fatigant. Je ne m'en vais pas en Papouasie, je vais à Montréal, à deux heures à peine d'ici, dans un autocar de luxe avec air climatisé.

Puis elle s'est laissé bercer par le roulis de l'autobus, permettant à ses pensées de vagabonder comme bon leur semblait.

À Drummondville, la pluie s'est mise à tomber, en un fin crachin. À Montréal, c'est un véritable déluge qui l'attend. Dans sa poche, elle a un plan du quartier dessiné par François pour s'y retrouver et une clé de l'appartement, au cas où Marie-Hélène serait absente.

— Pour le plan, c'est à l'eau, murmure-t-elle en sortant du terminus sur la rue Berri.

En levant les yeux au ciel, elle ajoute, mi-figue, mi-raisin :

— C'est le cas de le dire.

Et pour ce qui est de la clé, elle espère seulement ne pas avoir à s'en servir. Elle n'aimerait pas arriver et entrer sans la présence de Marie-Hélène, comme une intruse. Déjà que de s'imposer, comme elle le fait en ce moment, lui donne de légers grattements dans l'estomac... Levant le bras pour héler un taxi, elle se répète les mots de Mélina : faire confiance en la vie. Toujours et en tout lieu. Comme pour se donner courage et raison.

— Carré Saint-Louis, s'il vous plaît.

Se calant contre la portière, Cécile regarde la ville détrempée défiler tristement sous ses yeux en priant le ciel de lui donner les mots à dire. Juste les mots, les bons mots. Car pour le reste, elle sait qu'elle n'a qu'à se fier à son cœur...

* * *

On aurait dit que Marie-Hélène l'attendait, et Cécile le voit comme un heureux présage. La porte s'ouvre dès qu'elle sonne et tout en haut de l'escalier, la jeune femme la regarde monter.

— C'est haut chez nous, n'est-ce pas ?

Marie-Hélène a les traits tirés de qui n'a pas beaucoup dormi mais sa voix est claire et semble calme.

— Venez, Cécile. Je vous espérais, vous savez...

La vieille dame la rejoint, pose la main sur la rampe un instant pour reprendre son souffle puis lève les yeux vers Marie-Hélène pour demander :

— Comment pouvais-tu savoir ?

Marie-Hélène lui répond d'un sourire, à la fois triste et moqueur.

— Il n'y a que chez vous où François pouvait aller... Le reste coule de source… Vous voulez un café ? Je viens tout juste d'en faire une pleine carafe.

Les deux femmes se sont installées dans la cuisine, face à face, chacune d'un côté de la table. Pendant quelques instants, Cécile détaille la pièce jaune et blanche qui semble ensoleillée malgré la grisaille du ciel et le crépitement de la pluie contre les carreaux de la fenêtre. Une pièce qui ressemble à Marie-Hélène, à la fois douce et tonique. Puis elle reporte son attention sur la jeune femme qui semble hypnotisée par sa tasse de café qu'elle tourne et retourne entre ses doigts. Marie-Hélène lève alors la tête et son regard croise celui de Cécile. Et c'est comme si le temps suspendait son cours pour un moment. Les deux femmes se dévisagent en silence, pendant que la pluie s'acharne contre la vitre et que la cafetière chuinte doucement sur le comptoir :

— Si vous êtes ici, c'est donc que vous êtes au courant, n'est-ce pas ?

— Oui. François nous a parlé hier soir…

— Chanceuse ! Moi, il ne m'a rien dit.

Que d'amertume derrière cette phrase banale ! Spontanément, Cécile tend la main pour la poser sur le bras de Marie-Hélène. Elle la sent tendue comme une corde de violon, comme un volcan sur le point d'exploser. D'une pression des doigts elle tente de l'apaiser.

— Je comprends. Oui, je crois comprendre ce que tu ressens. Mais au-delà de cela, il reste que…

Peine perdue, la jeune femme la fixe avec amertume, une lueur de défi au fond du regard. Puis elle retire brusquement son bras pour le cacher sous la table.

— Il n'y a rien au-delà de cela, Cécile, l'interrompt-elle alors vivement. Rien pour l'instant. Cela, comme vous dites, ce sera désormais ma vie. Je dois m'y faire et vite, car je ne suis pas seule. La vie de mon enfant en dépend…

— Je sais.

À ces mots, Marie-Hélène éclate.

— Vous croyez ? Vous employez les mêmes mots que mon médecin, tiens ! Mais moi, je n'en suis pas si sûre que ça que vous compreniez, l'un comme l'autre… Vous ne savez pas vraiment. Personne ne peut vraiment comprendre ce qui se passe dans notre tête et notre cœur quand on apprend qu'au lieu de la vie, c'est peut-être la mort qu'on porte.

— Aujourd'hui, il y a des solutions de rechange, tu sais.

À ces mots, la colère de Marie-Hélène se dégonfle, aussitôt remplacée par un regard hermétique, douloureux.

— Oui, c'est vrai, j'ai appelé mon médecin ce matin et il m'en a glissé un mot… Mais pour l'essentiel, rien ne pourra faire en sorte que… Vous venez de le dire vous-même : ce ne sont que des solutions de rechange. Et puis, comment être certain à cent pour cent que tout va fonctionner comme on le voudrait ? Il restera toujours des probabilités, des risques, des incertitudes.

Puis, dans un profond soupir de lassitude, Marie-Hélène laisse tomber :

— Depuis hier, j'ai l'impression d'être devenue une statistique de plus dans un registre maudit. Et que c'est un peu la même chose pour le bébé. Belle perspective d'avenir pour quelqu'un qui n'est pas encore au monde !

Que pourrait répondre Cécile ? Face à Marie-Hélène, elle se sent démunie. Aussi démunie qu'elle sent la jeune femme vulnérable, fragile malgré sa détermination, sa hargne apparente. Cécile se souvient que lorsque la vie la malmenait, il lui arrivait parfois d'avoir envie de s'en remettre à d'autres. Pour l'instant, cet autre de Marie-Hélène, c'est elle, Cécile. Et son intuition lui dicte que la jeune femme a surtout besoin de parler. Dire à voix haute tout ce qui doit la tourmenter en silence depuis hier.

— L'avenir, Marie-Hélène, il est tel qu'on le fait. C'est toi et toi seule qui peut le bâtir cet avenir. Quel qu'il soit …

— Ça aussi, je le sais, Cécile. Mais disons que j'ai l'impression que les dés ont été truqués. Et que même si je m'acharne à les lancer, ils ne tomberont jamais sur une case gagnante.

— À toi peut-être de déterminer ce qui est une case gagnante et ce qui ne l'est pas…

Marie-Hélène ne répond pas, Cécile ayant mis le doigt sur ce qui la fait souffrir le plus directement. Cette déchirure en elle quand elle songe au bébé. Ce tout petit qu'elle voudrait garder alors qu'en même temps, bien froidement, elle se demande si elle en a le droit. Pendant de longues minutes, elle se concentre sur sa tasse, se met encore une fois à la tourner et la retourner entre ses mains, la repousse, la reprend, recommence le manège. Dehors, la pluie s'est allégée. Par le carreau ouvert, on entend même les moineaux qui se remettent à piailler dans les arbres. Le ciel est plus léger, de ce blanc cru qui fait monter les larmes aux yeux. Tout à coup, la cafetière émet un hoquet essoufflé. Alors Marie-Hélène relève la tête, repoussant sa tasse d'un geste définitif.

— Ma vie est vraiment un coup de dés, Cécile. Hier, j'étais convaincue que le mieux à faire était de garder le bébé. Ce matin, je ne sais plus. Et si c'était là pur égoïsme, hein?

— Et quand bien même ce serait cela? La plupart de nos décisions découlent d'une bonne part d'égoïsme.

— Peut-être bien, oui... Mais aujourd'hui, l'enjeu n'est pas banal. Je n'ai pas le droit d'exiger de mon bébé une vie de souffrance, peut-être. De réclusion.

— Mais rien ne dit que ce sera le cas, Marie-Hélène.

— Comment savoir? C'est bien ce que je dis: un coup de dé. Et si je croisais les doigts? Peut-être que ça aiderait à conjurer le mauvais sort...

Cela dit, avec toute l'amertume que cela suppose, Marie-Hélène se relève, prend les tasses pour les porter dans l'évier, tourne le bouton de la cafetière. S'appuyant les reins contre le comptoir, elle relève la tête et regarde Cécile droit dans les yeux, en caressant son ventre d'une main lente et possessive.

— Par moments, dit-elle tout doucement, j'ai l'impression de réfléchir dans le vide. C'est à peine si mon ventre a grossi. Tout va si bien que je dois m'arrêter pour me dire que je suis enceinte... Pourtant, je sais fort bien qu'il est là. Encore tout petit, si fragile, si dépendant de ma propre vie. Je n'ai pas le droit de me tromper, Cécile. Pas le droit pour lui.

— Et si tu attendais François pour en parler avec lui. Pour décider avec lui?

Marie-Hélène dessine l'ombre d'un sourire, triste.

— François ?

Pendant une brève seconde, elle reste silencieuse, perdue dans ses pensées. Puis son regard se pose de nouveau sur Cécile.

— Non, je n'attendrai pas François pour décider. Ça ne le regarde pas. Pas après sa réaction des derniers mois. Vous rappelez-vous quand vous m'avez dit l'autre jour que François avait peur du bouleversement que ce bébé allait apporter dans notre vie ? Vous ne pouviez si bien dire. Vous aviez terriblement raison en supposant que François avait peur. Mais cette peur se jouait à un autre niveau, un niveau qu'on ne pouvait même pas imaginer. Je le connais suffisamment pour savoir qu'il est mort de trouille, en ce moment. Il déteste ne pas être en contrôle, ça lui rappelle trop les années où il était dépendant des drogues. Malheureusement pour lui, je n'ai pas d'énergie à lui consacrer comme je l'ai fait dans le temps. Voyez-vous, Cécile, ce qui nous arrive, je l'avais assumé dès le départ. Je savais de quoi était fait le passé de François et j'en acceptais les conséquences. Pour moi. Mais si j'avais su avant, jamais je n'aurais fait cet enfant-là. Et si François avait eu confiance en moi, en nous, il m'aurait parlé dès qu'il a su. On n'en serait pas là ce matin et, dans ces conditions, c'est bien certain que la décision se serait prise à deux.

Cécile a écouté Marie-Hélène sans dire un mot. Elle se revoit à peu près au même âge, décidant de son avenir, seule, après le décès de sa mère. Ce choix qu'elle avait alors fait de repousser le mariage pour se consacrer à son père et son petit frère, sans consulter Jérôme, se fiant uniquement à ses émotions à elle… Pourrait-elle encore aujourd'hui dire que c'était là la meilleure chose à faire ? En toute conscience, Cécile doit avouer qu'elle ne sait pas. Parce que la vie lui a appris que quel que soit le chemin emprunté, il y aura toujours des intersections qui nous feront douter du bien-fondé de nos décisions. Cécile pousse un profond soupir. Voilà pourquoi tous les souvenirs de ce temps lointain lui étaient revenus en mai dernier. Se rappeler jusque dans les moindres détails pour comprendre ce que vit Marie-Hélène. Malheureusement, le passé ne peut être garant de l'avenir. Que valent les expériences d'une vieille dame quand on se retrouve soi-même à la croisée des chemins? Cécile ne peut décider à la place de Marie-Hélène et ne peut même pas la conseiller. C'est seulement en elle que la jeune femme peut trouver la réponse. Comme en écho à ses pensées, Marie-Hélène reprend:

— Cécile, si j'osais, je vous demanderais de m'accompagner chez le médecin. Il m'attend cet après-midi et ensemble nous devons examiner toutes les options qui se présentent. Je sais que ça paraît un peu froid, dit comme ça, mais je ne vois pas comment...

Marie-Hélène hausse alors les épaules en ouvrant tout grand les bras devant elle, comme si elle appelait à l'aide.

— J'aimerais simplement que vous soyez là.

Pendant que Marie-Hélène parlait, Cécile s'est relevée pour venir jusqu'à elle. La vieille dame qui s'est toujours sentie toute petite à côté de la jeune femme doit lever la tête pour croiser son regard. Mais curieusement, en ce moment, elle a l'impression que leurs yeux sont à la même hauteur.

— Alors j'y serai, ma belle. N'aie crainte, je serai avec toi.

À ces mots, le regard de Marie-Hélène s'embue. Une eau tremblante perle à ses cils, puis quelques larmes coulent sur ses joues. Cécile se hausse sur la pointe des pieds et prend la tête de celle qu'elle aime comme une petite-fille pour la poser sur son épaule.

— Sache bien, surtout, que quelle que soit ta décision, je la respecterai. Et je ne t'en aimerai pas moins...

Alors Marie-Hélène éclate en sanglots. Larmes dures, désespérées. Larmes de soulagement aussi. Elle n'est plus seule...

Et Cécile la laisse pleurer, caressant doucement son dos comme pour l'encourager à aller jusqu'au bout de sa détresse. Parce qu'elle le sait très bien: l'acceptation, le réconfort et le courage viennent souvent des larmes qu'on a pris le temps de verser.

CHAPITRE 5

Les deux pieds sur le sol, on ne peut pas apprendre
grand-chose sur le saut en chute libre.

JOYCE MAYNARD

TOUJOURS FIN JUIN, EN BEAUCE ET À MONTRÉAL

Cela fait maintenant trois jours que François est arrivé chez ses grands-parents comme un cheveu sur la soupe et Sébastien, lui, n'arrive toujours pas à comprendre ce qui se passe. Sinon que ce qui tourmente le travailleur de rue doit être assez sérieux : ce dernier ne se lasse pas de faire de longues promenades, seul, d'un bout à l'autre de la terre jusqu'à l'érablière ou tout au long du rang, s'évadant parfois pendant des heures.

François ne mentionne jamais le nom de Marie-Hélène, lui qui trouvait toujours prétexte pour y faire allusion. Il ne parle ni de son travail, ni de ses projets, ni de la cidrerie. En fait, c'est à peine s'il ouvre la bouche pour demander qu'on lui passe le lait ou le beurre quand il est à table avec eux... Sébastien a l'impression que François n'est que l'ombre de lui-même, une ombre courant à perdre haleine pour essayer de rattraper quelque chose ou fuir quelque chose de terrifiant... Et Sébastien, qui jurait ne vouloir vivre que pour lui-même et pour le moment présent, se surprend à essayer de comprendre afin d'aider celui qui l'a si bien fait pour lui par le passé. Le soir, assis sur sa perche de cèdre, dominant la vallée et le visage tourné vers le soleil couchant, les yeux mi-clos, il revoit le déroulement de chaque journée, espérant y trouver un indice. Jusqu'à maintenant, tout ce qui lui semble évident, c'est que François est malheureux. Et inquiet... Mais plus que quiconque, Sébastien sait que l'on ne peut aider personne contre son gré. On ne force pas les confidences. Elles viennent à leur heure quand elles ont à venir et l'amitié, la vraie, c'est justement de respecter l'autre jusque dans son silence. Cela, Sébastien le sait. Ce qui ne l'empêche pas d'essayer de comprendre malgré tout. Même Jérôme est différent depuis que François est apparu à la ferme l'autre jour. L'enthousiasme qu'il montrait face à sa petite entreprise semble éteint et Cécile s'est enfuie comme une voleuse dès le lendemain matin. Tout ce qu'il a appris, c'est qu'elle est partie pour Montréal. Suffisant pour se poser des questions... et vouloir leur trouver une réponse valable.

Sébastien pense à tout cela, assis sur sa clôture, le visage levé vers le ciel, profitant des derniers rayons de soleil. Ce soir, au souper, Cécile a appelé de Montréal et François a passé un long moment enfermé dans la petite pièce à l'avant de la maison pour lui parler. Il en est ressorti les yeux rougis et aussitôt Jérôme lui a proposé de sortir prendre une marche. Ce qu'ils ont fait sans donner d'explication, laissant Sébastien seul avec Mélina. La vieille dame l'avait alors regardé en fronçant les sourcils comme sous l'effet d'une profonde réflexion. Puis elle avait demandé de sa voix bourrue :

— Curieux, n'est-ce pas, tout ce mystère qui nous entoure depuis quelques jours ?

Trop heureux de voir que quelqu'un partageait sa vision des choses, Sébastien lui avait aussitôt emboîté le pas.

— Vous aussi vous trouvez ça ?

— Et comment !

Puis Mélina avait baissé les yeux pour que Sébastien n'y lise pas la satisfaction qu'elle éprouvait. L'aïeule avait ressenti un grand courant d'affection pour le jeune homme dès qu'elle l'avait rencontré. Cécile lui avait vaguement parlé de son passé et expliqué les raisons de sa présence parmi eux, l'intuition de Mélina avait fait le reste et le sourire de Sébastien l'avait définitivement conquise. Et depuis que François était ici, elle le sentait malheureux. Alors, de le savoir inquiet ne lui plaisait guère. De là son intervention et ses remarques. Et Sébastien avait réagi exactement comme elle le souhaitait : il était tombé dans le panneau à pieds joints, même si aux yeux de Mélina, l'astuce lui semblait un peu grosse, cousue de fil blanc. Mais Sébastien n'avait pas vraiment de secrets pour elle. Il lui faisait penser à Jérôme au même âge : plein de fougue, intransigeant, maladroit dans l'expression de ses émotions, par moments empêtré avec lui-même... C'est pourquoi elle avait renchéri :

— Oui, c'est bien mystérieux, tout ça.

Puis, catégorique, elle avait ajouté :

— Mais ça ne nous regarde pas.

Sébastien avait alors ouvert de grands yeux de désaccord.

— Vous croyez ? Pourtant, moi, je sens que François a besoin d'aide.

Mélina avait haussé les épaules avant de trancher.

—Ça, c'est certain. Mais encore faut-il qu'il le sache lui-même et qu'il décide d'où lui viendra cette aide.

Pendant quelques instants, Sébastien était resté silencieux. Il se revoyait, il y a de cela un an à peine, refusant tout contact, tout regard étranger sur sa vie. Pourtant, malgré cela, François avait insisté et c'était peut-être là la meilleure chose qui lui était arrivée depuis fort longtemps. C'est pourquoi il avait ensuite déclaré, impétueux, catégorique comme seule la jeunesse peut l'être :

— Parfois, les autres ont une meilleure vision des choses que nous-même.

Puis il avait levé les yeux vers la vieille dame, modulant sa pensée.

— Vous ne pensez pas, vous ?

Mélina avait fait la moue.

— Des fois, oui, ça arrive. C'est vrai. Mais malgré tout ce qu'on en pense, je dirais que c'est plutôt rare.

Puis elle l'avait regardé franchement, droit dans les yeux, et avait dit :

— Est-ce que je peux te parler ben simplement ? Oh ! Puis non, répond même pas parce que j'vas parler pareil. J'suis rendue à un âge qui m'autorise à dire tout ce que je veux. Y'en a qui disent que c'est du radotage, moi, j'pense plutôt que c'est l'expérience mêlée d'un petit brin de sagesse qui nous permet de dire c'qu'on pense… Ça fait que j'vas te dire c'que j'pense de la situation pis après t'en feras ben c'que tu voudras… Pour moi, c'est ben clair que François vit quelque chose de difficile, de ben difficile. Pis si y'est ici, c'est qu'en quelque part, y'a compris qu'il pourrait pas s'en sortir tout seul. Ça, c'est clair comme le nez au milieu de la face. Mais au-delà de ça, qu'essé tu veux qu'on fasse de plus, toi pis moi? Rien. On peut rien faire d'autre que lui faire sentir qu'on l'aime pis que si l'envie lui prend de nous parler, on sera là pour lui. Dans la vie, mon jeune, y'a des moments pour parler pis d'autres pour se taire. Pis la sagesse, c'est d'être capable de faire la part des choses entre les deux. Ça fait ben des années maintenant que ma vie se résume à regarder les autres vivre autour de moi pis à les écouter. C'est ça que j'ai finalement compris. Une présence silencieuse vaut parfois ben plus qu'un moulin à paroles qu'on est pas prêt à entendre. Laisser son cœur écouter… Oui, c'est ça: laisser son cœur écouter au lieu des oreilles pis tu vas voir qu'on entend ben des choses. Pis y'a d'autres fois où un geste peut valoir mille mots. Juste une main sur une épaule ou juste un sourire peut parler plus fort que le plus grand des discours… C'est ça que j'avais à te dire. J'en sais pas plus que toi sur ce qui se passe dans la vie de François. Mais je m'en fais pas. Cécile m'a dit qu'il y avait des solutions à tout et sur ce point, j'suis ben d'accord avec elle. D'une façon ou d'une autre, la vie finit toujours par nous faire signe pour qu'on sache par où on doit aller. Suffit de faire confiance…

Pendant de longues minutes, le mot confiance avait survolé la cuisine, s'imposant dans tous les sens qu'on voulait bien lui donner. Un mot que Sébastien avait rejeté longtemps hors de sa vie et qu'il recommençait seulement à tolérer. Avoir confiance en soi, en l'autre, en la vie…

— D'accord, avait-il finalement murmuré. Je pense que je comprends ce que vous voulez que je comprenne.

Mélina avait de nouveau haussé les épaules comme devant une évidence.

— C'est sûr que tu comprends. Moi, j'ai pas de doute làdessus. J'sais pas grand-chose de ton passé, Sébastien, mais quand on a choisi la rue pour vivre pendant un temps, c'est que la vie nous a pas fait de cadeau. Personne viendra changer mon opinion là-dessus. Pis si t'as préféré la rue à toute autre maison, c'est que t'as pas vraiment connu la vie de famille qui fait serrer les coudes et s'entraider. Un p'tit gars qui se retrouve tout fin seul à dix-huit ans peut pas avoir été un enfant heureux. C'est pas malaisé à comprendre. Pis quand on a déjà été malheureux, c'est facile de deviner la tristesse des autres. On dirait que le malheur fait pousser des antennes. Pour l'instant, le p'tit gars aux antennes, c'est toi. C'est pour ça que tu veux aider François. Mais faut faire attention : les meilleures intentions ne sont pas nécessairement la réponse à tout. Comme on dit : l'enfer est pavé de bonnes intentions.

Comment une vieille dame retenue chez elle depuis de si longues années avait-elle pu le percer aussi facilement ? Pendant que Mélina parlait, Sébastien avait senti que les larmes lui montaient aux yeux. Larmes d'émotions trop longtemps rejetées qu'il avait brusquement envie de verser aujourd'hui pour lui comme pour François. Et pour une première fois depuis longtemps, il n'était pas gêné d'avoir les yeux un peu trop brillants.

— Merci, Mélina, de m'avoir parlé comme vous venez de le faire… Ça m'a fait du bien.

Puis il avait ajouté d'une voix rauque :

— J'vous aime bien, vous savez.

Alors Mélina avait dit, taquine, pour détendre l'atmosphère :

— Ça fait des lunes qu'un beau gars m'a pas dit une chose pareille. Ça fait du bien à entendre. Moi aussi je t'aime gros. Tu me fais penser à mon Jérôme quand y'avait ton âge : tout feu tout flamme.

Puis elle avait longuement soupiré.

— Astheure, le jeune, permets-tu à une vieille femme de dire qu'elle est fatiguée ? Ben fatiguée. Tu vois, les émotions, ça use. Pis depuis que François est ici, elles sont à fleur de peau, mes émotions. Si j'osais, je te demanderais de m'aider à retourner dans ma chambre. J'pense que j'vas me contenter de regarder la tévé, ben confortablement assise dans mon lit, pour à soir…

Sébastien l'avait aidée à regagner ses quartiers... Puis il avait rangé la cuisine avant de venir s'installer sur sa perche de cèdre.

Présentement, les paroles de Mélina lui trottent en tête dans toutes les directions, se greffant tant à son passé qu'à ses espoirs face à l'avenir et à ses inquiétudes pour François.

Puis, caprice de l'esprit, c'est le nom de Claudie qui s'impose brusquement. Que devient-elle? Sa jeune amie devrait être ici depuis plus d'une semaine, maintenant. Mais pas de nouvelles, sinon un appel au lendemain de son départ pour dire qu'elle était bien rendue et qu'elle pensait à lui. Depuis, plus rien...

À cette pensée, Sébastien ne peut s'empêcher de pousser un long soupir d'impatience. Ça fait bien des choses désagréables en même temps, lui qui déteste se sentir bousculé... Claudie, François et pourquoi pas Maxime, tant qu'à y être? Quand est-ce qu'il va enfin se décider à essayer de rejoindre son frère? Qu'est-ce qui le retient?

La réponse à cette dernière question lui effleure l'esprit, mais Sébastien ne la retient pas. Il ne sait que trop bien ce qui l'arrête et il n'a pas envie de s'y attarder. Pas ce soir.

D'un coup de reins, il saute sur la terre durcie du champ mis en jachère pour cette année et, ignorant le sentier, il revient à la maison des Cliche à travers les rangs mal entretenus, à la terre inégale. Brusquement, il lui semble qu'il doit se battre contre quelque chose pour arriver à brûler le surplus d'énergie qui gronde en lui. Colère, impatience, frustration, il ne saurait le dire. Pas plus qu'il ne saurait dire d'où lui vient cette sensation désagréable et vers qui elle est dirigée...

Le soleil n'est plus qu'une grosse boule de lumière entre les troncs des sapins au loin là-bas, près de la route. L'ombre dessinée par Sébastien s'étire à l'infini derrière lui. Une ombre morcelée et capricieuse comme les mottes de terre qu'il enjambe en sautant...

Le lendemain, pour la première fois depuis qu'il est ici, François se joint à son grand-père et à Sébastien pour travailler au verger. Présence silencieuse mais efficace, ayant aidé Jérôme pendant de nombreux étés.

À plusieurs reprises, le regard de Sébastien croise celui de François. Un regard hermétique et douloureux à la fois. Un regard qui dérange Sébastien parce qu'il repousse l'autre et crie au secours en même temps. Il se sent mal à l'aise, ne sait trop s'il doit rester ou s'éloigner. C'est alors que les paroles de Mélina lui reviennent en tête : « Tu sais, un geste, un sourire disent parfois plus qu'un beau discours... » Profitant d'un de ces instants de contact entre François et lui, Sébastien tente un sourire. Un peu gauche, gêné mais sincère. Contre toute attente, François lui répond aussitôt de la même façon. Comme s'il espérait ce geste, cette attention. Tout au long de la journée, ces instants de communion se répètent, se font d'une fois à l'autre plus francs, plus directs. En même temps, à travers eux, Sébastien découvre une dimension nouvelle de sa relation avec François. Aujourd'hui, il n'y a plus d'intervenant, de travailleur de rue ou d'itinérant en quête de refuge, d'avenir, d'identité peut-être. Il n'y a que deux hommes à peu près du même âge avec, lui semble-t-il, les mêmes interrogations, les mêmes espoirs face à la vie.

Les mêmes craintes aussi.

Au souper, alors qu'ils préparent le repas à trois, François partage même leurs rires devant leur incompétence.

— Quand Cécile est ici, la cuisine, c'est son fief ! Pas question que j'y mette les pieds quand elle est à faire le repas ! Alors je manque d'expérience, avoue Jérôme en guise d'excuse face à sa maladresse à faire les crêpes.

— Disons qu'avec Marie-Hélène, c'est un peu la même chose. Remarque que j'arrive bien souvent après elle, le soir et...

— Des excuses ! Des excuses !

Les rires qui résonnent dans l'immense cuisine ont des tonalités de libération, venue d'on ne sait où mais bien palpable. Mélina qui arrive à petits pas le perçoit.

— Quand le chat n'est pas là, les souris dansent à ce que je vois !

Et dans ses yeux brille le plaisir d'entendre François rire de nouveau. Elle a tellement prié pour lui depuis quelques jours !

Quand François annonce qu'il a envie d'aller se promener

après le souper, comme il le fait tous les soirs, cette fois-ci, il se retourne vers Sébastien. Pendant un moment, il hésite. Puis il se jette à l'eau.

— Est-ce que ça te tente de venir jusqu'à la sucrerie avec moi? Ça fait un bail qu'on n'a pas jasé ensemble!

Ambivalence de ce discours où il ne sait plus qui il est. C'est à la fois l'homme blessé qui cherche un ami et le travailleur de rue soucieux qui s'adressent à Sébastien. Ce dernier lui fait un grand sourire.

— Super! J'vas avoir quelqu'un pour partager ma réflexion du soir.

François ouvre de grands yeux, oubliant momentanément tout ce qui lui encombre l'esprit depuis quelque temps.

— Ta réflexion du…

Sébastien éclate de rire.

— Viens-t'en, m'en vas t'expliquer ça…

Ils quittent la cuisine en parlant pommiers.

Pendant un instant, Jérôme les regarde s'éloigner, visiblement soulagé de voir que l'attitude de François est différente. Rien n'est acquis, rien n'est fait, mais seulement l'entendre rire durant le repas, la simple invitation qu'il a lancée à Sébastien à partager sa promenade suffisent à rassurer quelque peu Jérôme. Levée péniblement de table, Mélina le rejoint à la fenêtre.

— Pas facile, mon grand, d'avoir du souci pour ceux qu'on aime, hein? Surtout quand on peut pas faire grand-chose. Me semble que les tracas sont encore plus grands dans ce temps-là.

Tout en parlant, Mélina a posé sa main toute ridée sur le bras de Jérôme. Ce vieil homme, c'est son fils, encore et toujours son enfant, un peu son petit garçon, et elle n'aime pas le voir soucieux.

— Notre petit François est devenu un homme, astheure, rappelle-t-elle. On n'a pas le choix de s'y faire. Pis des fois, quand on est rendu des adultes, y'a juste soi-même qui peut régler les problèmes. Pas les autres, ajoute-t-elle pensive.

Puis sa voix se fait plus ferme.

— Pis c'est juste normal que ce soit de même. Y'a des fois où la vie nous oblige à nous regarder en pleine face pis c'est là que les autres existent plus. François me donne l'impression d'être exactement là où j'parle. Alors nous autres, on n'a pas le choix de rester en arrière. C'est juste une autre façon de dire à quelqu'un qu'on l'aime pis qu'on le respecte. Faudrait surtout pas l'oublier.

Ému, Jérôme est venu enserrer la main de sa mère dans la sienne. Que cette vieille dame sans grande instruction, n'ayant, pour ainsi dire, jamais quitté sa maison, sache être à ce point clairvoyante et juste dans ses réflexions le surprend toujours un peu. À cette pensée, la pression de sa main se fait plus forte, aimante. Alors Mélina lève la tête vers son fils et tous les deux, ils se sourient, sachant que leurs pensées se ressemblent. Lui, songeant qu'il a une chance inouïe d'avoir encore sa mère tout près de lui malgré son âge et Mélina se redisant à quel point la vie peut être généreuse parfois, elle qui lui a ramené son fils après tant d'années d'absence. Puis, tous les deux, ils se retournent pour regarder les deux jeunes hommes dont les silhouettes reflétant le coucher du soleil se découpent sur le boisé de l'érablière. Un chandail rouge et un autre jaune, deux taches de couleur qui semblent danser le long du champ. Deux hommes qui sauront peut-être s'aider l'un l'autre. C'est ce que se répète Jérôme, emmêlant ses espérances aux prières de sa mère.

Pourtant, ni François ni Sébastien ne sent l'envie de bousculer le silence qui les entoure. Porté par quelques chants d'oiseaux et le bruissement des herbes balayées par la brise du soir, il a quelque chose de magique, ce silence, et personne n'ose le briser.

Pour Sébastien, il y a aussi une certaine pudeur, une certaine gêne qui le retient. Car en ce moment, il a l'impression de vivre à l'envers et que c'est lui maintenant qui peut aider, qui peut conseiller. Il ne sait d'où lui vient cette sensation mais elle est là, bien présente dans ses pensées. Peut-être à cause de l'attitude de François qui semble tourmenté alors qu'il l'a toujours vu confiant. Et curieusement, c'est un peu la même chose pour François. De sentir la présence de Sébastien à ses côtés lui ramène justement cette forme de confiance qu'il n'a pas ressentie depuis des mois. Cela fait du bien. Le travailleur de rue, celui qui aide et soutient, revient avec force. Mais cette fois-ci, c'est lui-même qu'il aurait envie d'aider à travers l'envie de savoir ce que devient Sébastien. Même s'il est centré sur lui-même depuis qu'il est ici, la mine soucieuse et trop sérieuse de Sébastien ne lui a pas échappé.

S'il commençait par là, peut-être bien que tout le reste suivrait... François se tourne alors vers Sébastien, le regarde un moment puis reporte les yeux sur le sol.

— Alors Sébas? Quoi de neuf?

Au son de la voix de François qui lui semble immense tout à coup après cette promenade silencieuse, Sébastien sursaute. Puis il hausse les épaules.

— Bof! Plein de choses et pas grand-chose en même temps.

— C'est clair!

Sébastien ébauche un sourire, sans vraiment regarder François, à peine un regard en coin avant de reprendre.

— Tu sais François, c'est pas parce que je suis ici que tout a changé dans ma vie. Des questions sans réponses, il y en a encore.

C'est au tour de François de dessiner l'ombre d'un sourire.

— Et si je te disais qu'il y en aura toujours?

Sébastien souffle dans ses joues avant de reprendre.

— Ouais, c'est bien ce que je suis en train de comprendre. Pis je trouve ça fatigant, ben ben fatigant.

— Mais non, ce n'est pas fatigant. C'est plutôt rassurant de se poser des questions. Ça veut dire qu'on existe, qu'on progresse. Moi, c'est le jour où je ne me poserai plus de questions que je vais commencer à avoir peur, à trouver ça fatigant, comme tu dis.

Pendant un moment, Sébastien continue d'avancer sans un mot. Puis il s'arrête, tourne la tête et regarde François directement.

— Okay pour les questions, je suis d'accord avec toi. On peut pas vraiment les éviter. Mais quand on trouve pas de réponse, on fait quoi avec nos maudites questions?

— On finit toujours par trouver quelque chose, Sébastien. Toujours. Même si des fois, c'est pas du tout ce qu'on pensait trouver.

François s'écoute parler et brusquement il comprend que c'est à lui-même qu'il répond à travers les mots qu'il a pour Sébastien.

— Ouais...

Sébastien semble sceptique.

— Ça, c'est juste des mots. Une manière de dire qui dit rien. Moi, ce que je veux, c'est des solutions.

— Des solutions à quoi?

De nouveau, Sébastien reste silencieux pour un temps. Puis il recommence à marcher les yeux au sol, aussitôt suivi de François qui remonte jusqu'à ses côtés en deux longues enjambées.

— Des solutions à moi, murmure-t-il enfin. Juste des solutions à ce que je suis.

— Alors, on est tous les deux sur la même marche, mon vieux. On cherche des solutions à des questions qui nous semblent sans réponse... C'est pas facile, hein?

« Pas facile... » Les mots restent un moment suspendus dans l'air entre eux. Non, ce n'est surtout pas facile, François aurait envie brusquement de crier cette toute petite phrase qu'il vient de prononcer. Il revoit les mois vécus dans la peur. Cette peur qui l'a cloué au sol. Brusquement, elle l'envahit de nouveau, faisant trembler ses mains. Alors, d'un geste prudent, machinal, il les glisse dans ses poches.

— C'est peut-être parce qu'on a peur des réponses, qu'on se dit que ce n'est pas facile, se répondant à lui-même. Ça donne une excuse raisonnable pour prendre tout son temps...

Encore une fois, ces quelques mots restent entre eux comme un trait d'union. Quelques mots valables pour l'un comme pour l'autre. Les rôles sociaux, les places que l'on prend ou que l'on a ne veulent plus rien dire, n'ont plus la moindre importance. En ce moment, il n'y a que deux amis marchant côte à côte.

Deux amis qui sentent instinctivement qu'ils peuvent s'entraider et s'aider eux-mêmes à travers cela.

— On s'assoit?

Ils sont arrivés devant la cabane à sucre. Le petit banc de bois est éclairé par un rayon du soleil couchant qui ondule entre les arbres. Sébastien hausse les épaules tout en répondant à François.

— Si tu veux…

Mais son apparente nonchalance ne dure qu'un instant. Lui, c'est surtout en marchant qu'il fait le point depuis deux ans. Sauf peut-être depuis qu'il est ici, alors qu'il aime bien s'installer sur sa clôture. Mais la présence de François change tout. Il a l'impression de remonter dans le temps. Et comme s'il venait de poser les fesses sur un nid de guêpes, le jeune homme se relève et se met à marcher comme un ours en cage devant François. Le mot «peur» que le jeune travailleur de rue a prononcé l'obsède et l'enrage tout à la fois.

— Mais moi, de savoir ça, que j'ai peur, que je suis un lâche pis tout le reste, ça m'avance pas. T'es pas le premier à me dire que j'ai peur des réponses. Pis je le sais que vous avez raison. Je suis pas complètement borné. Mais de le savoir, ça me dit pas quoi faire.

Sébastien s'arrête un instant, fronce les sourcils comme s'il cherchait quelque chose de bien précis, puis il reprend sa marche énergique.

— Pis quand bien même je saurais quoi faire, c'est pas ça qui va me donner le courage de faire ce que je devrais faire.

Puis il s'arrête pour de bon, avec l'impression d'être complètement épuisé, à bout de souffle. Et en colère.

— C'est toujours plus facile de dire aux autres quoi faire que de le faire soi-même, lance-t-il enfin.

Et pour ces quelques mots, Sébastien s'attend à une réponse virulente. Le François qu'il connaît n'accepte pas les défaites, les excuses faciles. Pourtant la répartie tarde à venir. Et quand elle arrive, finalement, elle est totalement différente de ce qu'il prévoyait.

— Tu as raison, Sébas. C'est beaucoup plus facile de trouver des solutions pour les autres que pour soi. J'en sais quelque chose, c'est mon travail de tous les jours de trouver des solutions…

Puis il lève la tête et regarde Sébastien droit dans les yeux.

— Mais je ne suis pas différent des autres. Moi aussi j'ai peur des questions imprévues, de l'inconnu. Pourtant, je sais d'avance les réponses parce que je les ai déjà formulées pour d'autres. Mais quand vient le temps de les appliquer à soi… Cordonnier mal chaussé, n'est-ce pas ?

Sébastien fronce les sourcils, oubliant momentanément ce qui l'occupait il y a quelques instants. N'est-il pas ici à la demande de François ? Un François qui ne ressemble en rien à celui qu'il connaissait.

— Je comprends pas.

— Il n'y a rien à comprendre.

François regarde autour de lui comme un animal apeuré. Alors Sébastien vient jusqu'à lui, s'assoit à son tour sur le banc de bois rêche. Jamais avant il n'a vu quelqu'un qui semble aussi désemparé que François. Pas même sa mère quand il était petit et que toute sa famille avait à subir une des poussées de colère de Me Duhamel. Maladroit, ne sachant ni les mots à dire, ni les gestes à poser, il tend tout de même la main et effleure l'avant-bras de François.

— Hé! Qu'est-ce qui se passe ? Qu'est-ce qui ne va pas ?

— Ce qui ne va pas ?

La réplique lui monte aux lèvres spontanément. Le ton est amer.

— Demande plutôt ce qui va, lance-t-il, sarcastique. Ça serait moins long à répondre…

Pendant un bref moment, François redevient silencieux, le regard hermétique. Puis les traits de son visage se creusent, ses poings se referment comme s'il fomentait une bataille. Peut-être bien la bataille de sa vie… Il explose comme un volcan.

— Ce qui ne va pas ?

François est maintenant debout, fébrile, survolté. De rage, de peur, Sébastien ne saurait le dire. «Probablement les deux», se dit-il pendant que le jeune travailleur de rue se met à marcher à son tour.

— Il n'y a plus rien qui va, Sébas. Rien... Le pire c'est que tout est de ma faute...

François s'arrête, dévisage intensément Sébastien avant de faire volte-face et se mettre à frapper à poings fermés le premier tronc d'arbre venu.

— J'ai appris que j'étais séropositif, Sébas...

François a mordu dans le mot avec une agressivité incroyable. Comme s'il voulait le détruire. Sébastien ose à peine respirer, devine intuitivement qu'il n'y a rien à dire. Son cœur bat à tout rompre, autant devant l'énormité de cette révélation que devant la tristesse qu'il ressent pour François et son incapacité à l'exprimer. Révélation qui laisse supposer tout un passé dont François n'a jamais parlé. Puis Sébastien se dit qu'il n'a pas besoin de parler. Tout ce dont François a besoin, c'est une présence qui devient prétexte à extérioriser sa hantise, sa haine, son désespoir. Il sait aussi, sans rien y connaître, simplement par instinct, il sait que François a besoin de vivre l'intensité du moment présent comme s'il était seul.

— J'ai appris que j'étais porteur du sida, répète-t-il, comme s'il voulait être bien certain que Sébastien avait compris.

La voix de François est immense comme un cri, comme une longue plainte de douleur.

— Le pire, c'est que je n'ai rien fait, rien dit... Moi, le travailleur de rue qui connaît l'importance d'agir rapidement, qui connaît le nom des meilleurs médecins, les cliniques où s'adresser, je suis resté là comme un imbécile à attendre. Attendre que les autres me disent quoi faire, peut-être. Un idiot, oui, qui est en train de détruire ce qu'il y a de plus important dans sa vie...

François revient face à Sébastien, le regarde de nouveau droit dans les yeux.

— Je n'ai même pas parlé à Marie-Hélène qui est enceinte. Est-ce que tu te rends compte? Je n'étais pas capable, les mots restaient bloqués dans ma gorge, j'étais complètement paralysé devant elle.

Brusquement, il se laisse tomber sur le sol, le dos appuyé contre un gros tronc rugueux. De grosses larmes inondent son visage. Il les essuie d'un geste rageur.

— Pourtant, je suis le premier à tout vouloir faire avec elle. Je l'aime tellement. On sait tout l'un de l'autre. On n'a jamais eu de secrets. J'ai promis de la rendre heureuse et je lui ai transmis la mort, Sébas. Et j'ai été trop lâche pour le lui dire moi-même. Pourquoi est-ce que j'ai agi comme ça? Je ne comprends pas. Je ne me comprends plus. Peut-être parce que je voulais la protéger? Comme si le fait de ne rien dire pouvait changer quelque chose... Peut-être à cause du bébé... Si tu voyais à quel point elle est heureuse.

La voix de François n'est plus maintenant qu'un murmure.

— Et c'est à cause de moi qu'aujourd'hui elle doit... Elle a eu raison de me dire de partir. J'ai agi en lâche... Je sais qu'il faut que je réagisse mais je n'y arrive pas. Alors tout ce qu'il y a d'important dans ma vie m'échappe. Marie-Hélène, mon travail... J'ai peur, Sébastien. J'ai peur de mourir. Je ne veux pas quitter les miens comme ça. Pas maintenant. C'est trop vite, bien trop vite...

François a enfoui son visage dans le creux de son bras et les derniers mots qu'il dit sont étouffés par les larmes. Pendant quelques instants, Sébastien ne dit rien. Puis, sur le ton de la confidence, à son tour il se met à parler.

— Je n'y connais pas grand-chose, mais je sais que tu as raison en disant qu'il faut agir rapidement. T'as pas le droit de te laisser aller. Ni pour toi, ni pour les autres. Reste pas comme ça. On a encore besoin de toi, Gombi.

Gombi... Les yeux de François se remplissent une autre fois de larmes. Gombi, c'est l'affection qui l'unit à Sébastien, c'est leur complicité, c'est une main tendue. Gombi, c'est aussi le travailleur de rue, l'homme qu'il était devenu à force de volonté. Celui qui avait décidé un jour de se prendre en main, de relever le défi de la désintoxication afin de se donner une belle et bonne vie et pouvoir ainsi aider les autres. Un mot tout simple, un surnom affectueux, et François a l'impression de s'éveiller de sa léthargie malsaine. C'est un battant, François. Un homme capable de lutter, capable de gagner. Alors, à travers les larmes, un timide sourire fleurit.

— Tu as raison, Sébas, je n'avais pas le droit de me laisser aller comme je l'ai fait. J'ai agi comme avant quand j'étais adolescent, incapable de résister aux solutions de facilité, à la drogue, à l'alcool. Pourtant je sais que je suis capable de me tenir debout. Je l'ai déjà fait.

Pendant un long moment, François redevient silencieux, les yeux vagues, tourné tout entier vers son passé. Il revoit tous ces mois où il s'est battu contre lui-même quand il avait choisi de faire une cure de désintoxication. Il lui semble encore ressentir les douleurs physiques et morales subies alors en serrant les dents. Mais il avait tenu bon et, petit à petit, il avait réussi à bâtir un mur de résistance. Péniblement, lentement, une pierre après l'autre. Puis, quelque temps plus tard, il avait décidé de reprendre ses études. Il revoit aussi toutes ces longues années à se retrousser les manches, au propre comme au figuré, parce qu'il était loin d'être un premier de classe. Et il avait gagné. Son diplôme, avec Grande Distinction, obtenu à la fin de ses études universitaires, il l'avait amplement mérité. Impulsivement, les poings de François se referment. De nouveau, sa vie se trouve à une intersection. Et devant lui, il voit distinctement les deux routes qui s'offrent. Celle de la facilité où il peut avancer en larmoyant, s'en prenant à l'univers entier, se complaisant dans ce qu'il dit être la plus infâme des injustices. Et celle, plus difficile, où il doit se relever et reprendre le bâton du pèlerin pour avancer, car il sait qu'il aura à se battre. Il a le choix. On a toujours le choix…

François relève alors les yeux. Lentement, il regarde autour de lui en respirant bruyamment. C'est ici, dans cette même cabane à sucre, que sa vie avait commencé à changer. Au moment précis où son regard avait croisé celui de Jérôme. Cécile avait invité tous les siens pour une partie de sucre et il y avait plein de gens. Mais pour un instant, François avait eu la très nette sensation d'être seul face à Jérôme et que ce dernier lui insufflait une force nouvelle à travers le sourire qu'il lui faisait. Plus jamais, à partir de cet instant-là, plus jamais François n'avait eu la certitude d'être abandonné comme il en était persuadé avant. Certes, il y avait eu des hésitations, des reculs, des rechutes, mais tout au fond de lui, le souvenir du sourire de Jérôme veillait. Puis quelque temps après, il y avait eu celui de Marie-Hélène. Il y a toujours celui de Marie-Hélène...

Alors que fait-il là, assis à même le sol, les yeux embués?

La vie lui a peut-être réservé un croc-en-jambe sournois qu'il n'avait pas vu venir, mais François Léveillé va se relever et se battre.

D'un coup de reins volontaire, François s'est redressé. D'un bond, il se retrouve debout, fixant Sébastien d'un regard nouveau, limpide.

— Merci, Sébas.

Sébastien ouvre de grands yeux.

— Pourquoi? J'ai rien fait de spécial.

— Merci d'avoir été là, c'est tout.

À ces mots, Sébastien le regarde drôlement. Puis il fronce les sourcils.

— Me semble qu'on a déjà dit ça. Sauf que c'était à l'envers. Si je me rappelle bien, c'est moi qui te remerciais.

À son tour, il saute sur ses pieds, s'approche de François qui lui tend la main.

— Mamie Cécile dit souvent qu'il faut faire confiance à la vie, Sébas. Laisse-moi te dire que depuis quelques mois, je n'y croyais plus. Mais ma grand-mère a raison. En même temps que la vie me poignardait dans le dos, elle a permis que tu croises mon chemin. L'amitié, la vraie, c'est un des plus beaux cadeaux que l'existence puisse nous faire. Alors je le répète, merci d'être là.

À ces mots, Sébastien se met à rougir violemment.

— Ben voyons donc, j'ai rien fait...

— Au contraire, tu as fait beaucoup. Tu m'as réveillé. Et il était temps que quelqu'un le fasse. Par contre...

À cet instant, François pousse un profond soupir tout en faisant la grimace.

— Par contre, je ne sais trop par où commencer. Il va falloir bouger, prendre des décisions, c'est bien certain, mais j'ai l'impression d'être devant un casse-tête de dix millions de morceaux et...

À son tour, Sébastien dessine une drôle de grimace.

— Allez, viens. On rentre, lance-t-il comme s'il n'avait pas entendu les derniers propos de François. Ton grand-père doit nous espérer, comme dirait Mélina...

Se tournant brusquement vers François et le regardant droit dans les yeux, il ajoute cependant :

— Mais si tu veux, moi je connais quelqu'un qui pourrait peut-être t'aider à démêler tes morceaux de casse-tête. Un gars formidable. Il s'appelle Gilbert...

CHAPITRE 6

Les larmes les plus amères versées sur les tombes tiennent aux paroles passées sous silence et aux actions restées inaccomplies.

LILLIAN HELLMAN

À MONTRÉAL, FIN JUIN 1996

— Veux-tu bien me dire ce qui se passe? Oui, oui, j'ai entendu! J'arrive…

Le bruit d'un pas lourd, le frôlement d'une chaîne et la porte de bois verni s'ouvre finalement sur un Gilbert en tenue du samedi, jogging moulant et chandail vieux rose, qui écarquille aussitôt les yeux.

— Qu'est-ce que tu fais encore en ville, toi là? T'étais pas supposé revenir juste à l'automne? Pis c'est qui lui?

Bien planté sur ses courtes jambes dans l'encadrement de la porte, le traditionnel tablier fleuri tout de travers sur sa panse dodue, mal rasé, les yeux bouffis d'une veille un peu trop bien arrosée, Gilbert détaille François avec circonspection. À côté du longiligne travailleur de rue, il semble plus court et boudiné que jamais, la tenue décontractée accentuant cet effet, et le gros homme ressent viscéralement cette différence notable. Pourtant, tout en se jurant de se mettre à la diète sur-le-champ parce qu'il déteste se sentir mal à l'aise (régime qu'il ne suivra pas, il le sait fort bien, mais cela donne bonne conscience!), les yeux de Gilbert lancent des paillettes de plaisir. Son Sébastien est là!

— Mais qu'est-ce que c'est que cet interrogatoire? Si tu me laisses entrer, peut-être bien que je vais te le dire, ce qui m'amène en ville.

Sébastien se sent moqueur, utilise le même ton un peu pointu pour répondre à Gilbert, comme il le fait souvent lorsqu'ils se rencontrent. Cet homme-là lui fait l'effet d'une piqûre de bonne humeur.

Gilbert a joint les mains à hauteur du cœur en entendant les reproches de son jeune ami, par pur plaisir, avant de rouler des yeux effarés, image conforme au scénario habituel, comme un rite entre lui et Sébastien parce que le jeune homme vient de le rappeler à l'ordre. Puis brusquement, il commence à brasser de l'air tout autour de lui, les deux bras en avant.

— T'as raison, mon beau. Décidément, je manque aux plus élémentaires manières...Qu'est-ce que je pense, moi là, à vous laisser poireauter sur le palier comme des vieilles savates... Entrez, voyons, entrez!

Essayant du mieux qu'il le peut de retenir les rondeurs un peu molles de sa grosse bedaine, passant une main sévère et désolée sur ses joues rêches, Gilbert se glisse entre la porte et la cloison pour les laisser passer. Puis, avec le sens de l'hospitalité qui lui est coutumier, il ajoute avec emphase:

— Un bon café, peut-être? Ou du gâteau? Oh! Oui! Du gâteau. J'ai essayé une nouvelle recette de génoise pralinée dont vous allez me donner des nouvelles. Fais les honneurs du salon, mon beau Sébastien, je reviens.

Fin juin, en plein midi, il fait une chaleur torride à Montréal. Les fenêtres largement ouvertes et le ventilateur de plafond lancé à plein régime permettent un semblant de confort dans le salon. Les rideaux battent mollement, le soleil qui entre en biais frappe joliment quelques bibelots, les fauteuils fleuris sont accueillants. Tout de rose peinte, avec une pointe de vert tendre, la pièce ressemble à un jardin.

— C'est très beau, ici, murmure François en regardant autour de lui. C'est... comment dire? C'est reposant.

À son tour, Sébastien regarde tout autour de lui comme s'il venait ici pour la première fois.

Il remarque que Gilbert s'est finalement décidé à remplacer la potiche chinoise que Claudie et Virginie lui avaient offerte et qui lui avait été dérobée. À la simple pensée du nom de ses deux amies, l'estomac de Sébastien a eu un drôle de spasme qu'il se dépêche d'oublier. Il reporte les yeux sur la potiche et dessine un léger sourire.

— Oui, c'est vrai que c'est une jolie pièce. Gilbert a un talent naturel pour la décoration. C'est inné chez lui. D'un rien, il fait des merveilles.

Et dans la voix de Sébastien, on devine une certaine fierté, comme si c'était lui qui avait décoré le salon.

— Ça fait je ne sais combien de fois que je dis à Gilbert de se lancer en décoration. Il ferait fortune. Mais il ne veut rien entendre et se contente de son job de vendeur de…

— Vêtements pour hommes, complète le principal intéressé qui vient tout juste d'entrer dans la pièce, portant précieusement un cabaret joliment dressé, les cheveux peignés, le visage rafraîchi. Pis ça, ça te regarde pas, mon beau, ajoute-t-il, sévère, les sourcils froncés. Si j'aime ça, moi, aider les hommes à bien paraître, à se sentir bien dans leur peau, c'est de mes affaires, d'accord? Y'en a assez qui sont malheureux à cause de leur…

Sans compléter sa pensée, il dépose le cabaret sur la table à café et s'empresse de servir tout le monde, le ton de sa voix retrouvant du même coup les modulations mielleuses qui sont les siennes.

— Assez parlé de moi, les gars. Goûtez-moi ça! Un vrai délice. Ça fond dans la bouche et ça coule au fond du gorgoton comme un p'tit Jésus en culottes de velours… Pis? Qu'est-ce que vous en dites de mon gâteau?

Sébastien prend le temps de goûter, les yeux mi-clos, puis un éclat de satisfaction gourmande traverse son visage.

— C'est vrai Gilbert, c'est un pur délice!

Et on ne sait si Sébastien est sincère ou s'il se moque. Pendant un court moment, il soutient le regard de Gilbert puis lui sourit. Il est heureux d'être ici.

Pendant un moment, les trois hommes mangent en silence, chacun perdu dans ses pensées. C'est finalement Gilbert qui brise le silence en posant les yeux sur Sébastien.

— Alors, mon beau? Quoi de neuf?

Façon indirecte de mettre la conversation sur les rails. Gilbert se doute bien que l'ami de Sébastien est la cause première de cette visite inattendue. Mais avec son tact et son intuition habituels, il préfère y aller de manière détournée. Tout comme cette même intuition lui a soufflé, dès l'instant où il a ouvert sa porte, que cet homme tout en longueur est le travailleur de rue dont Sébastien lui a si souvent parlé et que finalement il n'a jamais rencontré. Le personnage correspond tout à fait à la description que le jeune lui en avait faite : très grand, presque maigre, le regard perçant, le sourire facile... En fait, il n'y a que sur ce dernier point que Gilbert cherche encore la ressemblance : le visage qui lui fait face est plutôt fermé et il serait prêt à jurer que ces lèvres-là n'ont pas souri depuis longtemps. Un pli d'amertume en souligne le dessin et assombrit le regard. Alors, par délicatesse naturelle, Gilbert porte les yeux sur Sébastien et répète :

— Alors, quoi de neuf ?

Le jeune homme hausse les épaules, fataliste, cruellement lucide, les noms d'un tas de personnes lui traversant l'esprit en coup de vent.

— Pas vraiment grand-chose, avoue-t-il, laconique. Mais je sens que ça mijote. Inquiète-toi pas, ça va finir par donner un résultat quelconque. Je sais pas encore quoi, mais je sais que ça va donner quelque chose.

Réponse hermétique que seul Gilbert peut comprendre. Aussitôt suivie d'un curieux silence qui envahit la pièce. Silence fait de pudeur, de retenue, de respect aussi. Mais pour François, le silence qui les entoure est fait de bien-être. Il ne saurait dire d'où cela lui vient, ni pourquoi, mais depuis qu'il est ici, il lui semble que ses problèmes ont pris une autre dimension. Il y a dans l'air comme une forme d'acceptation naturelle, de bien-être qui le rejoint et l'habite. Peut-être est-ce tout simplement à cause de la personnalité bon enfant de Gilbert. Le travailleur de rue a vite senti que cet homme-là était d'un naturel désarmant et capable d'une écoute hors du commun...

Le soleil a contourné l'appartement et maintenant la pièce est plongée dans une pénombre rafraîchissante. Le bruit des pales du ventilateur, celui des autos montant du carrefour et quelques rires qui viennent du parc de l'autre côté de la rue occupent toute la place pour un moment. Puis François se redresse. C'est par choix qu'il est ici. Par choix et par besoin parce qu'il n'en peut plus d'attendre. Sébastien lui a dit que Gilbert pouvait l'aider et c'est tout ce dont il a besoin. Un petit élan pour reprendre le rythme de croisière. Après, François est convaincu qu'il saura se tenir debout tout seul. Pour lui comme pour Marie-Hélène. Depuis qu'il a parlé à Sébastien, il n'a plus envie de jouer à l'autruche. Il est fatigué de se fuir lui-même... Tout en regardant Gilbert droit dans les yeux, il tend la main.

— Je me présente : François Léveillé. Je suis travailleur de rue, c'est comme ça que Sébastien et moi on s'est connus... Et si je suis ici, c'est que Sébastien croit que vous pourriez m'aider.

Pendant un bref instant, Gilbert scrute le visage de François comme s'il venait d'apprendre qu'il devra en faire le portrait de mémoire dans quelques heures. Cet homme-là lui plaît bien. Son regard franc, son attitude directe, cette espèce de retenue naturelle qui ressemble à du respect... Il comprend que Sébastien ait vite créé des liens avec lui. À son tour, Gilbert tend sa courte main boudinée.

— Et moi, Gilbert Lacasse. Bien heureux de faire ta connaissance, Sébastien m'a souvent parlé de toi.

— Ah oui ?

Aussitôt François porte les yeux sur Sébastien. Leurs regards se croisent, le temps d'un sourire et curieusement, François a l'impression que ce regard-là essaie de l'encourager à poursuivre. Il revient à Gilbert.

— Ça ne m'est pas encore facile de parler de tout ça, mais pourquoi tergiverser ? Vous devez bien vous demander ce que je fais ici, n'est-ce pas ? C'est simple...

Le temps de prendre une profonde inspiration et François poursuit sur sa lancée, le débit de ses paroles s'accélérant d'un mot à l'autre comme s'il avait peur de revenir sur sa décision avant d'avoir tout dit.

— J'ai appris il y a quelques mois que j'étais séropositif. En même temps que...

C'est la première fois que François prononce ces quelques

mots sans l'habituelle hantise d'être aussitôt stigmatisé. Pas ici. Il lui semble que ça ne serait pas de mise dans ce salon fait pour les confidences. Car c'est ainsi qu'il perçoit la pièce : une sorte de coffret feutré où tout peut être dit et entendu... Presque calme, il expose la situation, parle de son désarroi, avoue sa peur immense et termine sur Marie-Hélène qui attend un bébé et qu'il n'avait même pas eu le cœur de prévenir.

— Quand elle a su, probablement par son médecin, elle m'a purement et simplement foutu à la porte sans autre forme de procès.

— Je comprends...

Curieusement, la voix de Gilbert est de nouveau sévère mais son regard reste doux, compréhensif.

— Oui, je comprends ce que tu as pu ressentir, ta peur, comme tu dis et tout le reste, mais je crois pouvoir aussi comprendre la colère de ton épouse. Parce qu'elle, elle n'est pas seule. Vois-tu, une femme qui attend un bébé, ce n'est plus simplement une femme. C'est tout de suite une mère.

D'où lui vient cette sagesse, cette connaissance des choses de la maternité ? En entendant les propos de Gilbert, François a froncé les sourcils, décontenancé. Seul Sébastien ne semble pas surpris. C'est même pour cela qu'il tenait à ce que son ami rencontre Gilbert. L'intuition toute féminine de l'homosexuel a pris le dessus tel qu'il l'espérait et de plus, comme le gros homme a plusieurs amis atteints du VIH, il est probablement la seule personne au monde capable d'aider véritablement François. Et ce, à tous les niveaux. Parce que présentement, c'est d'un ami que François a le plus besoin. Pas uniquement d'un médecin.

Un bref silence surplombe la pièce pendant que Gilbert se penche pour déposer tasse et soucoupe sur la table à café. Puis il se cale confortablement contre les coussins.

— Comme ça, ça fait quelques mois que tu sais mais si je comprends bien, tu n'as pas encore consulté ?

François se sent rougir, se sachant fautif sur ce point. C'est maintenant, et d'une façon brusque et absolue, qu'il admet avoir fait une erreur. Des erreurs... Tout à coup, il lui semble que sa peur maladive n'avait pas sa raison d'être. Pas telle qu'il l'a vécue...

— C'est exactement ça. Pourtant, s'il y en a un qui savait l'importance de réagir rapidement...

Et ouvrant les bras sur ce constat, il poursuit :

— C'est pour ça que je suis ici. Même si je sais fort bien ce que je dois faire et qui j'aimerais consulter, je n'arrive pas à me décider. Et il y a aussi Marie-Hélène...

— Il y a surtout Marie-Hélène, rectifie Gilbert d'une voix pensive en l'interrompant. Oui, c'est elle surtout qui a besoin de soutien.

Depuis le début de cette conversation, le visage de Gilbert, habituellement ouvert et presque caricatural, s'est refermé. Ses traits se sont creusés et sa voix ressemble à son visage, lasse et triste.

— Maladie maudite, lance-t-il en soupirant, la colère grondant à travers ses propos. Le drame de notre siècle. J'ai perdu des amis très proches alors que d'autres...

Pendant un court moment Gilbert reste silencieux, comme replié sur lui-même, puis de nouveau, Sébastien assiste à la métamorphose : le petit homme se redresse le plus qu'il peut, et malgré sa courte taille rondelette, il semble tout à coup immense dans la pièce. Un dernier geste de lassitude, les deux mains frottant longuement son visage, s'attardant sur ses paupières, puis son regard retrouve sa vivacité et sa voix gagne quelques octaves.

— Mais j'en connais d'autres qui vivent normalement, mon cher. Oui, tout à fait normalement... Pourquoi eux et pas d'autres ? Personne ne le sait. Mais c'est comme ça. Qu'est-ce qui nous dit que ce ne sera pas ton cas ? Et pour ce qui est du bébé, j'ai lu quelque part que... Attends-moi ici, je reviens...

Gilbert a remis à François quelques revues et des articles de journaux, soigneusement découpés, classés par date de parution et qu'il garde précieusement dans un tiroir de sa table de chevet, remisés dans une chemise de carton jaune vif.

— Donne-toi la peine de lire tout ça... Ce n'est pas parce que tu connais quelques solutions au problème que tu es au courant du problème lui-même, n'est-ce pas?

Se tournant vers Sébastien:

— Viens m'aider, toi là. Mon frigo me donne des maux de tête depuis quelques jours... Je ne sais pas si c'est cette fichue chaleur qui nous accable depuis la pluie de l'autre matin. Peutêtre l'humidité, non?

Et discrètement les deux hommes se retirent.

François a tout lu, avidement, comme quelqu'un s'abreuve à une fontaine après avoir longuement marché sur une route en plein soleil. Il a relu quelques pages, fébrile, les sourcils froncés, avant de remettre les feuillets en place, consciencieusement, dans le même ordre. Puis il s'attarde sur les avis nécrologiques qui complètent le dossier, remarque que certains d'entre eux sont tout froissés à force d'avoir été manipulés puis il referme la chemise d'un geste lent. Alors, la tête et le cœur à des lieux de ce salon confortable du centre-ville de Montréal, il se relève et vient machinalement jusqu'à la porte-patio, l'ouvre toute grande et se glisse sur la terrasse que le soleil, au coin de la bâtisse, commence à chauffer de ses rayons crus. François est bouleversé, il frémit d'espoir et la chaleur mordante du soleil lui semble tout à coup supportable, bénéfique même, comme si elle avait le pouvoir de le réconforter. Pendant un long moment, son regard s'attarde sur la multitude de petits bateaux de plaisance qui sillonnent le fleuve, sur les milliers de promeneurs qui flânent au Vieux-Port et qu'il peut apercevoir entre les bâtiments voisins. À croire que la ville de Montréal au grand complet est en vacances aujourd'hui! Il ramène alors les yeux sur le parc de l'autre côté de la rue et là, c'est le rire d'un gamin de trois ans qui lui arrache un sourire pendant qu'il sent son cœur se gonfler d'espoir. Parce que c'est cela que son cœur et son esprit ont choisi de conserver: l'espoir. Croire encore et toujours que la vie est possible. La sienne et celle de Marie Hélène, tout comme celle, à venir, du bébé qu'ils attendent. Dans l'article qu'il a relu, on parle d'un nouveau traitement qui semble bien vouloir faire ses preuves. De plus en plus souvent... Pour une première fois depuis des mois, il sent battre la vie en lui, tenace. Pour une première fois depuis des mois, il voudrait être avec Marie-Hélène et la regarder droit dans les yeux sans honte, sans le moindre sentiment de culpabilité et lui dire et redire qu'il l'aime, qu'il a besoin d'elle, qu'ensemble ils vont encore une fois se battre et gagner. Cette envie est si forte qu'il en tremble presque...

— Alors?

Gilbert a glissé la tête dans l'embrasure de la porte, faisant sursauter François qui se tourne aussitôt vers lui.

— Merci. Cette lecture m'a fait du bien.

— Je savais... Mais ça ne doit pas te rendre négligent pour autant. S'il semble bien que le spectre soit un peu moins effrayant qu'il y a dix ans, il n'en reste pas moins qu'il est toujours là, bien réel.

— Oh! Ça... Pas de danger que je l'oublie... Mais il me semble maintenant que j'ai moins peur. C'est comme si avant la simple perspective de voir un médecin me condamnait à mort. Alors que maintenant...

Gilbert est maintenant à côté de lui, accoudé à la rampe du balcon.

— Tant mieux. Je crois sincèrement du fait de côtoyer des tas d'amis aux prises avec le même drame que toi que c'est là la seule façon d'affronter la réalité... Et pour ta femme? Tu as vu le papier qui parle du traitement à l'AZT pour les femmes enceintes?

À ces mots, le regard de François s'illumine.

— Je l'ai même relu à deux reprises. Ce n'est pas une assurance mais ça permet de croire que l'avortement n'est pas nécessairement une obligation comme je le croyais. C'est un risque, c'est sûr, peut-être même juste un coup de dés, mais ça vaut peut-être la peine de...

François a alors un long soupir.

— Et dire qu'on espérait cet enfant-là avec tant d'impatience...

— Oui, ça doit être une joie immense, attendre un bébé.

Dans la voix de Gilbert, il y a une telle envie que François ne peut s'empêcher de fixer le gros homme pendant un instant, comprenant que dans une vie, il peut y avoir des tas de drames, de déceptions, de rêves inaccessibles et que tous sont aussi importants les uns que les autres...

— C'est une joie immense, confirme-t-il enfin. Mais quand l'ombre de la mort assombrit l'espoir de la vie, ça fait un curieux mélange d'émotions. C'est peut-être à cause de cela que...

Encore une fois, un profond soupir lui gonfle la poitrine.

— Je cherche encore à me disculper ! On cherche tous et tout le temps des excuses à nos comportements, constate-t-il d'une voix lasse et sévère. Comme un enfant qui fait une bêtise.

— Pourquoi vouloir à tout prix te culpabiliser ? C'est probablement un des réflexes les plus humains que je connaisse, chercher des excuses. Tu avais le droit à tes émotions, à tes réactions. Un autre aurait peut-être agi différemment mais pour toi, c'est comme ça que ça devait arriver... L'important, maintenant, c'est ce qui vient, pas ce qui est derrière.

— Oui, c'est vrai. Mais je regrette tellement ma faiblesse, ma lâcheté face à Marie-Hélène. Ça a pris quelqu'un pour me réveiller...

— Et après ? Ce n'est pas être faible que d'avouer avoir besoin d'aide. Au contraire... Et ce n'est pas lâche que d'avoir peur. L'important, c'est de ne pas s'y complaire.

— Oui, je comprends, et je suis d'accord.

— Alors ? répète Gilbert. Tu fais quoi à partir de tout de suite ?

— Mettre toutes les pièces du puzzle en place ! Je n'ai pas le choix. Commencer par prendre rendez-vous avec un spécialiste, voir avec lui où j'en suis exactement, déterminer un protocole de traitements.

— Effectivement, c'est ce que tu dois faire... Et pour ta femme ?

— Marie-Hélène ?

François dessine un sourire. Franc, sincère, vibrant de conviction amoureuse.

— Pour elle, je vais défoncer des portes s'il le faut. On ne peut pas en rester là. Mais avant, je veux parler à Mamie Cécile. C'est ma grand-mère, ajoute-t-il en guise de précision, comme si ce fait expliquait tout par lui-même.

Et fidèle à lui-même, Gilbert se contente de cette explication. Même s'il ne comprend pas vraiment ce qu'une vieille dame vient faire dans toute cette histoire, ça ne lui appartient pas. Par contre...

— Et si je t'invitais à rencontrer un de mes amis? lance-t-il tout à coup en se tournant franchement vers François. Jeannot, qu'il s'appelle. C'est un ami de longue date qui pourrait sûrement t'aider. Ça fait huit ans qu'il se bat contre la maladie. Huit ans qu'il s'en tire et qu'il arrive à mener une vie à peu près normale.

François reste silencieux un moment. La proposition de Gilbert lui fait tout drôle. En même temps qu'il veut bien rencontrer quelqu'un, il lui semble que d'accepter cette invitation va lui mettre le doigt dans un engrenage qui va l'avaler tout entier et de façon irrévocable... Puis il hausse les épaules. Il a déjà le doigt dans l'engrenage, non?

— D'accord... Oui, j'aimerais ça parler avec lui. Comment s'appelle-t-il déjà?

Et en prononçant ces mots, c'est un regard teinté de reconnaissance qui se penche vers Gilbert. Le gros homme a raison: ce n'est pas de la faiblesse que d'avouer avoir besoin d'aide ni de la lâcheté que d'avoir peur. En quelques mots, Gilbert a remis ses émotions dans leur véritable perspective. Son seul regret est celui d'avoir écouté Marie-Hélène plutôt que de la prendre dans ses bras comme il en avait terriblement envie quand elle lui a demandé de quitter la maison. Mais ce n'est que partie remise. Tout à coup, François se sent fort à nouveau, capable de reprendre sa vie en mains. Il se retrouve, retrouve la force qu'il a déjà eue pour se battre. François Léveillé n'a pas dit son dernier mot...

* * *

Désœuvré et en même temps content de se retrouver seul, Sébastien a refermé la porte sur Gilbert et François qui viennent de quitter l'appartement. Le temps de regarder autour de lui, de soupirer longuement en se demandant ce qu'il fait là par un si bel après-midi et Sébastien attrape son sac à dos, vestige d'une époque pas si lointaine, avant de s'élancer à son tour dans l'escalier en colimaçon qui mène à la rue. La foule est dense et il aime cela. Humant l'air chaud autour de lui, allongeant la jambe, il bifurque à sa droite et se mêle aussitôt à la cohue en soupirant de plaisir comme un chat ronronne en retrouvant son panier.

Pendant un long moment, il se laisse porter par l'affluence des promeneurs, prend plaisir aux bruits de la rue, glisse ses pas dans ceux d'hier, s'amusant presque à faire semblant en scrutant les immeubles pour trouver un endroit où passer la nuit. Puis brusquement, tout aussi spontanément qu'il s'était laissé prendre au jeu, il s'en lasse et se trouve même un peu ridicule d'avoir cédé à un amusement aussi puéril. N'a-t-il pas plus important à faire? N'a-t-il pas maintenant l'occasion de faire ce qu'il remet depuis longtemps, alléguant que l'occasion ne se présente pas? Les excuses sont toujours faciles à trouver, n'est-ce pas?

Envoyant valser un bout de papier d'un coup de pied rageur, Sébastien tourne résolument au coin de Berri et remonte vers le nord. Surtout, ne pas penser à ce qui va arriver. Juste se laisser porter par ce qu'il se promet de faire depuis si longtemps et aller jusqu'au bout. Il réfléchira après...

Glissant la main dans la poche de son jeans, il repère une pièce de deux dollars et la tend au caissier morose assis dans sa cabine de verre. Ligne orange du métro, il doit aller jusqu'à la station Henri-Bourrassa puis prendre l'autobus... Machinalement, il prend le billet de correspondance puis s'élance dans l'escalier. Surtout ne pas penser...

Le quartier qui a abrité ses jeunes années semble écrasé par la chaleur torride qui monte de la chaussée avant de se mêler à celle qui tombe du ciel. Seul le reflet bleuté de la rivière des Prairies apporte une illusion de fraîcheur. Pendant un moment, Sébastien laisse son regard voguer au gré des ombres mouvantes de l'eau, y puisant des milliers de souvenirs, d'images, de sensations connues, repoussant délibérément l'échéance. Puis il regarde autour de lui. Il n'y a que trois coins de rue à traverser, juste là devant lui, avant de tourner sur sa gauche, de remonter de quelques maisons, de… Un spasme fait d'appréhension et d'incertitude lui serre le cœur. Et s'il faisait une erreur ? Pourquoi chercher à renouer avec un passé qu'il a si farouchement renié ? Mais en même temps, une attirance presque viscérale le fait avancer malgré lui, un pas après l'autre, lentement, cachant ses mains tremblantes au fond de ses poches. Voilà la maison de Gabriel, puis celle de Michaël, à deux pas du dépanneur qui vend des bonbons à un sou. « Comme dans le temps de mon enfance » disait régulièrement sa mère. Combien de fois Maxime et lui se sont-ils retrouvés hésitants, minaudant et comparant devant l'étalage multicolore, riches d'une fortune inépuisable de quelques sous ? Quel temps merveilleux où la plus importante occupation de la journée consistait à choisir la poignée de bonbons qui allaient accompagner leurs jeux…

Sébastien hésite un instant, tenté de vérifier si monsieur Chartrand est fidèle au poste, si les bonbons à un sou sont toujours aussi beaux. En soupirant, il passe son chemin, se promettant d'arrêter au retour. Comme une récompense qu'il va s'offrir après. Pour l'instant, il a plus important à faire…

Brusquement, il se retrouve devant la maison de son enfance. Comme toujours, les boîtes à fleurs sont garnies de géraniums rouges, les haies sont taillées de frais, les clôtures de fer forgé luisent de peinture neuve. Machinalement, son regard monte vers la fenêtre de sa chambre, s'y attarde, se souvient des murs bleus, des affiches de films, des étagères croulant sous les livres et les jouets toujours bien rangés à cause de son père. Son père… La voix rauque et dédaigneuse lui revient avec une telle précision que l'envie de faire demi-tour s'empare de lui comme s'il voyait un fantôme. Il doit faire un effort conscient pour ne pas s'enfuir. Surtout ne pas reculer, pas aujourd'hui. Car s'il le fait, Sébastien sait qu'il ne reviendra jamais et qu'il devra s'en remettre au hasard pour retrouver son frère.

Alors, n'écoutant que ce désir en lui, cette envie de revoir Maxime, il traverse la rue, enjambe le trottoir, emprunte l'allée de pavés qui mène au perron. De toute façon, à cette heure-ci, le risque de tomber sur son père est plutôt mince. Surpris, il constate que les jardinières ne sont pas garnies de géraniums rouges mais d'une autre sorte de fleurs, tirant plutôt sur l'orange. Il voit ce changement comme un signe favorable. Le cœur battant la chamade jusque dans sa tête, il appuie sur le bouton de la sonnette et le gong qu'il entend, feutré à travers le lourd battant de bois, le ramène tout droit plusieurs années en arrière. La porte s'ouvre enfin sur un visage noir, ridé, souriant sous la tignasse crépue striée de gris. Dolorès... Dolorès Gentil, l'engagée qui venait régulièrement aider sa mère ou parfois les garder, Maxime et lui, lorsque ses parents partaient en voyage. Dolorès, c'est le parfum exotique de ses souvenirs, c'est une voix mélodieuse aux propos imagés comme un conte d'enfant, c'est le parfum des îles avec une pointe de vanille. Sébastien doit se retenir pour ne pas lui sauter au cou...

— Monsieur?

Dolorès ne semble pas le reconnaître. Alors Sébastien recule d'un pas, ne sachant s'il est déçu ou soulagé. Ici, c'est chez lui, mais on ne le reconnaît pas... Avalant sa salive, il soupire avant de demander:

— Bonjour. Je... J'aimerais parler à Maxime s'il vous plaît.

Dolorès reste silencieuse pour un moment, scrutant le visage de Sébastien. Puis elle hausse les épaules.

— Désolée, Missié Maxime n'est pas ici. En fait, Missié Maxime nous a quittés depuis quelques mois déjà. Vous ne le saviez pas?

De nouveau la vieille dame hésite, fronce les sourcils en fixant toujours le visage de Sébastien puis soupire longuement, comme quelqu'un qui a une grosse déception.

— Et vous? demande-t-elle alors. Qui êtes-vous? Il me semble que je ne vous ai pas vu souvent ici quand le jeune maître était encore... Et jamais je n'oublie un visage...

«Missié Maxime nous a quittés...» Les mots se sont emparés du cœur et de l'esprit de Sébastien avec une intensité inouïe, douloureuse, l'empêchant de penser. Que veulent dire ces mots?

Qu'il a banalement quitté la maison ou plutôt qu'il est… L'esprit de Sébastien refuse d'aller plus loin, se contente d'une intuition douloureuse sans oser formuler l'impensable. Et Dolorès qui l'observe toujours, attendant un mot, un geste… S'arrachant à la spirale qui l'étourdit, Sébastien soutient ce regard pendant une brève seconde, espérant qu'elle va le reconnaître. Pour aussitôt changer d'avis et profiter de ce semblant d'anonymat pour s'éclipser.

— Qui je suis moi? Oh! C'est sans importance. Je suis un ami. Une connaissance plutôt. J'espérais simplement saluer Maxime avant de…

Sébastien a fait un effort considérable pour garder une voix ferme, impassible. Au nom de Maxime, Dolorès s'est mise à rouler les yeux comme elle le faisait si souvent quand il était petit et qu'elle était émue. Derrière elle, de l'autre côté du hall immense, venant de la cuisine, on entend le babil d'un jeune enfant. Dolorès tourne machinalement la tête.

— Je dois y aller, c'est le petit missié Alexandre qui m'appelle. C'est un gentil petit, Alexandre, comme l'étaient les premiers missiés de la maison.

Puis elle revient face à Sébastien, l'observe encore un moment, sourcils froncés avant de répéter:

— Dommage pour vous, comme je viens de le dire, Missié Maxime n'est plus avec nous.

Levant les bras vers le ciel, Dolorès poursuit:

— Mon bel oiseau s'est envolé… Tous les oiseaux prennent un jour leur envol, parfois petit parfois plus vieux. C'est la vie qui est comme ça. Mais aujourd'hui, la maison ne chante plus dans les oreilles de Dolorès. Je…

Sébastien est déjà sur le trottoir quand il entend la porte se refermer sur la vieille dame qui continue de parler toute seule. Allongeant le pas, il regagne la rue principale, passe devant le dépanneur sans s'y arrêter. Il n'a plus envie de vérifier si les bonbons sont toujours dans leurs pots de verre. Parce que les bonbons à un sou, c'était aussi Maxime et que Maxime n'est plus là.

Dédaignant l'autobus, Sébastien continue de marcher, la voix chantante de Dolorès le suivant à deux pas derrière, le poursuivant, se mêlant aux bruits de la rue et aux battements de son cœur.

« Désolée, missié Maxime nous a quittés… »

Au geste que la vieille servante a eu, quand elle a levé les bras, Sébastien a tout compris, et c'est à ce moment-là qu'il a tourné les talons pour fuir. Quand on dit que quelqu'un nous a quittés en montrant le ciel, c'est qu'il est mort, non ? La peur qu'il avait de se présenter chez son père devait découler d'un pressentiment. Il savait, tout au fond de lui, il savait que cette démarche tournerait mal, qu'il serait blessé. C'est ce qu'il se répète tout en se laissant guider par l'habitude des rues pour revenir au centre-ville.

Le soir est déjà tombé. Le soleil, caché par les édifices, se devine uniquement à la clarté qui nimbe les toits et la chaleur monte présentement des trottoirs surchauffés pendant le jour, se mêlant agréablement à la fraîcheur qui tombe du ciel. Assis sur un banc de bois écaillé, au coin du Carré Saint-Louis, à l'angle de Saint-Denis, Sébastien attend. Tout au long de l'après-midi, la peur, la douleur, l'incrédulité se sont disputé la place dans sa tête. Maintenant, il est vidé. Alors ne reste qu'à attendre que le temps passe, que la voix de Dolorès s'efface, que son cœur cesse de se débattre, l'esprit arrêté sur quelques mots qui peuvent dire n'importe quoi, qui lui disent surtout que son frère n'est plus là. Il a marché pendant des heures, seul. Il s'est retrouvé là où il était bien avant. Ce silence qu'il s'invente, cette solitude que la foule lui offre. Il ne veut voir personne. Pas plus François ni Gilbert que qui que ce soit d'autre. Pas ce soir. Plus jamais. À cause des mots qu'il devrait leur dire ou de ce silence qu'il devrait inventer pour se protéger. Sébastien a mal à son enfance brisée, à ses souvenirs qui ne se rattachent plus à rien. Il se laisse envelopper par les bruits de la foule et c'est là qu'il espère retrouver les repères qui permettront peut-être de survivre.

— Hé ! Sébas…

De l'autre côté du carrefour, silhouette à demi cachée par les autos qui passent, un bras levé pour le saluer, Virginie sourit en se haussant sur la pointe des pieds. Puis s'élançant dans la rue, se faufilant entre les voitures, elle vient vers lui. Sébastien la regarde venir, ne se demande même pas s'il a envie de la voir car présentement, cette présence lui est douce comme le miel. Brusquement, il vient de comprendre que la rue, la solitude, l'exclusion ne sont plus les alliées qu'il croyait avoir. Il a besoin d'une présence à ses côtés comme il a besoin d'air pour respirer.

— Salut toi! Mais qu'est-ce que tu...

Brusquement, la voix de Virginie se casse, l'enthousiasme remplacé aussitôt par l'inquiétude. Parce qu'à la place du sourire qu'elle espérait, c'est un regard voilé de larmes qui se lève vers elle.

— Hé vieux! Qu'est-ce qui se passe?

Sébastien baisse la tête sans répondre. Alors Virginie fait le dernier pas qui le sépare de lui, tend la main pour la poser sur l'épaule voûtée, caresse son dos. Il y a quelques mois, c'est ce garçon-là qui l'a aidée, qui lui a tendu une main qu'elle avait peur de prendre. Pour survivre, elle a choisi de lui faire confiance et ne l'a jamais regretté. Aujourd'hui, elle ne peut le laisser tomber. Entre eux, certains liens se sont créés, spontanément, à la faveur d'une détresse qu'il a partagée avec elle. Virginie sait que des liens comme ceux-là résisteront au passage du temps. Se glissant sur le banc à côté de lui, la jeune fille continue de frotter doucement le haut de son bras. Elle ne sait pourquoi Sébastien semble aussi défait mais elle va l'aider. Même si elle sait que Sébastien est un être farouche, un peu renfermé, elle va trouver comment le faire parler pour ensuite l'aider. Envers et contre tout...

* * *

À quelques pas de là, assise sur son balcon parce que l'air de l'appartement est irrespirable, trop chaud, Marie-Hélène attend, elle aussi, que le temps passe. Ce matin, Mamie Cécile est repartie pour chez elle, la laissant seule à sa demande.

— J'ai besoin de réfléchir. J'ai besoin de faire la paix avec moi-même, de faire le vide de toutes ces émotions que je viens de vivre en quelques jours à peine. Je veux que la décision que je vais prendre soit la meilleure. Pour le bébé comme pour moi.

Cécile s'était retenue pour ne pas demander d'essayer aussi d'inclure François dans sa décision. Elle savait trop bien que Marie-Hélène n'était pas encore prête à redonner à son mari la place qui lui revenait. La douleur que ce dernier lui avait infligée, même malgré lui, était trop fraîche encore, trop sensible. Mais comme si elle avait deviné les pensées de sa grand-mère d'adoption, Marie-Hélène avait ajouté en se penchant gentiment vers la vieille dame :

— N'ayez crainte, Cécile. Les choses, toutes les choses vont retrouver la place qui est la leur. Une après l'autre, en temps voulu. Je ne peux faire mieux pour l'instant. Je... Mais promis, je vais donner signe de vie à François bientôt. Lui aussi doit souffrir présentement. Et malgré les apparences, je ne suis pas insensible à sa souffrance.

Cécile avait donc quitté la métropole avec, bien ancrée au fond du cœur, une raison d'espérer que tout rentre dans l'ordre rapidement. Les propos tenus par le médecin lors de la visite faite par Marie-Hélène avaient apporté une clarté nouvelle sur la situation car ils permettaient l'espoir, justement. Un drôle d'espoir fait de foi absolue, de courage, de ténacité.

— Tout est possible, maman... Un bon suivi médical avec spécialiste qui vous voit régulièrement en collaboration, un traitement musclé et, oui, tout est permis...

Cette curieuse manie qu'a le médecin d'appeler ses patientes «maman» lorsqu'elles sont enceintes. Et qui ajoute à la douloureuse indécision de Marie-Hélène. Depuis qu'elle a entendu le cœur de son enfant, comme le bruit d'un petit cheval lancé au galop, elle a l'impression de vivre en suspens au-dessus de sa propre vie. Le cœur lui débat à la moindre occasion, sa main s'égare à tout propos sur son ventre. Que faire ? Désormais, elle sait cette vie en elle, irrévocable, unique, indépendante d'elle-même. De quel droit va-t-elle décider en son nom ?

Elle a choisi d'attendre un peu, de laisser ses émotions décanter. Elle a l'impression d'avoir à reprendre son souffle d'abord et avant tout. Le besoin de se donner un répit lui semble essentiel, vital.

— Lundi, je vais retourner au travail, Cécile. J'ai besoin de retrouver une certaine stabilité, de retrouver ma petite routine. Il me semble que tout le reste va couler de source après... C'est un peu fou, vous ne trouvez pas ?

Cécile avait alors souri. Elle qui est une femme de paix, de stabilité justement, elle comprenait tellement bien ce que devait ressentir Marie-Hélène.

— Mais non, ce n'est pas fou, ma belle. Ça revient à ce que j'ai toujours cru : laisser la vie s'occuper d'elle-même et lui faire confiance. Ce que nous ne comprenons pas aujourd'hui sera peut-être la lumière de demain.

Puis, après une brève hésitation, elle avait ajouté :

— Et si François me demande ce que tu...

— Dites-lui que je l'aime, avait alors interrompu vivement Marie-Hélène, ses joues empourprées accompagnant joliment son sourire très doux. S'il y a une chose que je sais, c'est bien celle-là. Mais pas n'importe comment. Plus n'importe comment. Si lui aussi m'aime comme il le dit, il va comprendre. Dites-lui simplement que je pense à lui et que je vais lui faire signe bientôt...

Et ce soir, assise sur le balcon surplombant le parc, s'amusant à regarder les flâneurs, Marie-Hélène s'oblige à laisser la vie couler doucement. Lundi, elle retourne au travail et elle a hâte de revoir ses petits patients, tous ces enfants ayant un problème d'audition et qu'elle aime, qu'elle admire à cause de leur ténacité justement. Ne sont-ils pas la preuve qu'en chacun de nous, il y a une force qui nous est propre, une force que les autres ne peuvent comprendre et qui nous aide à faire face à notre propre vie ? Pourquoi cette vérité ne s'appliquerait-elle pas à son bébé ? Elle a pris rendez-vous avec le spécialiste que son médecin lui a recommandé et elle a décidé d'attendre que la vie lui fasse signe. Que la vie s'occupe d'elle-même, comme le dit si bien Cécile.

Assise bien droite, la main s'égarant machinalement sur son ventre, le caressant par habitude, du bout des doigts car elle ne veut vraiment pas y penser ce soir, Marie-Hélène concentre ses pensées et ses regards sur la foule qui déambule sous ses yeux.

Petit à petit, la nuit remplace le jour, gobant les dernières clartés une après l'autre. Les réverbères à deux boules travaillées comme des flambeaux, à l'image de ceux que l'on voit sur les dessins d'une autre époque, viennent de s'allumer et dessinent des ombres nouvelles, différentes sur les pelouses et les trottoirs, inventant tout à coup des bulles d'intimité autour des couples, des familles. La fontaine, au milieu du parc, éclabousse joyeusement l'eau peu profonde du bassin et ce bruit de cascade réussit à rejoindre Marie-Hélène à travers le dédale des voix et des rires. C'est rafraîchissant, apaisant. Les arbres centenaires, immenses, referment leurs branches au-dessus d'elle et brusquement la jeune femme se sent bien, comme à l'abri. Le parfum sucré des jardinières posées sur son balcon lui monte à la tête, l'étourdissant légèrement, agréable comme un vin joyeux. « Quel endroit fantastique pour promener un bébé » pense-t-elle malgré elle. Sa main se fait alors plus lourde, épouse intimement la légère rondeur de son ventre. Comment pourrait-elle ne pas y penser alors que tout, autour d'elle, la ramène sans cesse à ce petit être qui grandit en elle ? Toutes les femmes qui vivent une maternité sont-elles comme ça ? Passent-elles leur temps à penser au bébé, à vouloir qu'il soit déjà là en même temps qu'elles aimeraient garder entre eux et pour l'éternité cette intimité particulière, très physique ? D'un coup, comme ça, Marie-Hélène aimerait que sa mère soit à ses côtés, tout près d'elle, pour expliquer, pour lui raconter comment cela s'est passé quand elle attendait sa fille. Brusquement, ses parents lui manquent, leur amour, leur présence. On reste toujours l'enfant de quelqu'un et le besoin qu'elle aurait de mettre la tête sur leur épaule, l'envie de leur confier la grande joie teintée de douleur qui est la sienne se fait presque violence. S'en remettre à quelqu'un d'autre pour décider… Un sourire amer traverse le visage de la jeune femme. Comment pourraient-ils l'aider, eux qui ne savent même pas qu'elle est enceinte ?

Ne prenant plus aucun plaisir à regarder la foule, Marie-Hélène se relève et regagne l'appartement. La chaleur est étouffante. Laissant la porte coulissante entrouverte, elle se dirige vers la cuisine pour en ouvrir la fenêtre et ainsi créer un courant d'air qui saura peut-être rafraîchir les pièces et l'aider à dormir. Avant de sortir du salon, vérifiant tout autour d'elle que tout est bien rangé pour la nuit, son regard tombe sur la photographie. Une photo choisie par François et elle qu'ils avaient fait agrandir et encadrer, avant de l'accrocher à la place d'honneur au-dessus du foyer. Une photo prise par une journée de chaleur torride comme aujourd'hui, datant de quelques années seulement, mais que Marie-Hélène voit tout à coup comme une vieille, très vieille photo. C'était au matin de leurs noces, la foule des invités était rassemblée sur le perron de l'église et encore aujourd'hui, il lui semble qu'elle entend le photographe s'activant comme une mouche du coche à grand renfort de recommandations, d'exas-pération, de soupirs. Mais il avait fait d'excellentes photos. Dont celle-ci, que François et elle affectionnent particulièrement. Malgré la présence de tous leurs parents et amis, il se dégage de cette photo une sensation d'isolement, de plénitude entre les deux mariés que rien ne saurait troubler. Alors que tout le monde fixe l'objectif, François et elle se tournent l'un vers l'autre et on a la très nette sensation que le photographe n'a saisi qu'eux pour la postérité.

— Cette photo est de la toute première importance, avait-il déclaré, offusqué alors que les gens étaient plutôt agités et que Marie-Hélène ne voyait pas la nécessité de monopoliser tout le monde par une si grande chaleur. Vous saurez me le dire dans quelques années…

Ce soir, quelques années ont effectivement passé. Et Marie-Hélène regarde la photo avec une grosse boule d'émotion dans la gorge. On ne voit qu'elle et François sur l'image. Ils dominent la scène, remplissent le cadre à eux seuls. Le photographe était-il un visionnaire? À tout le moins, il était un artiste, un génie en son domaine pour avoir su capter avec autant d'acuité cette impression de plénitude entre François et Marie-Hélène, lais-sant le reste des invités dans l'ombre, presque effacés.

François et Marie-Hélène, Marie-Hélène et François…

Brusquement, la présence de François lui manque tellement

que Marie-Hélène doit s'appuyer contre l'encadrement de la porte pour ne pas tomber. Qu'est-ce qu'elle croyait encore? Qu'est-ce qu'elle disait? Vouloir choisir toute seule? Mais allons donc! Larmes aux yeux, les bras croisés sur sa poitrine et les mains posées sur ses épaules, comme si quelqu'un la tenait contre lui, par besoin de sentir un peu de chaleur, la jeune femme regarde intensément la photo. Ils étaient deux, ce matin-là, et ils sont encore deux. C'est ensemble qu'ils ont voulu ce bébé, qu'ils l'ont espéré, qu'ils l'ont fait avec un amour immense qui prenait toute la place dans leur vie. Et aujourd'hui, elle voudrait décider toute seule du sort de cette petite vie? D'un coup, Marie-Hélène mesure l'immensité de la solitude qu'elle leur a imposée à tous les deux. À elle comme à François. Que ne donnerait-elle pas, là maintenant, pour entendre le pas de son mari montant l'escalier en courant, pressé qu'il est de la rejoindre. Que ne donnerait-elle pas pour effacer les derniers jours…

Se dirigeant lentement vers sa chambre, Marie-Hélène laisse l'ennui prendre toute la place. Oui, elle s'ennuie de François, de leur complicité, de leur petite vie toute simple bien à eux. Elle s'ennuie de leurs discussions, de leurs projets un peu fous parfois. Et voilà que par sa faute, son mari est loin d'elle alors qu'ils vivent peut-être un des moments les plus intenses de leur vie.

Mais qu'a-t-elle donc pensé en l'obligeant à quitter la maison?

Elle ne comprend plus ce qui s'est passé en elle. Toutes les bonnes raisons qu'elle croyait avoir ne veulent tout à coup plus rien dire. La colère en elle est morte, remplacée par les regrets. Elle finit par s'endormir avec le nom de François s'enroulant aux premières vagues de sommeil…

Quand elle s'éveille vers deux heures du matin pour se rendre à la salle de bain, elle ne se doute de rien. Depuis quelques semaines déjà c'est devenu une routine de se lever à deux ou trois reprises, la nuit. Mais quand elle aperçoit une traînée de sang sur le papier hygiénique, elle sent littéralement son cœur bondir avant de s'arrêter de battre pour un moment.

— Oh non! Pas ça, murmure-t-elle alors que tout son corps se met à trembler. Je Vous en supplie, mon Dieu, pas ça…

Pendant un long moment elle fixe le papier blanc marqué d'une tache brunâtre, n'arrive pas à se décider à le jeter. Qu'est-ce que ça veut dire? Que se passe-t-il dans son ventre? Est-ce là le signe que la vie s'est chargée de lui donner? Ne devrait-elle pas être soulagée que la décision se prenne toute seule, comme ça? Mais brusquement Marie-Hélène comprend que sa décision était déjà prise. Qu'en fait, elle l'était depuis les tout premiers débuts et que c'est justement pour que personne ne vienne apporter d'interdits qu'elle a demandé à François de quitter la maison. Elle veut garder son bébé. Elle l'a toujours voulu. Tout le reste, ce n'était que des excuses, des prétextes pour gagner du temps.

Elle avait surtout très peur que François ne soit pas d'accord...

Revenant lentement vers sa chambre, Marie-Hélène se remet au lit.

Elle sait qu'elle ne dormira probablement pas, qu'elle va se relever dix fois peut-être pour vérifier, espérant que ce n'est rien.

Elle sait aussi qu'elle voudrait avoir François avec elle mais qu'elle n'appellera pas. Il est trop loin pour revenir comme ça, sur appel. Il faudrait déranger Jérôme et ce n'est pas dans la nature de Marie-Hélène de déranger les gens. De toute façon, on n'appelle pas les gens au beau milieu de la nuit. Même pour une chose comme celle-là qui donne l'impression de cesser de vivre. Alors elle n'avisera pas le médecin tout de suite non plus. Pour lui dire quoi? Qu'elle a de légers saignements? Il va probablement lui dire d'attendre pour voir l'évolution de la situation, qu'il ne peut rien faire pour l'instant.

Couchée sur le côté, les deux mains pressées sur son ventre, lovée comme son bébé doit l'être dans son ventre, Marie-Hélène attend.

Attendre que le jour se lève, attendre une heure, peut-être, avant de se relever pour aller voir si...

Attendre que le temps passe, tout simplement, et prendre conscience qu'une minute, parfois, peut durer l'éternité.

CHAPITRE 7

Les humains vivent en trouvant refuge
les uns dans le cœur des autres.

PROVERBE IRLANDAIS

L'ÉTÉ CONTINUE, EN BEAUCE ET À MONTRÉAL

En descendant de l'autobus, à Sainte-Foy, ce dimanche-là, Sébastien s'attendait à retrouver Jérôme venu le chercher car il l'avait prévenu de son arrivée. Et cela faisait son affaire : avec Jérôme on n'avait jamais vraiment besoin de parler. Mais sur le quai, faisant les cent pas, c'est Claudie qui surveille son arrivée. Juste avant que l'autobus ne tourne en épingle au coin de l'immeuble, Sébastien l'a aperçue. Alors, il reste assis à sa place, laissant les autres passagers descendre avant lui, indécis, contrarié. Ainsi donc, elle est de retour. Après plus de trois semaines de silence, elle est revenue. Pourquoi ? Sébastien ne s'attendait pas à la revoir. Pas comme ça, arrivée à l'improviste, un peu comme un cheveu sur la soupe, après avoir brillé par son absence et son silence pendant tout ce temps. Pas aujourd'hui, après tout ce qu'il vient de vivre à Montréal. L'image de Virginie se superpose à celle de Claudie pour un instant. Il revoit la soirée de vendredi alors qu'elle l'avait facilement convaincu d'aller chez elle. Cette facilité de paroles entre eux, pendant qu'il contait la visite chez son père. Son inquiétude mise à nu, naturellement, sans fausse pudeur, sans la moindre retenue quand il parlait à sa jeune amie. Puis cette sensation de détente, une fois qu'il avait fini de tout dire… Et ce matin, c'est Claudie qui l'attend. Non, pour l'instant, il n'a pas vraiment envie de la voir. Son esprit est ailleurs et son cœur aussi. Alors il se forge un sourire, un peu cynique, en constatant que sa réinsertion sociale va bon train. Avant, rien ni personne n'aurait pu l'obliger à sourire s'il n'en avait pas envie…

Claudie l'accueille en lui sautant au cou, visiblement heureuse de le revoir. La jeune fille est gaie comme un pinson. Alors, sans se douter de rien, elle fait les frais de la conversation, lui raconte sa Gaspésie avec moult détails. Elle parle ainsi jusque chez Jérôme, passant d'une description à une anecdote, en riant, tandis que Sébastien constate, une fois de plus, qu'il y a des milliers de choses qu'ils ne savent pas l'un de l'autre. À commencer par le fait banal que Claudie avait son permis de conduire et qu'il l'ignorait. Il se contente de lui répondre par monosyllabes, par grognements.

Dès qu'il entre dans la maison, Cécile vient à lui.

— Enfin! Te voilà... J'aimerais que tu me donnes le numéro de téléphone où...

Sans vraiment porter attention à ce que la vieille dame est en train de lui dire, Sébastien se dérobe aussitôt.

— Excusez-moi, Cécile... Pas maintenant. Je reviens.

Et s'excusant une seconde fois auprès de Cécile, il traverse la cuisine en coup de vent et grimpe à sa chambre, taciturne.

Cécile pousse un profond soupir au moment où Claudie se tourne vers elle, visiblement décontenancée.

— Mais qu'est-ce qui se passe avec lui? demande la jeune fille. C'est à peine s'il a dit deux mots en venant ici. Des problèmes?

Cécile fait la moue puis lui sourit, oubliant momentanément que Marie-Hélène a appelé et aimerait connaître le numéro où joindre François. Chaque chose en son temps... Elle se dépêche donc de répondre à Claudie.

— Pas que je sache. Mais allez donc deviner ce qui se cache dans le cœur des gens!

C'est au tour de Claudie de dessiner une petite grimace, déçue.

— Moi qui me faisais une joie de le revoir. Disons que le comité d'accueil était plutôt froid.

À ces mots, Cécile vient à elle, la prend contre son épaule.

— Allons, petite fille, pourquoi t'en faire pour si peu? Chaque fois qu'il revient de Montréal, Sébastien est un peu renfermé.

Je crois bien, finalement, qu'il n'est peut-être pas fait pour la campagne et que, d'une fois à l'autre, il en prend conscience avec un peu plus d'acuité. Un peu comme toi, non? demande-t-elle sans véritablement attendre de réponse. Après trois semaines d'absence sans nouvelles, tu nous tombes du ciel, différente... Mon petit doigt me dit que ça brasse là-dedans, ajoute-t-elle en pointant la tête de Claudie du bout de l'index. Je me trompe?

Claudie ne peut s'empêcher de sourire.

— Pas vraiment... J'avoue que la Gaspésie me manque terriblement. Mes parents aussi.

— Alors?

La jeune fille hausse les épaules en soupirant.

— Je ne sais pas. C'est tout ça qui brassait, comme vous dites. D'un côté j'ai donné ma parole pour vous aider et ça, pour moi c'est important. De l'autre, il y a Sébastien dont je me suis beaucoup ennuyée. Et entre les deux, il y a chez moi. De revoir la mer m'a fait comprendre à quel point je me suis ennuyée... Finalement, j'ai décidé de revenir. Mais oui, j'avoue que j'ai longtemps hésité avant de prendre ma décision.

Levant la limpidité de son regard vers la vieille dame, elle avoue avec fougue:

— Je l'aime, vous savez. Même si Sébastien est un gars complexe, difficile à suivre, difficile à vivre parfois, je l'aime. C'est comme ça. C'est ce qui a fait pencher la balance...

Puis au bout d'une légère hésitation, elle constate:

— Mais lui, on dirait à certains moments que je l'agace, que je l'embête.

— Alors mets les choses au clair avec lui. N'attends pas.

— Ouais... Je sais que vous avez raison. C'est un peu pour ça que je suis revenue.

Puis l'enthousiasme de la jeunesse prenant le dessus, elle s'échappe de l'étreinte de Cécile et dessine quelques pas de danse sur le prélart de la cuisine.

— Savez-vous quoi, Cécile? L'idéal serait que Sébastien vienne avec moi en Gaspésie. Oh! Juste quelques jours pour commencer. Je sais qu'il va aimer ça. Tout le monde aime la

Gaspésie. C'est un des plus beaux coins du monde. Après, il va vouloir rester… J'en suis certaine! Maintenant, au travail! C'est aussi pour ça que je suis ici…

Et sur ces mots, la jeune fille quitte la cuisine pour rejoindre Jérôme à la cidrerie. Pensive, Cécile va jusqu'à la fenêtre et regarde la silhouette dansante qui se dirige vers le vieux hangar transformé. Une ride d'incertitude barre son front. Parce qu'elle, elle est loin d'être aussi certaine que Sébastien va aimer la Gaspésie. Un garçon comme Sébastien ne vivra jamais en campagne.

— C'est une fleur de macadam, murmure-t-elle en levant les yeux au plafond comme si elle pouvait voir le jeune homme à travers les lattes de bois.

Puis son esprit revient à sa préoccupation première: si Sébastien n'est pas descendu dans une heure, elle ira frapper à sa porte pour avoir le numéro de téléphone où rejoindre François. En ce moment, Marie-Hélène doit attendre son appel avec impatience. Déjà hier, quand elle l'a rejointe, la jeune femme semblait fébrile…

Pourtant, à ce même instant, Sébastien est loin de penser à François ou à son avenir. C'est le passé qui lui court après, se soudant au présent avec douleur. Les mots de Dolorès continuent de le harceler, repoussant le sommeil jusqu'à l'aube depuis vendredi. Même si Virginie lui a fait admettre que finalement, la vieille servante n'avait rien dit de concret.

— Allons donc, Sébas! Maxime nous a quittés, ça peut vouloir dire tout ce qu'on veut! Il est peut-être parti étudier à l'extérieur, il est peut-être en voyage, il vit peut-être avec un ou une amie. Ça fait beaucoup de peut-être, tu ne trouves pas?

— Ouais…

Sébastien était à demi convaincu. Un curieux pressentiment, découlant de la peur immense que l'impossible soit réalité, continuait à lui faire débattre le cœur. Et ça n'a pas cessé depuis.

— Alors, appelle chez ton père pour en avoir le cœur net.

Sébastien avait alors levé un regard à la fois sceptique et blasé. Rien de nouveau sous le soleil, n'est-ce pas? Retour à la case départ : il devait tout recommencer. Car il savait que Virginie avait raison. Pendant un moment, il avait vivement regretté de ne pas avoir eu le courage d'aller jusqu'au bout quand il était face à Dolorès. Là, il n'était plus sûr de lui, plus certain de trouver suffisamment d'assurance afin de poursuivre la démarche. Pourtant... Pourtant il ne pourrait vivre indéfiniment avec une telle interrogation au cœur. Il savait qu'il finirait par se décider. Mais pas tout de suite. Il avait besoin de temps pour être bien préparé. Juste au cas où...

Il en est là. Allongé sur son lit, les yeux détaillant pensivement le plafond, il se demande quoi faire et comment le faire. Retourner chez son père et se présenter clairement à Dolorès ? Il sait que la vieille dame serait contente de le voir. Et il n'y a peut-être qu'avec elle que Sébastien pourrait encaisser la nouvelle si ses pressentiments s'avéraient justes. Elle saurait partager sa peine comme elle a partagé si généreusement ses chagrins d'enfant. Mais après ?

Sébastien se retourne sur le côté, laisse glisser son regard le long du mur, s'arrête au drôle de pli que la tenture s'entête à faire malgré ses efforts répétés pour la redresser. Il s'y attarde un instant comme s'il n'avait rien de plus important à faire pour le moment puis soupire. Il lui semble que présentement tous les aléas de la vie ne forment qu'un maelström étourdissant. Une sensation de perte de contrôle tellement grande qu'il aimerait fermer les yeux et tout oublier. Claudie, Maxime, François, la Beauce... Lui reste-t-il quelque chose de vraiment agréable dans la vie ?

Le nom de Virginie s'impose subitement comme une lumière dans sa tête ramenant la soirée de vendredi à son esprit.

Il avait suivi Virginie sans aucune discussion, lui qui offre habituellement une pléiade d'excuses pour rester seul. Au moment où la jeune fille lui avait tendu la main, l'image d'une autre nuit lui était revenue avec une telle précision que les émotions alors vécues s'étaient fait présence. Virginie venait d'être agressée par trois jeunes vauriens. Elle ressemblait à un petit animal blessé, craintif. Pourtant, elle avait pris le risque de lui confier sa main tremblante et l'avait suivi. La confiance qu'elle lui avait accordée, cette nuit-là, venait de rejoindre Sébastien et s'était fait sienne. À son tour, il avait envie de s'en remettre à elle. Spontanément, comme jamais avant il ne l'avait fait avec personne. Pas même avec Gilbert. Sans chercher à comprendre, il s'était levé et avait suivi Virginie jusque chez elle.

Un peu plus tard dans la soirée, les confidences avaient coulé de source, sans le moindre effort. Tout semblait si facile avec elle. Et tout en parlant, il comprenait que si le sourire de Claudie l'avait séduit, Virginie, elle, l'attirait irrésistiblement. Comme une évidence que l'on ne peut réfuter, même avec les meilleurs arguments qui soient... S'il avait eu envie de mieux connaître Claudie, il avait l'impression de connaître Virginie depuis toujours. Si le sourire de Claudie était un rayon de soleil dans ses journées, la présence de Virginie lui apportait l'assurance d'être là où il devait être. Sans la moindre interrogation, la moindre indécision.

Ils avaient traversé la nuit en parlant, de l'un comme de l'autre, devinant les choses de l'un et de l'autre. Évitant, comme un accord tacite entre eux, évitant de prononcer le nom de Claudie.

De penser à Virginie avec une telle intensité ramène à Sébastien l'inconfort de ses indécisions ou plutôt des décisions qu'il aura inévitablement à prendre. Puis c'est le nom de Maxime, venu il ne sait d'où, qui domine encore une fois. D'un geste spontané et colérique, il se relève. Mais quelle idée a-t-il eu de quitter la rue? Il était bien dans ce temps-là, non, seul, l'unique préoccupation de ses journées étant de trouver de quoi manger et un endroit pour dormir? Mais en même temps, bien ancrée en lui, l'idée qu'il est injuste de penser comme ça, l'idée qu'il se trompe s'impose, encombrante. Il sait, sans vouloir se l'avouer clairement, qu'il ne pourrait plus revenir dans le temps et faire comme si les derniers mois n'avaient pas existé. L'amitié connue auprès de François, de Gilbert et des filles, le fait d'avoir un but, un travail qui lui plaît malgré la distance qui le sépare de Montréal, le pressentiment qu'entre lui et Virginie il pourrait y avoir quelque chose de beau et de grand ont aussi leur importance et il y tient.

Mais c'est parfois bien compliqué!

Ouvrant la porte de sa chambre d'un geste brusque, il descend à la cuisine, soulagé de voir qu'il n'y a personne pour l'instant et sort de la maison comme s'il avait le diable à ses trousses.

Brusquement, il a besoin d'espace autour de lui et de l'air pur à profusion sinon, il craint de mourir étouffé...

Et tout en remontant le sentier qui sillonne à côté de la terre en jachère, il n'arrête pas d'entendre la voix de Gilbert qui suggère: «Dans la vie, il faut prendre les choses une à la fois. C'est tellement plus simple comme ça, mon beau!»

Mais comment faire pour dissocier tous ces noms qui tourbillonnent en lui?

Arrivé au sommet de la colline, Sébastien s'arrête un instant, à bout de souffle, s'apercevant un peu surpris que c'est à la limite de la course qu'il est venu jusqu'ici. Penché vers l'avant, il essaie de calmer les battements désordonnés de son cœur quand, toute faible et portée par la brise, il entend la voix de Claudie.

— Attends-moi, Sébas. J'arrive...

Alors Sébastien ferme les poings en soupirant d'impatience, sachant en même temps qu'il est fort injuste. Sa jeune amie ne peut savoir... Pourtant, malgré cela, il ramasse quelques pierres et, les lançant à la volée devant lui, il passe sa rage.

Curieusement, chaque pierre porte un nom qu'il murmure en mordant dedans avant de la lancer.

— François, Claudie, Maxime...

Puis il se retourne au moment où il entend le gravier rouler sous les pas de Claudie, un peu plus bas sur le sentier. Et pour la seconde fois en quelques heures, puisant sa volonté dans les reflets métalliques de la rivière qui serpente entre les arbres, là-bas dans la vallée, il s'invente un sourire qui ne veut rien dire du tout pour l'instant...

* * *

En s'éveillant ce dimanche-là, Virginie s'étire longuement comme elle le fait chaque matin avant de casser son mouvement quand le nom de Sébastien s'impose à elle, suite logique des dernières pensées qu'elle a eues avant de s'endormir.

— Sébastien.

Pendant quelques instants, elle s'amuse à murmurer ce nom à répétition, lui donnant chaque fois une tonalité différente, comme le rythme lent d'une mélodie. Puis la nuit de vendredi à samedi lui revient en mémoire, et comme elle l'a fait à quelques reprises déjà, elle se tourne sur le dos pour en revoir les moindres détails.

Elle n'avait pas eu de difficulté à convaincre Sébastien de la suivre, contrairement à ce qu'elle prévoyait. Il s'était laissé remorquer comme un enfant perdu.

Puis il avait parlé.

Pendant des heures, il avait confié sa peur, sa crainte immense que ses pressentiments s'avèrent justes.

— Maxime, c'est tout ce qui reste de vrai, d'intact dans ma vie. Et voilà que...

Il avait alors raconté son enfance, les foyers d'accueil, sa décision de choisir délibérément la rue parce qu'il détestait tout ce qu'il connaissait de la vie.

Virginie l'avait laissé se vider le cœur, devinant par intuition que c'était probablement la première fois qu'il le faisait ouvertement face à quelqu'un et que parler ainsi l'aiderait à faire le point avec lui-même. Puis tout doucement, elle avait ajouté quelques mots, avant de se mettre à parler d'elle-même, mêlant ses confidences à celles de Sébastien. Sa vie avec sa mère, seules toutes les deux, dans une petite municipalité sans envergure, n'ayant jamais connu de père. Puis sa décision de venir à Montréal tenter sa chance parce que dans son patelin, il n'y avait pas tellement d'ouvrage et que les études ne dépassaient pas le secondaire. Ils avaient finalement marié leurs espoirs face à l'avenir. L'envie viscérale que Sébastien avait de revenir en ville et le plaisir ressenti à travailler en communion avec les choses de la nature ; les cours que Virginie allait entreprendre en septembre et l'appartement qu'elle devrait quitter bientôt, incapable de supporter le loyer toute seule encore bien longtemps.

— Il va falloir que je parle à Claudie, avait-elle alors constaté en regardant autour d'elle. Savoir ce qu'elle veut que je fasse des meubles. Tout ça, c'est à elle…

C'est alors que Sébastien avait eu cette drôle de réflexion.

— Moi aussi je vais devoir parler à Claudie, avait-il déclaré en la regardant droit dans les yeux.

Il n'avait rien ajouté de plus. Il n'avait pas eu à dire autre chose. Les regards qu'ils échangeaient étaient éloquents, les battements de leurs cœurs aussi.

Et c'est en écoutant son cœur débattre toujours aussi joyeusement que Virginie laisse couler quelques instants. Sébastien a promis de l'appeler cette semaine et elle a l'impression qu'elle va compter les heures et les minutes jusqu'à ce qu'il le fasse… Puis elle envoie promener ses couvertures d'un pied léger. Pour le moment, elle a plus important à faire que de passer son temps à se complaire dans ses souvenirs, aussi agréables soient-ils. Dimanche, jour de congé hebdomadaire, elle s'est promis de tout mettre en branle pour rassurer Sébastien. Dans un sens ou dans l'autre. Aux yeux de Virginie, rien ne peut être pire que l'incertitude.

— Il s'appelle Duhamel, murmure-t-elle tout en faisant son lit. Son père est avocat et il habite dans le quartier de Ahuntsic… C'est pas grand-chose, mais c'est mieux que rien. Jamais je croirai que je ne trouverai pas…

Elle quitte son appartement fermement décidée à n'y revenir qu'après avoir parlé à quelqu'un. Quand Sébastien va appeler, elle aura une réponse pour lui…

Malheureusement, la démarche s'avère plus difficile qu'elle le croyait.

Débarquée de l'autobus au coin d'un parc magnifique, planté d'arbres centenaires et descendant en pente douce vers la rivière des Prairies, Virginie hésite longuement. À droite ou à gauche? Elle décide finalement de se fier à son instinct et prenant à sa droite elle avance lentement, scrutant à la loupe les maisons des rues transversales qu'elle croise. Sébastien n'a-t-il pas mentionné qu'il habitait, enfant, une grande maison blanche et noire garnie de fleurs rouges? Mais le quartier ne correspond pas à l'idée qu'elle s'en était faite. Ici, il n'y a que des duplex, des jumelés ou de petits immeubles à trois ou quatre logements. Et plus elle avance, plus les immeubles d'appartements grossissent... Déçue, elle fait demi-tour et revient sur ses pas.

— Ce n'est pas comme ça que je vais trouver, murmure-t-elle en repassant devant le parc. Il faut que je m'informe, murmure-t-elle, constatant en même temps qu'elle est affamée.

Cela fait maintenant plus de trois heures qu'elle est partie de chez elle.

Elle aperçoit alors sur sa droite un tout petit dépanneur installé dans le sous-sol d'une maison. Sans hésitation elle s'y dirige. Un bon sandwich, une boisson et une tablette de chocolat devraient lui redonner un peu d'énergie. Car pour l'instant, c'est la fatigue et l'envie de retourner chez elle qui dominent. La mission qu'elle s'est donnée est probablement impossible: autant chercher une aiguille dans une botte de foin!

L'intérieur du petit magasin est plutôt sombre. Il y règne une fraîcheur agréable par cet après-midi de canicule. Derrière le comptoir, un vieux monsieur l'accueille d'un sourire. Il a l'air gentil et aussitôt, Virginie répond à son sourire avant de se diriger vers le comptoir réfrigéré. En levant les yeux pour payer, la jeune fille aperçoit les nombreux bocaux remplis de bonbons, rangés minutieusement sur une tablette de bois qui jadis devait être vernie. Toutes sortes de friandises, toutes plus tentantes les unes que les autres, comme il y en avait chez le marchand général de son village. Alors, à la place d'hésiter devant les nombreuses marques de tablettes de chocolat, elle tend le doigt, souriante.

— Et quelques boules noires, s'il vous plaît. Et peut-être aussi des jujubes en forme d'oursons...

Au moment où le vieil homme lui tend le petit sac de papier brun, l'idée lui saute aux yeux. Qui mieux qu'un marchand comme lui pourrait connaître les habitants du quartier? C'est pourquoi elle demande, tout en cherchant de la monnaie au fond de sa poche:

— Pardon, je cherche quelqu'un... Savez-vous où habite

maître Duhamel ? On m'a dit qu'il…

— Duhamel, vous dites ?

— Oui, Duhamel.

Le vieil homme a froncé les sourcils sans pour autant cesser de sourire.

— Je ne sais pas si… Ça remonte à quelques années déjà. Ils étaient deux. Deux petits garçons blonds, les cheveux longs, précise-t-il en frottant la base de son cou de ses longs doigts un peu jaunis par l'usage répété du tabac. Si je m'en souviens, c'est qu'ils étaient toujours polis contrairement à certains. Oui, deux gamins très bien élevés et ils s'appelaient justement Duhamel. Un bon matin, je ne les ai plus jamais revus et leur mère non plus. Une gentille femme, vous savez. Toute menue et blonde comme ses enfants, un peu effacée. On aurait dit qu'elle avait peur de quelque chose en permanence. Toutes sortes de bruits ont couru. Que le père buvait, que la mère s'était enfuie, que les enfants avaient été placés… Mais moi, je n'écoute jamais les potins. Ce que je sais, c'est que la mère et les enfants ont disparu. Mais si vous voulez mon avis, ils ont bien fait de partir. Me Duhamel était un air bête…

Pendant un moment, le vieil homme reste silencieux, puis il reprend :

— Je ne sais pas si c'est lui que vous cherchez mais le père habite toujours là. À trois rues d'ici, en continuant tout droit. Vous ne pourrez pas manquer la maison, elle est blanche et noire avec des fleurs orangées dans des jardinières. C'est la première année qu'ils ne mettent pas de géraniums rouges dans…

Virginie n'écoute plus vraiment. Tout en payant, elle doit se mordre le dedans des joues pour ne pas laisser éclater le sourire de moquerie qui lui monte aux lèvres : pour quelqu'un qui dit ne pas écouter les potins, il semble au courant de beaucoup de choses, le vieux monsieur.

Le repas est vite expédié même si le parc invite à la détente. Un peu plus loin, une cabane de bois blanche et noire comme on en voit souvent dans les parcs municipaux et plus au nord, les reflets de la rivière des Prairies se multiplient dans tous les tons de bleu et d'argent. Les arbres du parc sont immenses, surtout le gros chêne qui s'élève en plein milieu. Des plates-bandes fleuries bordent l'allée où quelques personnes âgées se promènent à pas lents. Ici, on ne sent pas l'effervescence de la ville et Virginie pourrait facilement imaginer qu'elle est de retour dans sa petite ville natale. Il y a dans l'air un je ne sais quoi de différent, de paisible. Glissant le petit sac de papier brun dans une poche, elle se relève et jette les restes de son repas dans une poubelle avant de glisser une boule noire dans sa bouche. Puis, sourire aux lèvres parce que le bonbon a exactement le goût qu'elle espérait retrouver, elle se dirige aussitôt vers la rue que le marchand lui a indiquée. Elle ignore encore ce qu'elle va y faire une fois rendue mais peu importe.

La maison est imposante et Virginie n'a aucune difficulté à la reconnaître. C'est la plus cossue de la rue, la mieux entretenue aussi. Même la pelouse est impeccable, ses bordures taillées avec soin, les haies bien égales, la peinture de la clôture de fer forgé sans la moindre écaille, bien lisse et bien luisante. À un point tel que Virginie est intimidée. Mais qu'est-ce qu'elle croyait? Qu'elle allait arriver sans tambours ni trompettes et remettre tout ce beau monde à l'ordre, tout simplement parce que son ami est malheureux? Allons donc! On ne bouscule pas l'intimité des gens comme ça. Elle le sait fort bien, elle qui a été violée par trois prétendus amis qui disaient que ce n'était qu'un jeu. Elle qui est ici un peu par reconnaissance envers Sébastien pour l'avoir secourue, cette nuit-là…

Marchant à pas lents, elle passe et repasse devant la maison, scrutant les fenêtres comme si elle espérait y percevoir un signe de bienvenue. Elle s'arrête devant la maison en soupirant. Elle a le trac, ses mains tremblent comme lorsqu'elle était enfant et devait faire une présentation devant sa classe. Puis elle se décide d'un coup. Elle n'est toujours pas venue jusqu'ici pour rien et il y a Sébastien… Sébastien qui se meurt d'inquiétude pour son frère.

Empruntant à son tour l'allée de pavés couleur d'ardoise, elle remonte jusqu'à la maison et, sans penser à ce qui va arriver, elle enfonce le bouton de la sonnette. Tant pis si c'est Me Duhamel qui vient répondre, elle improvisera en temps et lieux…

La porte s'ouvre enfin sur un visage d'ébène.

Dolorès Gentil…

L'anxiété de Virginie s'évapore aussitôt. La vieille dame est telle que Sébastien l'avait décrite : la peau noire comme la nuit, aussi plissée qu'une pomme oubliée au verger à l'automne et le regard très doux. À demi caché dans les plis de sa longue jupe bariolée aux couleurs des îles, un gamin d'à peu près cinq ans dont elle ne voit qu'une mèche de cheveux dorés, toute bouclée, et le regard d'azur de deux grands yeux étonnés.

— Oui ?

La curiosité s'entend dans le timbre de la voix chantante de la vieille dame.

— Je m'appelle Virginie. Je… Je suis une amie de Sébastien.

À ces mots, un large sourire éclaire le visage de la femme de couleur, contraste frappant entre sa peau noire et la blancheur éclatante de ce sourire.

— Il me semblait aussi… Je suis heureuse de vous voir. Entrez, jolie demoiselle, entrez !

— Je ne sais si…

— Les maîtres sont absents pour quelques jours encore, précise alors la servante comme si elle avait deviné la raison de la réticence de Virginie.

Et prenant le gamin par la main, Dolorès se glisse derrière la porte pour la laisser passer avant de la guider vers l'arrière de la maison.

La cuisine sent bon les épices chaudes et la cannelle.

— Avant tout, laissez-moi vous dire que j'espérais cette visite. La vôtre ou celle de Sébastien. L'autre jour, revenant à la cuisine, la ressemblance m'est apparue claire comme le jour par petit matin d'avril. Regardez bien ce petit homme, fait-elle en pointant le gamin du menton. Il est la réplique de Sébastien au même âge. Il n'y a que la couleur des cheveux qui varie un peu. J'ai voulu rappeler le jeune homme aux cheveux blonds devinant qui il était, mais l'oiseau s'était envolé… Asseyez-vous, mademoiselle. Ainsi, vous êtes une amie de missié Sébastien… Si vous saviez la joie qu'il y a dans le cœur de la vieille Dolorès! Mes beaux oiseaux du paradis ne sont finalement pas partis pour toujours. J'aurais dû le savoir : les oiseaux finissent toujours par revenir au nid…

Un peu décontenancée par les images colorées employées par Dolorès, Virginie est tout de même subjuguée par le rythme chantant de sa voix grave. Une voix qui berce, qui rassure. Elle comprend maintenant pourquoi Sébastien lui parlait de la vieille servante de ses parents avec une pointe d'émerveillement dans la voix.

— Ainsi donc vous êtes une amie de missié Sébastien, répète alors Dolorès en s'asseyant à son tour face à Virginie et prenant le petit garçon sur ses genoux. Parlez-moi de lui. Que devient-il?

— Oh, vous savez, Sébastien est quelqu'un d'un peu renfermé Vous devez probablement en savoir plus sur lui que moi je n'en saurai jamais.

— Peut-être oui. Peut-être. Je les ai vus grandir, vous savez, lui et son frère. Deux petits anges tombés du paradis. Il y avait ici deux gentils oiseaux, rieurs, chantants comme une rivière. Malheureusement, on s'amusait à leur couper les plumes des ailes pour qu'ils ne puissent s'envoler. Puis un beau matin, on les a même mis en cage. Mais à force de patience, les plumes finissent toujours par repousser.

— Alors Sébastien a décidé d'apprendre à voler, répond Virginie sur le même ton, séduite par l'image. C'est exactement ce qu'il fait aujourd'hui : il apprend à voler. Il aime la nature et la ville, il aime le travail de la terre et essaie de trouver la voie qui lui permettra de tout mettre ensemble.

— Alors c'est une belle voie que le jeune missié a empruntée. Le cœur de Dolorès s'en réjouit. Quand on aime la terre, on aime la vie. C'est là la seule chose importante.

Mise en confiance par la grande douceur que Dolorès dégage, Virginie explique le but de sa visite.

— Pauvre enfant, murmure alors la vieille dame. Quelle

méprise! Pourquoi missié Sébastien n'a-t-il pas demandé? Il savait qu'on peut tout demander à Dolorès.

— Il avait peur. Si vous saviez ce que Maxime représente pour lui. Quand Sébastien en parle, il a des étoiles dans les yeux.

— Et quand Maxime parlait de son frère, il y avait du chagrin dans sa voix. Laissez-moi vous raconter.

Et à travers les propos fleuris de la vieille Dolorès, Virginie apprend ce qu'a été la vie chez Me Duhamel quand la famille a éclaté. Le départ précipité de son épouse, le placement des enfants, son remariage, la naissance du nouveau petit «missié».

— C'est à cette époque que le jeune maître Maxime est revenu vivre ici. Et que la vieille Dolorès a repris du service. Mais la vie était souvent sous les nuages dans la belle demeure du maître, même s'il avait beaucoup changé avec la nouvelle jeune dame de la maison. Il était plus gentil, plus patient mais le maître restait malgré tout un colosse aux pieds d'argile avec une grande faiblesse. Et à cause de cela, le tonnerre grondait souvent sous son toit. Mais ce n'était pas la faute du maître. Il était malade de la boisson. Beaucoup d'hommes sont comme lui dans mon pays. La vieille Dolorès connaît bien les hommes qui aiment trop l'alcool qui fait oublier les tracas mais rend méchant. C'est quand Maxime s'est mis à boire lui aussi, et à prendre toutes sortes de choses bizarres que Dolorès préfère ne pas nommer, c'est ce jour-là que le maître a tout compris et qu'il a changé. Plus une goutte, jamais. Par contre Maxime, lui, était comme le maître: aussi fragile que l'oisillon à peine sorti de l'œuf. Un matin, il est parti laissant une lettre qui a fait pleurer le maître. C'était la première fois que Dolorès voyait un homme pleurer autant. Depuis, on n'a plus eu de nouvelles… C'est pour cela que Dolorès a dit qu'il s'était envolé. Malheureusement, aujourd'hui, personne ne sait dans quel ciel missié Maxime a choisi de voler… Alors le maître cherche son fils depuis ce jour-là, espérant que…

Laissant planer un doute, la servante serre le petit garçon contre son cœur et tout en ouvrant les bras devant elle, elle conclut:

— C'est tout ce que Dolorès peut vous dire. Et peut-être aussi qu'elle n'a jamais cessé de prier Dieu pour qu'Il lui ramène ses enfants sains et saufs… Aujourd'hui, Il a commencé à m'écouter et Il m'a envoyé son messager. Grâce lui soit rendue…

Pendant un long moment, on n'entend plus que le bruissement des feuilles des arbres du jardin par la porte grande ouverte sur l'été. Virginie n'est plus du tout certaine d'être soulagée par ce qu'elle vient d'entendre.

Car, pour un gars comme Sébastien, savoir que son frère a disparu, avec les problèmes qu'il avait, est peut-être pire que d'apprendre qu'il est mort…

CHAPITRE 8

Un jour, lorsque nous aurons dompté les vents, les océans,
les marées et la gravité, nous devrons exploiter l'énergie
de l'amour. Alors, pour la seconde fois dans l'histoire
du monde, l'Homme aura découvert le feu.

TEILHARD DE CHARDIN

À MONTRÉAL, TOUJOURS À L'ÉTÉ 1996

Marie-Hélène, qui croyait avoir exploré toutes les facettes du désespoir au cours de la semaine, vient de comprendre qu'il n'en était rien.

Après une journée d'accalmie, les saignements viennent de reprendre. Rien de majeur, que des traces mais qui lui arrêtent le cœur chaque fois qu'elle le constate.

Et Cécile qui n'a pas rappelé depuis hier.

Quant au médecin, il est absent pour la fin de semaine. Hier matin, samedi, quand elle a tenté de le rejoindre, une téléphoniste laconique lui a suggéré d'appeler la salle d'accouchement où une infirmière plutôt blasée lui a répondu d'attendre le retour de son médecin.

— Merveilleux, avait-elle ironisé en raccrochant l'appareil. C'est l'histoire de l'œuf et la poule qui se répète !

Alors depuis hier, elle n'a pas quitté son appartement.

Indécise, ne sachant si elle doit garder le lit ou ne pas trop s'en faire, Marie-Hélène se dirige vers la cuisine, se prend un verre de jus par habitude, en boit une gorgée avant de jeter le reste dans l'évier. Elle n'a pas faim.

Débranchant le téléphone, elle l'apporte dans sa chambre, pousse un peu la table de chevet pour le rebrancher et se réinstalle dans son lit.

— Dans le doute, vaut mieux s'abstenir, murmure-t-elle en lissant les couvertures.

Et pendant un moment, elle s'amuse à s'inventer un horaire au cas où elle devrait garder le lit pendant les prochains mois. Puis s'en lasse.

Le soleil éclabousse le mur de milliers de paillettes aveuglantes. Par la fenêtre ouverte sur la chaleur de midi, elle entend le va-et-vient des gens venus chercher un peu de fraîcheur dans le parc. L'envie de se relever pour les rejoindre est grande. Mais elle n'ose pas. En fait, c'est à peine si elle ose respirer depuis vendredi soir.

C'est à cet instant qu'une humidité suspecte la fait se précipiter à la salle de bain. Est-ce son imagination ou les saignements sont un peu plus abondants, plus rougeâtres qu'hier ? Sans hésiter, elle revient dans son lit et attrape le téléphone. Elle n'en peut plus de ne pas savoir. Tant pis pour l'inquiétude qu'elle va lui causer, elle veut consulter Cécile. Après tout, la vieille dame est médecin et peut sûrement la conseiller.

— … Alors je suis morte d'inquiétude. Si vous saviez à quel point ça m'effraie, tout ça.

Un court silence s'empare de la ligne. Puis Cécile demande, d'une toute petite voix, comme si elle avait peur de prononcer ces quelques mots :

— Si tu as peur c'est donc signe que ta décision est prise ?

— Si vous saviez…

La voix de Marie-Hélène est étouffée par l'angoisse et en même temps porteuse d'une telle espérance.

— Oui, la décision est prise. En fait, je crois bien qu'elle l'était depuis le début. Je veux mon bébé. Mais j'ai tellement peur que ce qui m'arrive soit un signe de la nature qui en a décidé autrement et…

— Oh là ! l'interrompt Cécile. Mettons les choses au clair. Je veux que tu cesses tout de suite d'imaginer le pire. Contrairement à ce que les gens pensent, c'est relativement fréquent d'avoir quelques saignements pendant une grossesse. Ensuite, sois assurée que le virus qui t'atteint n'a rien à voir avec tout cela. Présentement, s'il y a un problème, il n'est relié en aucun cas à ce virus. C'est au moment de la naissance que le risque de contracter la maladie est le plus grand pour le bébé. Je suis loin d'être une experte dans le domaine mais depuis mon retour, vendredi, j'ai pris la peine de feuilleter les revues que je continue de recevoir et qui s'empilent sur mon secrétaire. Et sur ce point, les chercheurs sont unanimes.

— Vous croyez ?

La voix de Marie-Hélène n'est qu'un filet, oscillant entre la crainte bien réelle de perdre son bébé et l'espoir qui vient de naître en elle aux paroles de Cécile.

— Tout à fait. S'il y a un problème majeur relié à ta grossesse, ce n'est pas de là qu'il vient et même si tu gardais le lit, rien n'empêchera la nature de faire ce qu'elle a à faire. Je suis persuadée que l'important, c'est d'abord et avant tout de garder le moral et demain, tu consulteras ton médecin. Seul un examen saura dire ce qui se passe. Et souvent, on ne trouve aucune explication à ces saignements. Alors, tu vas me faire le plaisir de te lever et, s'il fait aussi beau chez vous qu'il le fait ici, file t'aérer les esprits.

— Vous croyez ?

— Encore ?

Cécile ne peut s'empêcher de rire gentiment.

— On dirait que tu manques de vocabulaire tout à coup ! Oui, ma belle, je crois que tu serais bien mieux dehors que dans ton lit. Pour aujourd'hui. Demain, par exemple, devant le choix que tu as fait, il est de la toute première importance que tu avises ton médecin de ta décision. Il y a tout un protocole de traitements.

La voix de Cécile est toute pétillante. Ses prières ont porté fruit ! Vendredi, dès son retour à la maison, elle s'était enfermée dans le petit bureau à l'avant de la maison où elle avait épluché la montagne de périodiques et de comptes rendus qu'elle reçoit régulièrement et qu'elle empile négligemment sur le secrétaire, alléguant qu'elle n'a pas de temps à y consacrer et qu'elle les feuilletera une fois l'hiver arrivé. Absorbée par sa lecture, la journée avait filé sans qu'elle ne la vît. La médecine avait fait un bond de géant et aujourd'hui on était en mesure de croire que le bébé n'était pas nécessairement condamné à connaître le même sort que sa mère. Et le cas échéant, certains d'entre ceux qui avaient eu la chance d'avoir une mère qui avait reçu un traitement musclé pendant sa grossesse, même s'ils étaient porteurs du virus, ils étaient aujourd'hui âgés de plus de quinze ans et menaient une vie à peu près normale. Pendant plus d'une heure elle avait tourné et retourné les choses dans sa tête. Devait-elle jouer de son influence auprès de Marie-Hélène? Puis le lendemain, la jeune femme avait appelé. Elle cherchait François. C'est à cet instant que Cécile avait compris qu'elle n'insisterait pas. Les connaissant aussi bien tous les deux, Cécile savait que jamais ils ne prendraient une telle décision à la légère. Elle avait donc choisi de ne pas intervenir, mais la décision prise par Marie-Hélène la soulage d'un grand poids. Et son intuition lui dicte que François aussi va être d'accord avec elle. Et parlant de François…

— Pour ce qui est de mon petit-fils, ajoute-t-elle, je n'ai toujours pas le numéro de téléphone pour le rejoindre. Sébastien est bien revenu ici, tout à l'heure, mais il a filé comme un lapin… Mais dès que je connais ce fichu numéro, je rappelle.

— D'accord… Vous êtes bien certaine que je peux me lever?

— Ma parole, on est sceptique, ce matin? Puisque je te le dis. Rien, tu m'entends, rien n'est plus fort que la nature. Si tu as à perdre ce bébé-là, ce n'est pas en restant couchée que tu vas empêcher les choses d'évoluer. Mais mon expérience me dit que tu t'en fais pour rien. Un avortement spontané ne se présente pas comme ça. Des pertes comme celles que tu me décris, ça peut durer quelques jours mais aussi parfois quelques semaines, voire quelques mois. La plupart du temps, on ne sait d'où elles viennent. Mais ce n'est pas ça qui empêche de donner naissance à un beau bébé.

— Puisque vous le dites.

Marie-Hélène est encore incrédule. Mais Cécile doit bien savoir ce qu'elle dit, non? La connaissant comme elle la connaît, Marie-Hélène est persuadée que la future arrière-grand-mère ne prendrait aucun risque à l'égard de son arrière-petit-fils… À cette pensée, Marie-Hélène se met à sourire. C'est la première fois qu'elle pense à son bébé comme étant possiblement un petit garçon…

— D'accord. Je me lève et je vais aller me promener au parc. J'avoue que ça va me faire du bien. Je n'en peux plus d'examiner le plafond de ma chambre. Je vous appelle dès mon retour pour avoir le numéro.

Puis au bout d'un petit silence.

— Je regrette tellement ce qui s'est passé la semaine dernière. Je ne comprends pas ce qui m'a pris. Si vous saviez à quel point François me manque en ce moment.

— Et pourquoi regretter? Rien n'arrive pour rien dans une vie. Vous aviez peut-être besoin de ce temps d'arrêt, François et toi. L'un comme l'autre. Ce que vous vivez n'est pas facile et il arrive qu'on ait besoin de faire le point seul. Même si on s'aime sincèrement.

De nouveau, Cécile perçoit une légère hésitation au bout du fil.

— Merci, Cécile. J'avais besoin d'entendre ces mots-là. Je… je vous rappelle à l'heure du souper ou laissez-moi le message sur le répondeur si je suis absente. Pour l'instant, je crois que je vais m'offrir un bon déjeuner sur une terrasse. C'est curieux, mais l'appétit vient de me revenir tout d'un coup.

— Ça c'est bon signe! Profite bien de ta journée, belle en-fant. Et je vais en faire autant, crois-moi! Un petit bébé tout neuf… Oui, la journée va être très belle!

Et la voix de Cécile est toute légère, comme rajeunie de vingt ans! Elle rejoint Marie-Hélène d'un direct au cœur, et c'est ras-surée qu'elle se lève enfin et se hâte de faire son lit, visiblement soulagée de pouvoir s'y soustraire.

— Et maintenant, à la bouffe! C'est fou comme j'ai faim… Qu'est-ce que tu dirais d'un *bagel* avec des œufs brouillés, bébé? Ça serait bon, non?

Elle quitte l'appartement d'un pas léger, respirant profondé-ment l'air chaud porteur des effluves de l'été et regardant tout autour d'elle, les yeux grands ouverts comme si elle voyait la ville pour une première fois…

* * *

Au moment où il pose sa main sur la poignée de la porte, François hésite un bref instant. Et si Marie-Hélène ne voulait pas le revoir tout de suite ? Même s'il a envie de défoncer des murs pour elle, forcer sa porte, maintenant, serait une agression de plus. Une agression de trop. Il y a eu tant et tant de bavures dans toute cette histoire. Tellement d'erreurs malheureuses, de craintes injustifiées... Pourtant, lorsqu'il a quitté Gilbert, une heure auparavant, il était fermement décidé à reconquérir ses quartiers et la femme qui y régnait. Il est toujours aussi décidé, mais plus n'importe comment. À ses yeux, ce n'est qu'une question de respect, d'amour aussi...

Les deux derniers jours ont été fertiles en émotions de toutes sortes. Remorqué par Gilbert, François a l'impression d'avoir fait le tour au grand complet du quartier gai de Montréal et, si ce n'était du tragique de sa condition, il trouverait la situation plutôt drôle. Pourtant, il n'y a rien de risible dans ce qu'ils vivent, Marie-Hélène et lui, à commencer par le fait qu'ils sont éloignés l'un de l'autre... Tout ce qu'il souhaite, c'est lui parler, tenter de s'expliquer. Et si, malgré cela, Marie-Hélène ne voulait pas de lui, François comprendrait. Mais il ne baissera pas les armes sans se battre. Il y a eu trop de beaux moments entre eux, il y en a sûrement encore tant et tant devant. François espère simplement une vie toute simple avec Marie-Hélène et leur bébé. Une vie où il va faire tout ce qui est en son pouvoir afin de la rendre la plus normale qui soit. Cette maladie, ce n'est pas une fin de non-recevoir. C'est une terrible réalité, oui, mais ce n'est pas une condamnation à mort. Pas pour l'instant, du moins. S'il n'avait pas consulté pour le bébé et sa grippe, il ne saurait rien de sa maladie. Il a compris, à rencontrer des amis de Gilbert aux prises avec le virus, il a compris qu'il vaut mieux prendre les journées une après l'autre.

— J'ai choisi la vie, lui avait tout simplement dit Jeannot, un homme d'à peu près trente-cinq ans, à l'allure normale, presque banale. Je traverserai la rivière une fois rendu, pas avant. Je ne veux même pas essayer d'imaginer de quoi aura l'air la rivière. Y aura-t-il des remous, sera-t-elle paisible? Je ne veux pas le savoir. Ce n'est pas tous les jours facile mais j'y arrive.

Puis il avait eu un regard pour Gilbert. Un regard d'amitié sincère d'une rare intensité.

— Et quand je suis au bout de mes ressources, j'appelle Gilbert. Il n'y a pas son pareil pour vous remonter le moral...

Le gros homme s'était mis à rougir.

— Ben voyons donc! Je fais juste ce qu'il faut faire. T'es mon ami, non?

Oui, François avait vécu deux journées de fortes émotions qui l'avaient convaincu sans le moindre doute qu'il valait la peine de se battre. Comme avant, quand il avait seize ans et qu'il voulait s'en sortir. L'engourdissement qu'il connaissait depuis plus d'un mois n'était que chose du passé. Ce matin, il lui tarde de reprendre la vie là où il l'a laissée. Son travail, les amis du bureau, Marie-Hélène, ses jeunes itinérants...

Reculant de quelques pas, il examine la façade de l'immeuble où il habite, espérant peut-être y percevoir un signe de vie... Les rideaux sont tirés, ce qui est normal à cette heure de la journée: le soleil vient de tourner le coin de la maison et la chambre comme le salon doivent être inondés de soleil. Sur le balcon, les jardinières fleuries sont plus luxuriantes que dans son souvenir. Mais ça aussi c'est peut-être un peu normal. Il fait un temps merveilleux pour les plantes: on dirait que toute la ville est placée sous un globe de verre, dans une serre chaude et humide. C'est alors qu'il repense à l'unité d'air climatisé qu'il s'était promis d'acheter. Et avec Marie-Hélène qui est enceinte...

À cette pensée, son cœur fait un bond désordonné, le ramenant à sa crainte de ne pas être le bienvenu. Puis il prend une profonde inspiration et pousse le bouton de la sonnette. Le bruit se répercute contre les murs de l'entrée tout en haut de l'escalier et lui parvient étouffé, mat. Il attend et essaie encore. Aucune réponse. Est-ce voulu ou Marie-Hélène est bel et bien absente? Il n'ose entrer pour vérifier. Pas après tout ce qui s'est dit l'autre soir. Pourtant, la clé, dans la poche de son pantalon, lui semble tout à coup très lourde. Mais il n'arrive pas à se décider. Il aurait l'impression de violer l'intimité de Marie-Hélène, et c'est bien là la dernière chose au monde qu'il voudrait lui faire subir. Alors faisant demi-tour, il dévale les marches de l'escalier de fer noir, traverse le trottoir et la rue pour s'installer sur un banc du parc, face à chez lui. Il va attendre. Peut-être son retour, peut-être un signe de vie sur le balcon ou à une fenêtre.

Chose certaine, il ne quittera pas le Carré Saint-Louis sans lui avoir parlé…

Il l'aperçoit dès qu'elle tourne le coin de la rue. Le soleil de deux heures plombe avec intensité, dessinant crûment les gens et les choses. Plus grande que la plupart des autres femmes, Marie-Hélène se démarque aussi par sa démarche calme et posée. « Une démarche attentive, pense aussitôt François », ému de constater la rondeur de son ventre. Juste une petite semaine et le changement est notable. Puis, quand elle arrive enfin à sa hauteur, il lève le bras et lance, la voix enrouée :

— Marie ?

La jeune femme se retourne lentement comme si elle s'attendait à le voir là, exactement à cette place et qu'il était prévu qu'il l'interpelle ainsi. Elle le savait de retour en ville puisque Cécile l'en avait informée. Alors, oui, elle espérait cette rencontre sans oser y croire vraiment. Habituellement, ce genre de chose n'arrive qu'au cinéma. Et voilà que le destin… Le regard de Marie-Hélène est doux, son sourire un peu triste.

— François !

Sans hésiter, la jeune femme se dirige vers lui. Il se pousse un peu sur le banc pour lui faire de la place au moment où elle traverse la rue, sa longue jupe paysanne volant autour de ses jambes.

— J'aime bien quand tu portes cette jupe-là, fait-il tout simplement lorsqu'elle arrive à côté de lui.

Pendant un long moment ils se regardent dans les yeux, sans un mot. Puis Marie-Hélène s'assoit.

— Moi aussi je l'aime bien. Mais je crois que je vais devoir attendre à l'été prochain avant de pouvoir la remettre. J'ai dû l'attacher à la taille avec une grosse épingle de nourrice.

Quelques mots, banals en apparence, mais qui viennent de dévoiler tout leur avenir. François a des papillons dans l'estomac en comprenant ce qu'ils sous-entendent. Il voudrait qu'ils soient clairs, sans la moindre possibilité d'interprétation.

— Est-ce que ça veut dire que…

— Ça veut dire que dans quelques semaines, je vais avoir l'air d'un gros ballon, oui!

— Merci, Marie. Merci.

François a les mains qui tremblent, les yeux pleins d'eau. Alors Marie-Hélène glisse sa main dans la sienne dans un geste déjà maternel.

— Pardon, François.

La voix de la jeune femme n'est qu'un filet, à peine audible, tant elle a la gorge serrée par l'émotion. Le bras de François se pose doucement sur ses épaules avant de se faire lourd, protecteur.

— Pourquoi? Il n'y a rien à pardonner, mon amour. Et s'il y avait quelque chose à dire, c'est moi qui devrais te demander pardon. Pardon de ne pas t'avoir fait confiance. Et encore là, ce n'est pas exactement ça. La peur peut-être? La puissance des émotions nous a égarés, leur violence nous a emportés loin de ce que nous sommes. Alors que voudraient dire les excuses? Rien. Tout ce qui me semble important, c'est de te dire que je t'aime et que jamais je n'ai voulu te faire souffrir comme tu as dû souffrir.

Pendant un long instant, Marie-Hélène reste silencieuse. Ces mots qu'elle espérait entendre, ce bras autour de ses épaules qui lui a tant manqué… Pourtant, elle n'a pas envie d'en rester là. Parce qu'alors, elle en est persuadée, la souffrance qu'ils ont vécue n'aurait plus de sens. Une force la pousse à aller jusqu'au bout des confidences. Après, tous les deux, ensemble, ils pourront enfin tourner la page.

— C'est vrai que ça m'a fait mal, très mal, murmure-t-elle enfin, le regard posé sur le trottoir. Autant de me sentir dépasser par la réalité que par ton silence. Ton manque de confiance envers moi a été plus dur à vivre que tout le reste. Et la peur immense qui me tord le ventre chaque fois que je pense à lui, ajoute-t-elle en posant la main sur son ventre.

Spontanément, la main de François se pose sur la sienne.

— Ce n'était pas un manque de confiance envers toi, je viens de te le dire. C'était la peur, Marie. Juste la peur de te faire mal, de voir nos espoirs, toute notre vie dégringoler. La peur de mourir.

Et sur ces mots, François se tait, sachant que cette peur de la mort, Marie-Hélène doit la vivre tout comme lui et qu'ils auront à l'apprivoiser l'un comme l'autre, chacun pour soi. Il sent la main de sa femme qui tremble dans la sienne et aussitôt, il repense aux paroles de Gilbert : « Une femme qui attend un bébé ce n'est plus simplement une femme. C'est tout de suite une mère. » Alors, présentement, Marie-Hélène doit avoir peur pour deux... Il reprend d'une voix très douce.

— J'avais l'impression de tenir une poignée de sable dans ma main et de ne pouvoir la garder. Je voyais fuir chacun des petits grains par l'interstice de mes doigts sans rien pouvoir y faire... Je sais que je n'aurais pas dû agir comme je l'ai fait. Et je le regrette tellement. Malheureusement, je ne peux changer le cours des choses et ce qui est fait le restera.

— Je comprends. Moi aussi je regrette ma réaction.

Autour d'eux, la ville continue de bouger bruyamment, la vie continue de vivre inexorablement. Autour d'eux, il y a une forteresse de silence et de complicité. D'un mot à l'autre, d'un regard à l'autre ils reconquièrent leur domaine, ajustent leurs pas sur les sentiers mille fois battus. Sans grands éclats, tout doucement.

— Je t'aime, Marie-Hélène.

— Je t'aime, François.

Tout est là. Le pardon et l'espoir, le courage et la fragilité. Être deux...

Petit à petit, la ville les retrouve, les rejoint, appelle tout ce qu'il y a de jeunesse et d'impatience en eux. Alors Marie-Hélène regarde autour d'elle, comme au réveil, le temps de s'ajuster à la réalité. Puis elle repense aux saignements...

— On entre chez nous?

— On entre chez nous.

Brusquement, elle a envie d'être en sécurité, à l'abri des oreilles indiscrètes pour partager son inquiétude. Mais en même temps, il lui semble que ce n'est plus aussi dramatique. François est là…

Enlacés et à pas lents, ils traversent la rue ensemble. Machinalement, François glisse la main dans sa poche, en ressort son trousseau de clés, cherche du bout des doigts celle qui convient. La lourde porte de bois verni se referme sur eux dans un bruit mat, feutré. Marie-Hélène et François viennent de rentrer à la maison…

* * *

Installée à l'indienne sur la causeuse fleurie, Virginie maltraite allègrement les coussins de soie fine sous l'œil navré et inquiet de Gilbert.

— Et qu'est-ce que je fais maintenant? Je ne peux tout de même pas lui annoncer ça au téléphone! Et je n'ai pas envie de lui mentir non plus.

— Qui te parle de mentir? Pis arrête de massacrer mes coussins, chère! C'est de la soie brute, ça coûte la peau des fesses pis ça se lave pas!

Virginie sursaute comme si une abeille venait de la piquer, lâchant aussitôt les coussins.

— Excuse-moi, Gilbert. Je ne pensais pas à ce que je faisais… Si tu savais comment je me sens…

Et sans plus, Virginie reprend un coussin pour le serrer contre son cœur.

— Oh! Ça! Je m'en doute un peu.

Tout en parlant, Gilbert se soulève à demi, attrape les deux coussins jaune poussin par un coin, les place en sécurité à côté de lui et se réinstalle confortablement.

— Bon! Astheure, on va pouvoir parler! Si j'ai tout compris, notre beau Sébastien s'est enfin décidé?

— Ouais… à moitié, disons. Il s'est effectivement rendu chez

son père et là, la bonne lui a appris que «Maxime s'était envolé!»
Toute une réponse! Tu connais Sébas? Il n'en fallait pas plus
pour qu'il s'imagine le pire. Je l'ai trouvé quelques heures plus
tard, en larmes, assis au Carré Saint-Louis. Contrairement à ce
que je m'attendais, il m'a suivie jusque chez moi et là, il m'a tout
raconté. En fait, il a passé la nuit à me raconter sa vie. Je...
Nous...

En repensant à cette nuit-là, Virginie se met à rougir comme
une pivoine. Et les coussins qui sont hors de portée! Pour l'instant, elle aurait besoin d'occuper ses mains afin de camoufler sa
confusion. Sans réfléchir, elle se penche et attrape le premier
bibelot venu, s'empresse de l'examiner sous toutes ses coutures,
un peu brusquement. C'est au tour de Gilbert de bondir comme
un diable hors de sa boîte.

— Mon *Ladro*! Mais veux-tu bien me dire quelle mouche t'a
piquée, toi, aujourd'hui? Laisse mes bébelles tranquilles. Elles
ne t'ont rien fait...

Virginie lève un regard navré et replace la statuette sur la
table. C'est à cet instant que le gros homme croit tout comprendre. Son cœur fond aussitôt comme une glace au soleil. Il
a un flair naturel pour les histoires d'amour et elles lui ont toujours fait cet effet. Mais il n'est pas homme à forcer les confidences. Elles viennent quand elles sont mûres, tels les fruits au
verger. Alors...

— Et après? En tout cas, moi j'comprends pourquoi Sébas
était silencieux et renfermé quand il est revenu le samedi après-
midi après m'avoir fait toutes sortes de frousses quand je l'ai pas
vu entrer pour dormir, la veille. Il tournait en rond comme un
chien au bout de sa corde! Mais tu sais comment il est? Pas
moyen de rien savoir quand il a décidé de rien dire.

— Pour ça... J'ai vite compris qu'il était paralysé par la peur
de se voir confirmer ses appréhensions. C'est pour ça que j'ai décidé d'aller aux informations. Ça me faisait de la peine de le voir
comme ça. Pis c'est là que j'ai appris tout ce que je viens de te
dire. Mais comme je connais Sébas, je me demande si c'est pas
pire...

— En effet…

Pendant un bref moment, les bruits de la ville emplissent le salon. Puis Gilbert pousse un profond soupir.

— De toutes façons, Sébastien va finir par apprendre ce qui se passe vraiment. Aussi bien que ce soit le plus vite possible. Et que ce soit annoncé par quelqu'un qu'il aime bien.

Virginie se remet à rougir. Gilbert fait celui qui n'a rien vu. Pourtant, il ajoute :

— Va le voir ! Demande quelques jours de congé pis va dans la Beauce. Tout seul, loin de ses amis, il doit se sentir abandonné. Je le connais assez pour savoir ça. Il joue les indépendants, comme ça, mais je sais qu'il a besoin d'être soutenu…

— Mais Claudie est là, non ?

— Claudie ?

Un nom, prononcé comme à regret du bout des lèvres, et Gilbert comprend qu'il ne s'est pas trompé. Entre Sébastien et Virginie, le feu couve. Sinon, la jeune fille ne s'inquiéterait pas de la présence de leur amie et cela expliquerait peut-être la raison qui poussait Sébastien à décliner toute forme de rencontre avec la jeune fille depuis quelque temps. Comment se fait-il qu'il n'ait rien vu venir ? De nouveau, Gilbert soupire longuement puis revient aux propos du moment.

— Non, Claudie n'est pas en Beauce pour l'instant. Sébastien m'a dit qu'elle était dans sa famille en Gaspésie. C'est pour ça que je dis qu'il doit se sentir bien seul.

— Ah ! Bon…

Virginie reste un instant pensive avant de lever les yeux et de croiser le regard de Gilbert qui l'observe gentiment. Leurs sourires se rencontrent au-dessus de la table à café. Sourire d'amitié, sourire de complicité. Virginie se sent bien. Chez Gilbert, on se sent toujours bien. Il règne ici une facilité d'être à nulle autre comparable. La jeune fille s'étire au moment où le gros homme se relève.

— Je compte sur toi pour parler à Sébas. Je sais que tu vas trouver les bons mots. Tu lui diras seulement que j'pense à lui pis que si l'envie lui prend de venir ici, la porte est toujours grande ouverte pour mes amis. Mais ça, il le sait…

Puis faisant du coq-à-l'âne, il se penche vers Virginie, l'attrape par la main et l'oblige à le suivre.

— Allez, debout, j'ai besoin de toi. Samedi prochain, je reçois des amis pour souper pis j'ai essayé une nouvelle recette de forêt-noire. Mais j'ai l'impression qu'il est trop fort en alcool… Je voudrais savoir ce que t'en penses…

Virginie retient une grimace. Dix heures du matin, ce n'est pas exactement ce qu'elle espérait comme déjeuner. Mais allez donc refuser quelque chose à Gilbert!

— D'accord. Mais alors, juste un tout petit morceau. J'ai pas encore pris mon déjeuner…

CHAPITRE 9

Nos préoccupations devraient nous mener vers l'action,
non la dépression.

<small>KAREN HORNEY</small>

JUILLET 1996, EN BEAUCE

Quand Sébastien l'avait appelée, le mercredi soir précédent, Virginie avait fait un effort conscient pour garder un semblant d'enthousiasme dans la voix. Loin d'elle l'idée qu'il la dérangeait. Bien au contraire. Son cœur battait si fort qu'elle avait l'impression qu'il allait lui sortir de la poitrine et c'est à peine si elle entendait ce que Sébastien lui disait. Mais le secret qu'elle portait en elle rendait les mots à dire et les rires plus difficiles. Elle n'avait osé lui annoncer sa venue, ne sachant à quel moment elle pourrait se libérer.

Ce matin-là, en entrant à la boutique, le patron l'attendait.

— T'as bien raison quand tu dis que ça fait longtemps que t'as pas eu de vraies vacances. J'ai vérifié tout ça. Fait que, dans dix jours, tu prends une semaine. Ordre du patron! Pourquoi t'en as pas parlé avant?

«Parce que j'avais besoin de beaucoup d'argent, pis que je savais pas que j'aurais besoin de partir» avait-elle répliqué intérieurement. Pour le patron, cependant, elle avait eu un sourire reconnaissant.

— Comme ça, sans raison. Mais là, avec le déménagement que je viens de vivre, il me semble que ça va me faire le plus grand bien de me reposer un peu. Je suis vraiment fatiguée. Merci beaucoup, là.

Parce que Virginie venait d'emménager dans un tout petit logement, beaucoup plus à la mesure de ses modestes moyens, sachant surtout que rien sur terre ne l'empêchera de retourner aux études à l'automne.

Quant aux meubles, elle avait finalement gardé ceux de Claudie, alléguant (la belle excuse!) qu'elle ne pouvait la joindre en Gaspésie.

Et ce matin, elle roule en autobus vers Québec, l'estomac noué. Personne ne l'attend parce qu'elle n'a prévenu personne de sa visite. Elle ne sait pas ce qui va arriver, ne sait pas ce qu'elle va dire exactement, ne sait même plus penser correctement. Tout ce qu'elle a pour se retrouver, c'est que Sébastien habite chez Jérôme et Cécile Cliche, à Sainte-Marie, dans une maison immense, blanche au toit rouge. Elle va faire avec.

«Pas pire que de dénicher un certain Me Duhamel à quelque part dans le nord de la ville», pense-t-elle pour la millième fois peut-être.

Hier, quand Virginie a appelé Dolorès, question d'être bien certaine qu'il n'y avait aucun changement, celle-ci lui a confirmé qu'il n'y avait toujours rien de nouveau sous le soleil.

— La migration n'est pas finie, avait-elle lancé de sa jolie voix mélodieuse. Le maître est même parti encore une fois pour un pays lointain. Il paraît qu'on l'aurait vu…

Puis, après une courte hésitation que Virginie avait sentie, même à distance, elle avait ajouté:

— Dites à missié Sébastien de revenir. Son papa serait tellement heureux de le revoir.

Alors Virginie va devoir expliquer ce que veulent dire les mots: le bel oiseau s'est envolé. Et tenter d'annoncer à Sébastien que son père aimerait le revoir… À cela non plus, elle essaie de ne pas trop penser, se fiant à ce sentiment très doux qu'elle ressent pour Sébastien afin de la guider.

Quand elle arrive enfin dans la Capitale, le ciel est voilé, la brise est fraîche. L'autobus pour la Beauce ne sera que dans deux heures. Incapable de rester en place, Virginie ajuste son sac à dos d'un coup de reins volontaire et se dirige vers le centre commercial. Il n'est pas dit qu'elle va se ronger les sangs encore durant deux heures. Le trajet depuis Montréal l'a suffisamment éprouvée!

* * *

La grande maison blanche et rouge des Cliche est bien telle que Sébastien l'avait décrite : immense et attirante. Le soleil s'amuse avec les nuages et deux ou trois rayons chatouillent les lucarnes assises sur le toit de tôle. Quelques lourdes chaises en bois, posées deux par deux sur la galerie, attendent les confidences. «C'est là que j'aimerais parler à Sébastien» pense aussitôt Virginie, séduite par l'endroit. L'auto du garagiste qui l'a emmenée s'éloigne déjà dans un nuage de poussière.

Empoignant fermement son bagage, elle emprunte le chemin de terre battue qui mène à la maison. Elle est en vacances et a pensé venir saluer son ami Sébastien en passant. C'est ce qu'elle a retenu pour expliquer sa présence ici. Si les propriétaires des lieux sont tels que Sébastien les a décrits, accueillants et généreux, sa venue ne devrait causer aucun problème. Pour le reste, on avisera plus tard…

— Les Cliche, c'est bien ici ?

Le nez écrasé contre le fin grillage de la moustiquaire, Virginie essaie de voir à l'intérieur de la cuisine. Toute la famille semble attablée pour le repas du soir.

— Oui. C'est bien ici. Mais entrez, ne restez pas sur la galerie.

C'est Cécile qui a répondu, son habituel sourire sur les lèvres malgré la ride de curiosité qui marque son front. Quant à Claudie, elle bondit de sa chaise dès que la porte s'entrouvre.

— Virginie ! Wow ! Mais c'est super…

Claudie ? Virginie était persuadée qu'elle était en Gaspésie. Interdite, décontenancée, la jeune fille reste sur le seuil de la porte, n'ose avancer, visiblement mal à l'aise. Son recul est évident. Pourtant, Claudie et elle ne sont-elles pas censées être deux bonnes amies ? Des yeux, la nouvelle arrivée cherche le regard de Sébastien. Pourquoi ne lui a-t-il rien dit ? Tout ce qu'elle a cru depuis deux semaines, ses battements de cœur un peu fous, le souvenir de certains regards entre eux, cette main qui avait cherché la sienne puis l'avait serrée longuement, le ton qu'il avait au téléphone, l'autre soir, était-ce uniquement une illusion ? L'intensité du regard échangé avec Sébastien la rassure aussitôt mais arrête Claudie dans son élan. Des yeux, dans un drôle de silence, elle va de l'un à l'autre, revient à Sébastien qui n'a cessé de fixer Virginie. Le temps semble suspendu au-dessus de la cuisine. Un flottement qui ne dure qu'une fraction de seconde mais qui n'échappe à personne. Surtout pas à Claudie qui vient brusquement de tout comprendre. Son intuition se fait douleur. Les retraits répétés de Sébastien face à elle, ses sourires qui lui semblaient forcés, son impatience parfois… Bousculant Virginie au passage, elle quitte la cuisine en claquant la porte derrière elle. Cécile, qui n'y comprend rien, est déjà debout, cherchant à détendre l'atmosphère qui s'est subitement alourdie. La main tendue, elle avance vers la jeune fille restée immobile près de la porte qui vibre encore de la sortie fracassante de Claudie.

— Virginie ? C'est bien ça ? Entrez, voyons, entrez ! Vous êtes la bienvenue chez nous. Sébastien m'a souvent parlé de vous…

* * *

Sébastien est parti rejoindre Claudie depuis plus d'une heure maintenant. On aperçoit leurs silhouettes assises sur la clôture, se découpant sur l'horizon où s'amoncellent une brigade de petits nuages gris tout ronds. Intimidée, Virginie s'est retrouvée devant une assiette bien garnie et a mangé de bel appétit même si elle était persuadée ne rien pouvoir avaler tant sa gorge était serrée. Sébastien, quant à lui, n'a pas desserré les lèvres de tout le repas, se contentant d'un sourire à l'intention de Virginie de temps à autre. Dès la dernière bouchée avalée, il s'est excusé et s'est enfui comme s'il avait le diable à ses trousses.

Puis Claudie est revenue, seule, a traversé la cuisine les yeux au sol, s'excusant d'une voix à peine audible et on a entendu la porte de sa chambre qui se refermait sur elle. De nouveau un silence palpable étend son inconfort sur la pièce pendant que Cécile, Mélina et Jérôme échangent un regard. Puis Cécile se relève.

— La vaisselle maintenant, lance-t-elle. Il commence à se faire tard.

— Et moi, je retourne à la cidrerie pour une petite heure.

À ces mots, Mélina lève la tête vers son fils.

— Juste pour une heure ?

— À peu près, oui. Pourquoi ?

— Ben, si c'est pour pas plus long que ça, j'aimerais que tu m'aides à y aller, moi avec. J'aime ça, sentir l'odeur des pommes qui virent en cidre. Même si c'est pas encore vraiment la saison, on dirait que l'odeur reste cachée dans les murs.

Puis dans un petit rire.

— Ça me rappelle des p'tites folies de jeunesse pis ça me fait du bien là-dedans, explique-t-elle en se pointant le cœur.

Alors la mère et le fils quittent la cuisine bras dessus bras dessous, sous l'œil attendri de Cécile, en devisant comme deux compères.

— C'est beau de les voir aller, ces deux-là, murmure-t-elle en les regardant s'éloigner.

Puis elle se tourne vers Virginie, lui offre son si beau sourire. Cette jeune fille-là lui a plu dès le premier instant.

— Le temps de ranger tout ça et je suis à toi. Il reste une chambre de disponible, en haut. Elle est à ta disposition, le temps où tu voudras bien rester.

— Mais je ne veux pas déranger ! Je vais…

— Tu es la bienvenue, ici, l'interrompt Cécile tout en commençant à empiler les assiettes. Et mon petit doigt me souffle à l'oreille que dans le fond, tu aimerais bien rester avec nous pour quelques jours. Je me trompe ?

Alors Virginie dessine un large sourire.

— Vous avez raison. Après tout, je suis en vacances ! Mais voyez-vous, il y a aussi Claudie. Je ne croyais pas qu'elle serait ici. Je la pensais encore en Gaspésie. Je ne veux pas lui faire de peine. Je l'aime bien, vous savez. Je… je crois que la situation est délicate. Mais je l'aime bien, répète-t-elle comme si elle cherchait à convaincre quelqu'un de sa bonne foi.

— Je n'ai aucun doute là-dessus. Et je crois deviner de quelle situation tu parles… Mais, soyons sincères : la peine est déjà faite, tu ne penses pas ? Et c'est peut-être mieux comme ça. Les choses qui traînent finissent toujours par s'envenimer.

Pendant un instant, Virginie reste immobile, les yeux dans le vague. Puis elle lève la tête vers Cécile tout en repoussant sa chaise.

— Dans ce cas, laissez-moi vous aider. Ce sera ma façon de vous dire merci pour le succulent souper.

— Bonne idée. Habituellement, c'est Claudie qui m'aide mais ce soir, je ne crois pas qu'elle aura le cœur à l'ouvrage après sa mise au point avec Sébastien. Et à deux, les choses vont tellement mieux.

Et sur ces quelques mots à double sens, Cécile tend un torchon à Virginie.

— Laverais-tu la table, s'il te plaît? Moi, j'attaque les chaudrons.

C'est en s'installant à côté de Cécile pour essuyer les casseroles que Virginie prend conscience qu'à travers les quelques mots que Cécile a eus pour elle, la vieille dame lui a fait comprendre qu'elle avait tout deviné de ce qui se passait entre les jeunes. Sébastien, Claudie, elle... Du coin de l'œil, Virginie lance un regard vers Cécile. Les cheveux retenus sur la nuque par une savante torsade, le dos bien droit, toute jolie dans un jeans et un chemisier comme une jeune fille, la vieille dame s'affaire sans se douter de l'examen qu'elle est en train de subir. Sébastien avait bien raison de dire que Cécile était une femme merveilleuse, qui comprenait toujours tout, qui n'avait jamais de reproches à la bouche, quoi que l'on fasse. Alors, spontanément, comme il lui arrive souvent d'agir, Virginie étire le cou et lui place un baiser sonore sur la joue. Puis en rougissant, elle lance:

— Sébastien me l'avait bien dit: vous êtes gentille...

Sébastien ne revient que beaucoup plus tard dans la soirée, les traits tirés, les yeux rougis. Sans un mot, il se glisse dans une chaise berçante à côté des trois femmes qui prennent le frais avant de se préparer pour la nuit. Jérôme est déjà monté et Claudie n'a pas quitté sa chambre.

— La promenade a été bonne?

— Si on veut...

— J'ai installé Virginie dans la chambre verte, au bout du couloir.

— Ah! Bon...

Sébastien a son visage des mauvais jours, hermétique, colérique. Du regard, Mélina fait comprendre à Cécile qu'elle aimerait bien rester seule avec lui pour un instant. En effet, en quelques mots, alors que Virginie était à défaire son léger bagage, Cécile lui avait expliqué le feu qui couvait entre les jeunes lorsqu'elle était revenue de la cidrerie.

— Pauvres enfants! C'est dur, une peine d'amour. C'est ben dur pour tout le monde.

Et depuis, tout en participant à la conversation du bout des lèvres, Mélina ne cesse de penser à Sébastien. Et aussi à son Jérôme et à Cécile quand ils avaient le même âge. Eux aussi, ils ont connu des peines et des difficultés. Les histoires de cœur ne sont jamais faciles...

Comprenant aisément le message, Cécile se relève.

— Viens m'aider, fait-elle à l'intention de Virginie. J'ai envie d'une bonne limonade fraîche. Une vraie, pleine de fruits et de sucre! Après, on ira se coucher.

Et les deux femmes disparaissent dans la cuisine. Aussitôt, Mélina intensifie le mouvement de sa chaise berçante et on entend les craquements plaintifs des berceaux qui accompagnent le chant de quelques grenouilles, plus loin dans le champ, là où, jadis, il y avait un petit étang pour les canards, aujourd'hui presque sec.

— Belle soirée, hein le jeune?

Au son de la voix de Mélina, Sébastien sursaute.

— Heu... Oui, c'est beau. Pas très chaud mais beau...

— C'est mieux comme ça. On va bien dormir.

— Peut-être.

— C'est vrai que quand le cœur bat tout croche, c'est pas facile de s'endormir.

Sébastien lève la tête, fixe la vieille dame en fronçant les sourcils. Puis un sourire fugace traverse son regard.

— Non... Pas du tout. On dirait que je suis condamné à ne

pas dormir par les temps qui courent.

— Ça arrive… C'est fou toutes ces intentions que l'on prête au cœur, tu trouves pas? J'ai mal au cœur, j'ai le cœur en mille miettes… Comme si dans le fond ça se passait pas dans notre tête ou ailleurs. Ben curieux…

— Mais c'est vrai qu'on dirait vraiment que c'est le cœur qui fait mal…

— Ouais… Et toi, t'as mal à ton cœur?

Habituellement, Sébastien n'aime pas ces interrogatoires, ces incursions dans son monde intérieur. Mais avec Mélina, ce n'est pas pareil. Tout à coup, il repense à Dolorès. Quand il était tout petit et qu'elle était chez lui pour une raison ou pour une autre, c'est souvent avec Dolorès qu'il guérissait ses chagrins d'enfant. Curieux que le souvenir de cette femme lui soit sorti de l'esprit pendant toutes ces années! De nouveau, il jette un regard en coin à la vieille dame qui continue de se bercer allègrement. Ses deux pieds chaussés de pantoufles de feutre font un bruit mat sur le bois de la galerie, régulier comme le battement d'une horloge. S'appuyant contre le dossier de sa chaise, Sébastien commence à se bercer lui aussi.

— Oui, j'ai mal à mon cœur. Beaucoup. Avant ça me faisait rien de blesser les autres. C'est comme si j'avais eu une carapace. Alors que maintenant…

— C'est signe que t'es en vie, mon jeune. Quand le cœur fait mal, ça veut dire qu'on est vivant.

— Pourquoi vivre alors si c'est pour avoir mal?

— Pour apprécier le bonheur quand il passe.

Sébastien cesse son mouvement pour un instant. Puis le reprend de plus belle.

— Faut croire que je vis en batince. J'ai l'impression d'avoir le cœur en charpie depuis quelque temps.

— J'sais… Ça aussi ça arrive de temps en temps dans une vie. On dirait que tout va de travers. Pis c'est souvent quand on a la meilleure volonté du monde que ça se met à mal tourner. On veut bien faire pis ça vire au vinaigre. On veut aider, pis on s'aperçoit qu'on nuit… Pas toujours facile, la vie. Ma mère disait souvent dans ces moments-là qu'à vouloir faire mieux, on fait pire. Elle avait raison… Des fois faut savoir laisser les choses aller toutes seules. Te rappelles-tu ce que je t'ai dit l'autre jour? Dans la vie, y'a des moments pour se taire pis d'autres pour parler.

— Oui, j'm'en rappelle. Pis ce soir, c'était un moment pour parler, je crois bien. Mais parce que j'avais pas eu le courage de le faire avant, ça a sorti trop tard pis tout croche. Ça fait que j'ai fait de la peine à quelqu'un.

— Oh! Ça aussi ça arrive… On peut pas passer toute une vie sans écorcher du monde au passage. Même si c'est pas ce qu'on veut.

— C'est exactement ce que je me dis depuis tantôt. Mais je me sens quand même pas bien là-dedans.

— Si t'es honnête envers toi pis les autres, c'est ça l'important. Le temps finira bien par arranger les choses. De toute façon, ce soir ou avant, tu penses pas que ce que t'avais à dire à Claudie lui aurait fait de la peine?

Claudie? Ainsi donc, Mélina avait tout deviné? Sébastien s'immobilise un moment puis soupire. Tant mieux si Mélina a compris. Il n'y aura rien à expliquer demain quand la jeune fille leur annoncera son intention de retourner chez elle, en Gaspésie. Parce que si Mélina a tout compris, c'est certain que Cécile et Jérôme aussi l'ont fait…

— Tant qu'à ça…

— Fais-y confiance à la belle Claudie. C'est une petite fille ben plus forte qu'elle en a l'air. Faut pas se fier aux apparences, ça trompe souvent. Pis fie-toi à mon intuition: elle va finir par comprendre les choses, la belle Claudie. Dis-toi bien qu'à votre âge, on meurt pas d'une peine d'amour.

Sébastien cesse de se bercer pour tout de bon. Curieusement, les derniers mots de Mélina lui ramènent le nom de Maxime en tête. Maxime, c'est aussi une peine d'amour. Alors:

— Pas sûr, moi, qu'on peut pas mourir d'une peine d'amour. Pas sûr du tout.

— Tu sauras me le dire dans quelques années. Faire confiance, Sébastien. Ne jamais oublier la confiance même si des fois ça peut sembler impossible.

Un long silence chargé d'émotion tient lieu de réponse. Alors, devinant les tourments de l'âme de Sébastien, comprenant à travers ses soupirs que derrière son silence il y a bien plus qu'une simple rupture entre jeunes, Mélina demande encore :

— Veux-tu me promettre quelque chose ?

— Ça dépend...

— C'est sûr ça, ajoute alors Mélina, taquine. Avec les jeunes ça dépend toujours de quelque chose... Tu vas voir, c'est pas compliqué. J'veux juste que tu me promettes que, si un jour t'as l'impression de pas t'en sortir, tu vas venir me voir. Reste pas tout seul à jongler dans ton coin. J'suis peut-être juste une vieille femme, pas ben utile depuis quelques années, mais ça, j'peux le faire. Si t'as de la peine, j'peux la partager avec toi. Des fois, à deux, ça paraît moins lourd...

Pendant un long moment, Sébastien reste silencieux, immobile, les yeux tournés vers la lune qui monte lentement au-dessus de la colline. Une grosse orange lumineuse qui découpe les sapins et la cime des érables en une dentelle très fine. Ses paupières brûlent encore des larmes passées et peut-être aussi de celles qui ne sont pas loin. Maxime a-t-il encore la chance de contempler les reflets de la lune ? En ce moment, regarde-t-il cette même lune ou est-il... Le cœur de Sébastien se serre. Tellement que la douleur est réelle. Puis le visage en larmes de Claudie se superpose à celui de Maxime. À cet instant, les poings de Sébastien se referment durement. Il a la très nette impression que sa vie n'est qu'un gâchis présentement. Alors il se tourne lentement vers Mélina.

— Promis, Mélina. Si un jour j'ai mal à crier, je viendrai vous voir.

« Pis ça va être peut-être plus vite qu'on pense », ajoute-t-il intérieurement. Mais les mots n'arrivent pas à franchir ses lèvres. Pas ce soir. Il y a trop d'émotions en lui. Mais demain peut-être... Mélina se contente de sourire, tend la main pour lui tapoter gentiment le bras. Alors, cessant son balancement, elle tourne la tête vers la porte et lance de sa voix qui porte toujours fort bien :

— Alors cette limonade ? Ça vient ? À force de jaser, j'ai la gorge toute sèche.

Puis elle reprend la pose, les bras croisés sur la poitrine, et le frottement des pantoufles rejoint le grincement de la chaise qui recommence à balancer.

— C'est une belle soirée, à soir. Une ben belle soirée...

* * *

Cécile et Mélina sont montées se coucher tout de suite après avoir bu leur verre de limonade. Pendant une longue partie de la nuit, Sébastien et Virginie sont restés à se bercer sur la galerie. Et ils ont parlé. D'abord de Claudie et de sa peine, de sa réaction immense devant les mots de Sébastien, de son envie viscérale de retourner chez elle, tout de suite, de son désir de ne pas revoir Virginie pour l'instant. La lune écoutait leur conversation d'un nuage à l'autre, d'un sapin à l'autre, éclairant la galerie de sa lueur blafarde pour susciter le reste des confidences. Alors à son tour, Virginie a parlé. De sa recherche, de Dolorès, de Maxime. Et contrairement à ce qu'elle anticipait, les mots lui sont venus facilement et Sébastien est resté très calme.

— Tu as fait ça pour moi, répète-t-il pour la troisième fois. Tu as cherché la maison de mon père et tu es allée aux renseignements pour moi ?

Il est ému.

— Merci, Virginie. Moi, je n'aurais pas osé. Pas tout de suite. Et je me serais rongé les sangs pendant tout l'été. Alors que maintenant...

Pendant un long moment, il était resté silencieux.

— Je suis content de savoir que Maxime est toujours vivant. Tellement... Et je peux comprendre qu'il ait eu envie de partir. Dans le fond, malgré le silence et l'absence des dernières années, on continue de se ressembler...

Et devant cette forme de sérénité, Virginie avait osé parler de son père à Sébastien. Là aussi, il était resté très calme, mais Virginie le sentait tendu. Plutôt que «calme», ce sont les mots «de glace» qui lui venaient à l'esprit.

— Pour ça, on verra. Je ne suis pas rendu là.

Puis après un court silence:

— T'es sûre de ce que tu dis? Mon père parcourt le monde pour trouver Maxime?

— C'est ce que Dolorès prétend. Et je ne la crois pas femme à mentir.

Sébastien avait échappé un sourire.

— Dolorès? Non. C'est la femme la plus sincère que je connaisse… Mais, disons que ça me surprend… Je ne vois pas le grand criminaliste en train de… Et tu dis qu'il ne boit plus?

Ils en étaient restés là. Ils avaient ensuite parlé de l'été, des projets de Virginie, de son inscription au cégep, de son excitation à reprendre les études et aussi de l'incertitude de Sébastien face à son avenir.

— Je ne sais pas du tout ce que je vais faire à la fin de l'automne. Et ça m'inquiète… J'aime bien le travail que je fais mais de là à étudier dans le domaine…

Et il avait l'air tellement malheureux en disant cela… Quand ils étaient montés se coucher, la lune avait tourné le coin de la maison et fouillait maintenant à travers les sapins du bord du chemin…

C'est pourquoi, ce matin, Virginie est encore dans son lit malgré les bruits qui montent de la cuisine. Elle ne veut pas heurter Claudie plus qu'elle ne l'est présentement et va respecter ce qu'elle a demandé. Dans quelques semaines, si son amie ne lui a pas donné signe de vie, Virginie prendra alors les devants. Mais pas pour l'instant. Puis elle repense à la réaction de Sébastien, la nuit dernière. Son calme devant la révélation que son frère a disparu et même cette curieuse attitude faite à la fois d'acceptation, de réticence et de froideur quand elle lui a parlé de son père. Chose certaine, Sébastien ne semblait ni révolté ni accablé par les événements. Alors elle s'étire longuement, le cœur tout léger. Et dire qu'elle est en vacances pour toute une longue semaine! Quelques jours ici puis elle ira faire un tour dans son patelin pour voir sa mère et lui parler de ses projets. C'est à cet instant qu'un léger coup frappé à sa porte la fait sursauter. C'est Sébastien, venu la chercher. Claudie vient de partir en compagnie de Cécile et Jérôme.

— Et voilà, c'est fait. Je suis soulagé et triste en même temps. C'est comme si un morceau de ma vie venait de se terminer...

— C'est un peu ça...

Et sur ces mots, Virginie se lève d'un bond.

— As-tu vu le soleil, ce matin? Merveilleux... Qu'est-ce que tu fais de ta journée? Je peux vous aider?

— Pour l'instant, il n'y a rien à faire. J'attends le retour de Jérôme pour compléter la stérilisation des cuves.

— Laisse-moi deux minutes pour m'habiller et manger et on va lui faire une surprise. Tu me dis quoi faire et on stérilise les cuves ensemble. D'accord?

Virginie a l'air d'une gamine en colonie de vacances, les yeux grands ouverts sur les nouveautés. Sébastien ne peut lui dire non.

— D'accord... Mais avant, viens, j'ai quelque chose à te montrer.

Et prenant Virginie par la main, Sébastien l'entraîne vers sa chambre. Subjuguée, la jeune fille s'arrête sur le seuil de la pièce, n'osant pénétrer dans ce qui lui apparaît comme un sanctuaire. Les murs sombres sont tapissés de dessins multicolores absolument splendides de luminosité et de transparence.

— On dirait un immense jardin, murmure alors Virginie, avançant enfin de quelques pas dans la chambre, sur le bout des pieds.

Puis se tournant vers Sébastien.

— C'est toi qui fais ça?

Le jeune homme se met à rougir.

— Ben oui... Mais c'est trois fois rien. Juste des dessins comme les enfants en font si souvent.

— Trois fois rien? T'es aveugle ou quoi? C'est absolument fantastique, Sébas. Je ne savais pas que tu dessinais...

Et allant de l'un à l'autre, Virginie examine les différents tableaux qui ornent les murs. Des fleurs plus fines que les vraies, des papillons diaphanes, des oiseaux qui semblent croqués en plein vol, tout légers…

— Je ne pensais pas que tu aimais la nature à ce point-là, murmure-t-elle en revenant vers lui. Je comprends certaines choses maintenant…

Et c'est en se retournant une autre fois qu'elle aperçoit le grand carton que Sébastien tient dans ses mains, devant lui.

— Tiens, Virginie, celui-là est pour toi. Je l'ai fait la semaine dernière.

Dans un jardin de pivoines, on voit une jeune fille occupée à cueillir un bouquet de fleurs. Et malgré la distance et le fait qu'elle soit penchée, Virginie voit immédiatement qu'il s'agit d'elle. La jeune fille aux pivoines, c'est elle… Son regard s'embue aussitôt.

— Mais c'est donc bien beau… Et t'as fait ça comme ça, de mémoire?

— Oui… Mais ça n'a pas été difficile, je pense tout le temps à toi…

Pendant un long moment, les deux jeunes restent immobiles à se regarder, leurs deux cœurs réunis dans un grand jardin de fleurs, émus au-delà des mots pour le dire. Au loin, dans le champ de maïs du voisin, on entend les hirondelles qui se poursuivent en piaillant. Puis Virginie tend la main à l'instant même où Sébastien comprend ce qui le retenait, il y a quelques mois à peine. Il était déjà amoureux d'elle mais ne voulait pas se l'avouer.

— Je peux le prendre?

— Bien sûr, c'est à toi.

Virginie saisit alors le dessin du bout des doigts, le tend devant elle, cligne des yeux, le rapproche, l'éloigne à nouveau.

— C'est fantastique… C'est vraiment moi. Pis les fleurs! As-tu vu ces fleurs-là? Et en plus, tu l'as fait sur du vrai carton à dessin… Je vais pouvoir le faire encadrer.

— Encadrer ça? Je te l'ai dit, c'est juste un croquis… Pis pour le carton tu diras merci à Jérôme. C'est lui qui m'a acheté la tablette de beau papier. Il dit que c'est un péché de gaspiller un talent comme le mien sur du papier d'ordinateur...

— Et comment!

Virginie regarde fixement le dessin encore une fois avant de le déposer sur le lit en murmurant :

— Oui, c'est vraiment moi mais en même temps...

Elle hésite, fronce les sourcils.

— Mais c'est comme pas moi.

Puis elle lève la tête vers Sébastien.

— Tu m'as fait plus belle qu'en réalité.

— Oh non! Bien au contraire. Jamais je ne réussirai à te faire aussi belle que tu l'es!

L'objection a fusé dans un cri du cœur. Et sans qu'ils n'y soient pour quelque chose, Sébastien et Virginie se retrouvent dans les bras l'un de l'autre. Un long regard fait de timidité, d'abandon et de complicité les unit. On n'entend plus que les hirondelles et quelques vaches au loin. Le temps s'est arrêté, le soleil s'entête à éclairer la jeune fille aux pivoines, abandonnée sur la courtepointe à carreaux, et les cheveux dessinés au crayon brillent vraiment dans le rayon sinueux qui traverse la chambre alors que l'on voit ses longs doigts fins se refermer sur la tige d'une fleur presque transparente. Sébastien se penche et ses lèvres cherchent celles de Virginie pendant que ses deux bras entourent doucement sa taille. En ce moment, et pour la première fois de sa vie peut-être, il comprend ce que veulent dire les mots je t'aime...

CHAPITRE 10

Le plus beau cadeau que l'on puisse offrir à l'autre
est une attention profonde à l'égard de son existence.

SUE ATCHLEY EBAUGH

À MONTRÉAL, FIN JUILLET

Depuis une semaine, en fait, depuis leur visite au bureau du Dr Samuel, il arrive fréquemment dans une journée que Marie-Hélène vienne s'asseoir dans le salon, dans la causeuse face au foyer éteint, toujours à la même place, et qu'elle ferme les yeux pour revivre cette rencontre dans les moindres détails. C'est sa façon à elle de reprendre son souffle, car, depuis cette visite, elle a l'impression que le quotidien n'a été qu'un formidable tourbillon l'emportant dans une direction imprévue, un peu à son corps défendant.

Ce matin encore, une tasse de café entre les doigts, les yeux mi-clos, le bruit de la dégringolade matinale des pas de François dans l'escalier quand il quitte pour son travail s'estompant petit à petit dans sa tête, elle laisse la vie se détendre un petit peu.

Le bureau du médecin était une vaste pièce, très éclairée, le soleil pouvant y pénétrer par deux larges fenêtres donnant sur le sud et l'ouest. La vue sur le centre-ville était saisissante. Probablement que c'était voulu, afin de détendre les gens, de les emporter pour un instant loin de leur réalité. Car le jour où on entrait dans le bureau du Dr Samuel, c'était souvent pour apprendre qu'on était condamné à mort. Marie-Hélène et François, eux, connaissaient déjà le verdict. Le Dr Samuel n'avait eu qu'à confirmer, en y apportant cependant quelques bémols que Marie-Hélène se faisait un devoir de répéter chaque fois qu'elle repensait à cette visite afin de s'en convaincre le plus possible.

— ... Et malgré tout ce que je viens de dire, une naissance

reste une naissance et dans mon livre à moi, ça veut dire une joie. Vous avez droit à cette joie profonde, petite madame. Voici ce que l'on va faire...

Et avait suivi la liste interminable des interdits, des précautions, des remises en question, des changements immédiats, de ceux à prévoir à court terme, puis à long terme... Marie-Hélène en était revenue tout étourdie, un papier de ce médecin à la main recommandant à son gynécologue un retrait préventif du travail, effectif immédiatement.

— Les médicaments que vous allez commencer à prendre ont certains effets secondaires. Parfois plus violents chez certains que chez d'autres. Pensez à vous. Prenez du repos, vous allez en sentir le besoin. Peut-être des nausées, des troubles digestifs, de la somnolence. Peut-être pas grand-chose non plus. Ça dépend...

Le médecin était un homme sans âge défini, probablement au début de la quarantaine, au visage buriné par le soleil sous sa barbe mi-longue, en broussaille, aux gestes rares et précis, à la parole directe mais au regard immensément doux qui modulait tout le reste.

— Fini les aliments crus pour vous deux. On lave tout, on fait cuire, on évite les gens malades. Votre système immunitaire est attaqué, fragile, vous ne devez plus jamais compter sur lui. Maison propre, vêtements propres, nourriture exempte de germes. C'est vital... Plus de sushi, de tartare, etc...

La liste n'en finissait plus.

— Pour vous, François, pensez à changer de milieu de travail. La rue reste un endroit à risques. Les grippes, les gastros, les problèmes de peau, le manque d'hygiène... à votre place j'y penserais deux fois.

Puis le médecin s'était levé pour aller à la fenêtre, leur tournant le dos, leur laissant peut-être la chance de commencer à digérer tout ce qu'il venait de leur lancer en vrac. Il parlait vite, de façon concise et directe, il le savait. Mais c'était sa façon de faire et depuis le temps, cette attitude avait fait ses preuves. Les patients l'aimaient, aimaient son style... Alors, revenant face à François et Marie-Hélène :

— Et maintenant la question à cent piastres. Celle que tout le monde finit par poser. Doit-on en parler? demande-t-il à leur place, sachant qu'inévitablement cette interrogation leur taraude l'esprit.

De nouveau, bref silence. Le médecin avait alors haussé les épaules.

— Là encore, ça dépend. Ce n'est pas nécessairement une bonne idée. Pour l'instant, vous n'êtes pas malades… Attendez-vous à toutes sortes de réactions pas toujours agréables. Les gens ont peur du sida. Avec raison, mais aussi avec exagération. Le sida ne saute pas sur les gens. Certains le comprennent. D'autres pas, et c'est la panique. À vous de juger. Et encore là, ce ne sont pas nécessairement ceux à qui on croit pouvoir tout dire qui ont les meilleures attitudes. Ce que je dis toujours à mes patients: prenez votre temps. Et attendez-vous à des reculs, des rejets. C'est triste à dire, mais c'est malheureusement la réalité à laquelle les gens atteints du sida doivent s'attendre. Et parfois ces rejets viennent des gens que l'on croyait les plus proches…

Puis il avait repris sa place derrière le lourd bureau de bois sombre.

— Et maintenant l'autre question à cent piastres. Celle que tout le monde a en tête mais que peu ont le courage de poser. Quelle est mon espérance de vie? C'est cru et direct, je le sais. Mais je sais aussi que vous y pensez. Malheureusement, je ne peux répondre. Encore une fois, ça dépend. Personne ne réagit exactement de la même façon aux médicaments. Certains développent des résistances, des intolérances. D'autres réagissent merveilleusement bien. Seul le temps saura nous le dire… Pour l'instant, on instaure un protocole de traitements qu'on ajustera au fur et à mesure des besoins. On se voit régulièrement, on reste vigilants mais on continue à vivre… Certains de mes patients ont une vie plus active et normale, entre guillemets, que bien des gens en parfaite santé. Ça fait des années qu'ils sont porteurs et ils continuent de fonctionner comme avant. Ça demande une grande latitude, une grande disponibilité, une bonne dose de confiance. Les ajustements à prévoir sont astreignants.

Mais on finit par s'y faire. Il y aura des périodes d'abattement, de grande fatigue, de problèmes reliés à la prise massive de médicaments. Et je sais que l'envie de tout balancer par-dessus bord finira par vous atteindre comme tous les autres. C'est normal. Au besoin, appelez-moi. Je suis là pour vous. Uniquement pour vous…

Et sur ces mots, encore une fois, son regard s'était tourné vers Marie-Hélène.

— Et vous… Pour l'instant, l'important c'est le bébé. Ce que vous vivez est unique, mais chaque naissance est unique. Sachez que présentement, le bébé n'est probablement pas malade. Les doses massives d'AZT que vous allez prendre devraient suffire à le garder à l'abri pour le temps de gestation. C'est au moment de la naissance que les risques d'être contaminé sont les plus grands. On y verra à ce moment-là, n'ayez aucune crainte, toujours avec l'AZT. Vous continuez à être suivie par votre médecin, et à la lecture du dossier qu'il m'a fait parvenir, votre grossesse semble tout à fait normale. Ne l'oubliez jamais. Lui et moi, on va travailler de concert afin de mettre toutes les chances possibles de votre côté. Les probabilités d'avoir un enfant en parfaite santé sont réelles mais pas absolues. Et selon ce que vous m'avez dit, je sais que vous en êtes consciente. Par contre, n'en faites pas une idée fixe et ne concentrez pas vos pensées sur les risques. Chaque chose à son heure. Profitez de votre grossesse comme vous y avez droit.

— Mais les saignements que j'ai? Mon gynécologue dit qu'à l'examen tout est normal mais…

— Je sais, c'est écrit… Et si votre médecin dit que tout est beau, c'est que tout est beau. Ce n'est pas rare qu'une femme ait des saignements lors d'une maternité et dites-vous bien que ça n'a rien à voir avec votre état. On revient à ce que j'ai dit : pensez à vous. Profitez de votre grossesse pleinement. Malgré tout, ce moment dans votre vie doit rester un beau souvenir.

Et c'est à tout cela qu'elle pense, Marie-Hélène, une tasse de café entre les doigts, la main s'égarant parfois sur son ventre. La voilà en congé de maternité, de longs mois devant elle à penser à tout ce qui peut arriver. Son supérieur immédiat avait pris la nouvelle avec un petit sourire en coin.

— Ainsi donc c'était ça… Depuis le temps que tu en parlais, je suis content pour toi. C'est sûr que ça dérange que tu partes comme ça, sans préavis, mais on va s'arranger. L'important, c'est le bébé…

Et sur ces mots, son sourire s'était légèrement étiré.

— … Me semblait aussi, que tu étais différente depuis quelque temps.

Marie-Hélène n'avait pas élaboré sur le sujet. Elle avait donc quitté son travail avec les félicitations habituelles, la promesse formelle de les tenir au courant des moindres détails et la liste des inévitables recommandations de ses compagnes ayant déjà connu une maternité.

— Du lait! Tu dois boire des litres de lait! Sinon, le bébé n'aura pas de belles dents.

— Et pas de peinture. C'est dangereux pour le bébé l'odeur de la peinture.

— Des biscuits soda avant de se lever! C'est merveilleux pour éloigner les nausées.

Marie-Hélène n'avait pas osé faire remarquer que le temps des nausées était largement passé. Elle avait peur des questions indiscrètes.

« Profitez de votre grossesse! » Les mots du médecin lui tournent dans la tête et le cœur comme un manège un peu fou. C'est tout ce qu'elle voudrait, profiter de sa grossesse! Mais voilà que depuis quelques jours, depuis l'instant où elle a compris que jamais elle ne pourrait interrompre cette grossesse, Marie-Hélène ne cesse de penser au jour où la maladie aura le dernier mot. Qui s'occupera de son bébé? Qui sera là pour voir grandir son enfant? Qui verra à ses études, à son épanouissement? Qui saura l'aimer comme elle? Et chaque fois que ces pensées sombres prennent le dessus, ses yeux s'emplissent d'eau tant la perspective de mourir avant son enfant lui fait mal, lui fait peur. Ce matin comme toutes les autres fois…

Essuyant ses larmes du revers de la main, Marie-Hélène se

lève d'un bond en reniflant. Le ciel est peut-être tristounet, aujourd'hui, mais la jeune femme n'a pas envie de se morfondre dans ses pensées sombres. Au moment où elle se tourne un peu vivement pour replacer les coussins du divan, un léger, tout léger mouvement la fait s'arrêter brusquement. Immobile, elle reste à l'affût, l'oreille tendue comme on le fait pour percevoir un bruit très fin. Et voilà qu'un sourire la transfigure. Un sourire de joie intense qui part du cœur et l'habite tout entière. Le bébé bouge. Un tout petit mouvement, comme le frôlement d'ailes de papillon mais aucun doute, c'est bien lui. Les larmes de tristesse de Marie-Hélène se transforment aussitôt en larmes de joie. Il est là. Enfin, elle le sent. Et si le bébé bouge, c'est qu'il est bien vivant. Tant pis pour les saignements, le médecin devait avoir raison : ce n'est pas si grave, après tout.

Toute à cette merveilleuse découverte, Marie-Hélène n'a pas entendu les pas qui montaient les marches de l'escalier à la volée. Ni la porte ouverte avec fracas. François paraît sur le seuil de la porte et fronce aussitôt les sourcils.

— Mais tu pleures ?

Marie-Hélène sursaute et lève les yeux vers son mari, un immense sourire éclairant son visage. Les idées noires se sont envolées. D'un pas, elle vient se blottir contre lui.

— Ce n'est pas ce que tu crois… Je suis heureuse, François, heureuse ! Notre bébé bouge. Là, maintenant, je le sens faire des pirouettes. C'est… c'est comme un petit chat qui joue avec une balle de laine. C'est doux, c'est tellement doux…

Pendant un moment, ils restent enlacés, émus, chacun perdu dans ses pensées. Puis Marie-Hélène se dégage, fixe François avec un sourire mutin.

— Je veux que tu dises oui !

Puis elle fronce les sourcils à son tour.

— Mais qu'est-ce que tu fais ici, toi ?

— Des papiers que j'ai oubliés… Mais dire oui à quoi ?

— Dis oui d'abord !

Marie-Hélène est jolie, les cheveux en bataille, encore en robe de nuit avec son regard suppliant. François la reprend tout contre lui.

— D'accord. Je dis oui. Oui à tout ce que tu veux.

— À tout? Alors je veux une auto neuve, une garde-robe de maternité complète, peut-être un manteau de fourrure, et aussi...

Puis la jeune femme éclate de rire.

— Non, je veux simplement qu'on descende à Québec en fin de semaine. Il est temps de prévenir nos parents, François. Temps de partager avec eux notre joie d'avoir un bébé. Tu ne crois pas?

— Oui, tu as raison.

Puis Marie-Hélène blottit sa tête sur l'épaule de François.

— Mais pour le reste, on va attendre. Ils n'ont pas besoin de savoir tout de suite. Pourquoi gâcher leur joie?

— Je suis d'accord avec toi. Le reste, comme tu dis, viendra bien assez vite...

Et ce soir-là, quand François revient du travail, fourbu, la petite pièce qui leur sert de bureau a été vidée de ses meubles maintenant éparpillés un peu partout dans l'appartement. Assise en tailleur au beau milieu de la chambre, Marie-Hélène est pensive. Autour d'elle, des revues de décoration ouvertes, des échantillons de couleur, des bouts de tissu. Quand elle entend les pas qui s'approchent, elle tourne aussitôt la tête.

— Qu'est-ce que tu préfères? Du jaune ou du vert pour une chambre de bébé?

François ouvre de grands yeux.

— Et tu veux une réponse comme ça?

— Pourquoi pas? Et il va falloir lui trouver un nom à cet enfant. On ne va pas l'appeler bébé toute sa vie! Et sais-tu ce que j'ai vu au centre commercial? Fantastique! Ça ressemble à une demi-lune et ça...

Marie-Hélène est intarissable. Quelques mouvements, la certitude tant attendue que l'enfant est là, bien vivant et le reste importe peu. Aujourd'hui, elle a choisi de prendre le médecin au mot.

Se relevant, Marie-Hélène s'approche de François, le regarde droit dans les yeux.

— Tu sais, la plus grande crainte que j'ai, c'est de mourir avant que notre petit soit grand, qu'il reste seul sans nous, avoue-t-elle pour une première fois à haute voix. Aujourd'hui, j'ai décidé que je vivrais. Non pas que je vais défier la mort, je n'en suis pas capable. Mais je vais vivre tout ce qu'il m'est donné de vivre jusqu'à la dernière limite. Pleinement. Pour l'instant, il semble bien que les médicaments ne m'affectent pas, c'est bien. Si demain je suis malade, j'y verrai demain. Est-ce que tu comprends ce que je ressens ?

François reste silencieux pour un moment, les paroles de Marie-Hélène se greffant intimement à ce qu'il vit lui aussi. Puis, resserrant son étreinte autour de ses épaules, il murmure :

— Oui, oui je comprends. Et moi je te dis que c'est ensemble que nous allons vivre, Marie ma belle. Ensemble... Tous les trois...

Enlacés, tête contre tête, ils restent un long moment immobiles, écoutant palpiter en eux l'envie de vivre plus forte que la maladie, plus forte que la mort. Derrière les carreaux de la fenêtre l'orage se prépare. Le ciel est lourd de nuages menaçants. Le vent s'est levé et harcèle les arbres, les ploie sous sa colère, une branche feuillue heurtant la fenêtre avec régularité tel un métronome. Mais rien dans le petit bureau ne peut atteindre Marie-Hélène et François. Ils ne voient pas le ciel gris, n'entendent pas la tourmente qui se prépare. Faisant pivoter Marie-Hélène, François entoure sa taille de ses deux bras et pose doucement la main sur son ventre. Se laissant aller tout contre lui, Marie-Hélène appuie la nuque sur son épaule.

— Qu'est-ce que tu disais encore à propos de la couleur de la chambre ? demande-t-il en regardant les murs blancs. Qu'est-ce que tu dirais de jaune maïs ? C'est doux, c'est stimulant et c'est chaud...

CHAPITRE 11

Cherchez toujours la réponse en vous.
Ne soyez pas influencés par ceux qui vous entourent,
ni par leurs pensées, ni par leurs paroles.

EILEEN CADDY

EN BEAUCE, QUELQUE PART À L'AUTOMNE 1996

L'été est déjà chose du passé. Les érables, au fond du champ, ont commencé à changer de couleur et quelques feuilles hâtives se glissent sous les pas en craquant. Les épis de maïs sont cueillis et la terre voisine est hérissée de tiges desséchées, grisâtres. Au fond de la vallée, les reflets de la rivière sont encore plus bleus qu'au mois dernier, de cette couleur électrique et pure qui n'appartient qu'à l'automne. En retrait, derrière la grange devenue cidrerie, les pommiers tardifs sont lourds et odorants. La senteur des fruits gorgés de soleil rejoint Sébastien, même si, présentement, il est assis sur sa perche de cèdre à plusieurs pas de là. Les épaules chauffées par le soleil couchant, le jeune homme ne se lasse pas de respirer à pleins poumons, le regard vrillé sur l'horizon, là où les collines rejoignent le ciel. L'air est doux, sec et agréable. La cidrerie fonctionne à plein régime, la récolte est bonne. Virginie a appelé hier soir : elle est emballée par les cours et s'y donne pleinement.

— Tu vas voir, Sébas ! Dans deux ans, je suis à l'université. En je ne sais pas quoi encore, mais je vais trouver ! J'adore apprendre…

Il s'ennuie d'elle mais pas question de prendre quelques jours pour se rendre à Montréal : les journées sont trop remplies pour penser vacances. Mais dans quelques semaines…

Sébastien pousse un profond soupir. Dans quelques semaines, le travail chez Cécile et Jérôme sera complété, l'hiver sera à la porte et lui aussi, probablement. Et que fera-t-il de son temps ? Il l'ignore. Et plus les jours passent et plus son humeur s'en ressent. Il y a comme un grand vertige en lui, même s'il sait que Virginie l'attend avec impatience et qu'il s'ennuie énormément de leurs longues discussions. Et il y a encore Maxime dont on n'a aucune nouvelle. Virginie appelle régulièrement Dolorès parce que lui, il ne sait toujours pas s'il a envie de revoir son père. Alors, il y a aussi Me Duhamel et son désir de renouer avec son fils pour venir troubler la sérénité du quotidien. Et pour quelqu'un comme Sébastien, cela fait beaucoup de choses désagréables en même temps. Suffisamment pour avoir besoin de s'évader, loin de la maisonnée, au moins quelques minutes chaque jour avant le souper.

Il en est là, assis sur sa clôture, le dos rond se chauffant au soleil, les deux coudes appuyés sur ses genoux et scrutant l'horizon. Dans un mois, à peu de chose près, il sera de nouveau devant l'inconnu. Il a vingt ans et ne sait toujours pas ce qu'il va faire de sa vie. Pourtant, il sent un grand bouillon en lui, comme si quelque chose essayait de se faire entendre. Il a beau chercher, il ne comprend pas d'où lui vient cette exaltation, ce feu nourri d'émotions qui ressemble à de l'impatience, parfois à de la colère. Au moment où il referme les poings impulsivement, une voix claire et douce interrompt son mouvement.

— Quelle belle journée !

Remontant le sentier, Cécile vient à sa rencontre.

— On ne soupera pas tout de suite, annonce-t-elle comme pour expliquer sa présence. Jérôme est parti au village…

Puis, après un court silence :

— Je peux m'asseoir ?

Sébastien hausse les épaules avant de tracer un petit sourire.

— Bien sûr.

D'un geste encore sûr, Cécile grimpe sur la perche de cèdre près de Sébastien et, prenant la même pose que lui, elle porte le regard au loin.

— La vue qu'on a d'ici est merveilleuse. J'ai l'impression qu'on touche au ciel ou à quelque chose de tellement grand que ça ressemble à un morceau d'infini. C'est souvent un peu plus haut, là où il y a un petit buisson, que je viens m'asseoir quand j'ai envie de faire le point. Il me semble que les décisions prises ici ne peuvent être que bonnes…

— C'est vrai qu'on est bien, murmure alors Sébastien. Moi aussi j'ai l'impression qu'il y a une force qui me pousse vers le haut quand je m'assois sur ma clôture…

Puis dans un soupir :

— Ne reste qu'à dénicher vers où elle me pousse cette fichue force…

— Ça t'inquiète, n'est-ce pas ?

— C'est inquiétant de ne pas savoir ce que l'on veut vraiment quand on a vingt ans.

— C'est vrai. Moi à ton âge…

Pendant un bref moment, Cécile reste silencieuse. Elle, à vingt ans, son avenir semblait tout tracé devant elle : Jérôme était parti se battre en Europe et on l'avait porté disparu depuis quelques mois. Elle s'occupait donc de sa famille, sa mère étant décédée à la naissance de son petit frère Gabriel. Qui aurait pu prédire qu'un jour elle serait médecin ?

— Tu sais, Sébastien, la vie finit toujours par nous indiquer la voie, constate-t-elle en repensant à cette période de sa vie.

De nouveau, un bref silence entre eux durant lequel Cécile revoit encore quelques vieux souvenirs. Puis elle reprend.

— Oui, répète-t-elle avec conviction. Il faut écouter ce que la vie nous dit.

— Alors elle ferait bien de se dépêcher parce que moi, j'en ai assez d'attendre.

— Pourtant, moi, je crois qu'elle t'a déjà fait signe.

Sébastien se redresse, une lueur d'intérêt au fond des pupilles.

— Ah ! oui ?

— Tu aimes la nature, n'est-ce pas ?

La question de Cécile lui recourbe l'échine.

— C'est sûr, admet-il comme à contrecœur. Et j'ai vraiment aimé l'été que je viens de passer. Je ne voudrais pas que vous vous mépreniez sur ce que je vais dire. Mais je ne me vois pas en train d'étudier l'agronomie ou l'horticulture. Je m'en fous, moi, de savoir comment faire pousser des carottes! C'est le résultat qui me fascine.

— C'est ce que je dis.

— Je ne vois pas.

— C'est pourtant tellement évident. As-tu déjà pensé à entrer aux beaux-arts?

— Aux beaux-arts?

Un mot et aussitôt une image s'imprime dans l'esprit de Sébastien. Il imagine une grande salle un peu sombre malgré la présence de larges fenêtres ouvertes sur l'extérieur. Et des rangées de chevalets, des tables avec des boîtes de couleurs, des pots remplis de pinceaux... Image fugace rapidement remplacée par une grande sensation de froideur.

— Mais allons donc! Qui pourrait être intéressé par mes gribouillis? Je...

— Ce ne sont pas des gribouillis, Sébastien, interrompt alors Cécile tout doucement. Ce que tu fais est éblouissant, d'une grande sensibilité. Tu sais, je crois même que tu t'en doutes. Sinon, tu ne passerais pas tout ce temps seul avec tes crayons. Mais on est tous un peu comme ça, n'est-ce pas? On n'ose pas se reconnaître un talent quelconque de peur d'avoir l'air prétentieux.

— Et vous trouvez que j'ai du talent?

— Ça crève les yeux, jeune homme. Et ce serait un vrai gaspillage de ne pas l'exploiter. Surtout qu'on sent de la passion dans tes dessins. Quand on aime quelque chose passionnément, on n'a pas le droit de s'en éloigner. Dans la vie, j'estime qu'on doit faire ce que l'on aime si on veut le faire à la perfection.

— Peut-être...

Pendant un long moment on n'entend plus que le sifflement de la brise dans les herbes hautes, le cri plaintif de quelques oiseaux, Cécile respectant le silence de Sébastien.

— Et pourquoi pas, murmure alors le jeune homme. Pourquoi pas?

Puis il tourne un large sourire vers Cécile.

— J'ai envie d'essayer. C'est vrai que j'aime ça. Quand je suis devant une feuille blanche avec mes crayons ou de l'aquarelle, j'oublie tout, je ne vois pas le temps passer. Et ça dure depuis toujours. Je n'avais pas encore l'âge d'aller à l'école que je passais déjà des journées entières avec mes crayons de couleur. Ça ne me tannait jamais.

— Merveilleux! Tu comprends maintenant ce que je voulais dire quand je parlais de signe? Le signe que tu cherchais tant, il était là, au bout de tes doigts.

— Peut-être, oui…

Pendant une brève seconde, il revoit le visage impatienté de son père quand il lui offrait un dessin. Cette voix dédaigneuse, ce rejet visible… Curieusement, en ce moment, le souvenir ne l'agresse plus. C'est comme s'il était au-dessus de tout cela. Alors, il refait un sourire. Pour lui-même, juste pour lui-même.

— Et tant pis si ça a l'air prétentieux, ajoute-t-il en marmonnant.

Puis il se tourne vers Cécile qui vient de sauter en bas de son perchoir.

— Et maintenant qu'est-ce que tu dirais de rentrer à la maison avec moi? Tu pourrais tenir compagnie à Mélina pendant que je vais terminer la préparation du repas.

— Bonne idée! J'ai une faim de loup…

Quand la vieille dame les voit arriver, elle ne peut retenir la petite moquerie qui lui vient à l'esprit.

— De loin, comme ça, on dirait un couple de gamins qui reviennent de faire l'école buissonnière.

Cécile éclate de rire.

— Ça ressemble un peu à ça! Mon souper n'est pas encore prêt!

— Je peux t'aider?

— Pas question, Mélina. Profitez des derniers rayons de soleil. Dans quelque temps, ils seront derrière nous, tous ces beaux jours!

Alors, heureuse d'avoir Sébastien tout à elle, Mélina tapote le bras de la chaise à côté d'elle.

— Viens t'asseoir, le jeune, on va attendre ensemble.

Et repartant son balancement de plus belle, elle ajoute, mine de rien, tandis que Sébastien s'installe :

— T'as une drôle de face, toi là ! T'as l'air content pis fâché en même temps. Ça fait un drôle de mélange…

— Vous trouvez ça, vous ? Ben apprenez que je sais ce que je vais faire en retournant à Montréal. Je m'inscris aux beaux-arts.

Et en disant ces mots, le visage de Sébastien est rayonnant. La vieille dame lui répond d'abord d'un large sourire.

— Enfin !

— Comment enfin ?

— Je me demandais juste combien de temps ça prendrait avant que tu te décides. C'est ben évident que c'est là qu'il faut que t'ailles. Chanceux ! Tu vas pouvoir faire du beau pour les autres. C'est important de semer du rêve autour de soi. Aussi important que d'être docteur ou ben banquier. Moi avec, j'aurais aimé ça avoir du talent. La musique, le dessin, j'sais pas… Mais j'étais juste bonne pour écouter les autres pis aider quand ça se présentait. J'ai jamais eu de talent pour créer…

Pour un moment, Sébastien reste silencieux, surpris qu'une vieille personne comme Mélina puisse avoir des rêves, des regrets aussi. Par contre, ce qu'il connaît d'elle, c'est un cœur large comme le monde. Alors…

— Juste écouter ? Alors vous êtes un génie dans votre domaine, Mélina. Il n'y en a pas deux comme vous pour semer de la joie, de la paix au cœur. Pis pour moi, c'est aussi important que de faire de belles choses ou être docteur comme vous dites.

Mélina semble émue. Son regard brille étrangement.

— C'est drôle, j'avais jamais vu ça de cet angle-là. Merci, mon jeune. Ça fait plaisir à entendre. Semer de la paix, murmure-t-elle encore. C'est une jolie image…

Puis elle se redresse.

— Mais ça explique pas le côté fâché de ta face, par exemple.

— Oh ! Ça…

Et voilà que l'étincelle de pur plaisir qui illuminait le visage de Sébastien s'éteint d'un seul coup comme une bougie que l'on souffle.

— C'est pas parce que j'ai enfin une petite idée de ce qui s'en vient que ça efface tout ce qu'il y a derrière moi. J'ai l'impression que quel que soit mon avenir, le passé finira toujours par me rattraper.

— Faudrait peut-être que tu règles tes vieux comptes avec ce passé qui a ben l'air d'un fantôme, Sébastien. Pis une bonne fois pour toutes, à part ça…

Le jeune homme hausse les épaules.

— Régler mes vieux comptes… C'est pas facile à faire.

— Y'a-tu quelque chose de vraiment facile dans la vie ? Même le bonheur des fois est pas facile à comprendre. Ça fait que les mauvais souvenirs…

Mauvais souvenirs… Pendant quelques instants, ces deux mots tourbillonnent dans l'esprit de Sébastien, charriant avec eux des tas d'images, les cris, les taloches derrière la tête, les reproches, le tout saupoudré d'une pluie de confettis que son père vient de lancer à la volée à travers la cuisine. Un autre dessin voué aux ordures…

— Pour régler mes comptes, murmure enfin Sébastien, faudrait d'abord que je me décide à…

Il se tait tout d'un coup, la gorge serrée. En lui, le maelström d'émotions qui bouillonnent depuis tant d'années devient orage, tempête, ouragan. La haine, les déceptions, les espoirs, les tristesses se bousculent, éclatent enfin à travers des tas de mots qui se précipitent à ses lèvres. Brusquement il lui faut parler, raconter, tout dire avant que ne reviennent la peur et le silence.

— Finalement, avec le recul, c'est pas par plaisir que j'ai choisi la rue, murmure-t-il d'une voix rauque, le regard tourné vers le boisé d'érables au fond du champ. C'est même pas par liberté. C'est ce que je croyais mais je me racontais des histoires… Je fuyais. Ou plutôt, j'essayais de fuir mon passé. J'avais l'impression qu'en rejetant l'image de ce que ma vie avait été, je réglerais mes problèmes. Je m'aperçois aujourd'hui que ce n'était qu'une fausse impression. La colère est toujours en moi. Les images ne mourront jamais. Elles sont là, indélébiles. Voyez-vous, Mélina, mon enfance n'a pas été exactement ce qu'on pourrait appeler une enfance dorée…

Alors Sébastien se met à raconter ce qu'il a vécu. Son père toujours trop occupé quand il était à jeun, mais omniprésent et violent quand il avait bu. Puis le départ précipité de sa mère dont il n'avait plus jamais entendu parler, les familles d'accueil et finalement, la rue.

— Je croyais que c'était mon choix, la rue, constate-t-il d'une voix éteinte, blessée, je comprends aujourd'hui que c'était plutôt une conséquence. On ne choisit pas la rue, on la vit, parfois malgré soi. C'est très différent. Et voilà qu'il y a quelques semaines, j'ai appris que mon petit frère avait disparu lui aussi et que mon père voulait me revoir. Alors je ne sais plus où j'en suis...

De nouveau un bref silence interrompt sa confession alors que son visage est crispé comme sous l'effet d'une douleur ou d'un effort intense.

— Je veux, poursuit-il enfin d'une voix lente et monocorde, oui, je voudrais tous les revoir, quand bien même ce serait juste par curiosité ou pour avoir la chance de dire à mon père à quel point je le déteste. Je...

La voix étouffée par les larmes, Sébastien se tait. Pendant un moment, Mélina le laisse pleurer. Pour elle, les larmes seront toujours la meilleure des consolations. Puis, lorsqu'elle sent que Sébastien est plus calme, elle enchaîne d'une voix très douce, elle qui habituellement est plutôt brusque et bourrue :

— Petit garçon, murmure-t-elle avec une infinie tendresse. La vie est pas toujours facile, n'est-ce pas ? Pas toujours clémente... Pis la plupart du temps, on comprend pas pourquoi. On crie à l'injustice. Mais moi j'pense qu'on est souvent l'artisan de son malheur. À cause de la peur en nous, à cause de la rancœur... Depuis le temps que tu vis avec nous, t'es un peu de la famille, non ? En tout cas, moi, je te vois comme un petit-fils. Ça fait que j'vas te raconter une page de l'histoire de notre famille.

Alors le cœur tourné vers le passé, Mélina se met à raconter les amours déchirées de Cécile et Jérôme. La naissance malheureuse de leur petite fille confiée à l'adoption, le départ de

Jérôme pour la guerre puis le terrible matin où ils avaient reçu une lettre de l'armée leur annonçant que « le soldat Jérôme Cliche, disparu depuis des mois, était finalement déclaré mort. »

— Ça, mon garçon, ça a été la pire journée de ma vie. La plus douloureuse. On met pas un enfant au monde pour le voir partir avant soi... Y restait juste Cécile qui disait qu'en dedans d'elle, elle était pas certaine pantoute que son Jérôme soit mort. Ça a pris quarante ans, oui, quarante ans, pour que la vie lui donne raison. Te rends-tu compte ? Pis c'est là que j'veux en venir. Encore aujourd'hui, Cécile regrette de pas être allée en France comme son cœur lui criait de le faire. Probablement qu'elle aurait fini par le retrouver puisqu'il vivait dans un espèce de couvent pas trop loin de la plage où il avait disparu. Cécile regrette pas sa vie, comprends-moi ben, elle regrette seulement de pas avoir écouté son intuition. Ça fait que je te dis de pas faire comme elle. Écoute ce qu'il y a en dedans de toi. Laisse pas le passé gruger ton avenir comme une souris gruge du fromage. C'est pas drôle avoir une vie pleine de trous, tu sais. Pis attends pas trop. C'est moi qui te le dis. On a juste le temps de dire ouf ! qu'on est déjà rendu à l'autre boutte...

Pendant un long moment Sébastien laisse les mots de Mélina faire leur chemin en lui. Son instinct hurle à son cœur qu'elle a raison. Il le sait. Depuis toujours peut-être. Va-t-il laisser la peur et la haine gruger sa vie ? Le gruger lui, avec tout ce qu'il peut avoir d'espoir et d'envie ? Lentement il relève la tête, fixe de nouveau l'horizon pendant une brève seconde puis il se tourne franchement vers la vieille dame qui se berce à côté de lui.

— Merci de m'avoir parlé comme vous l'avez fait, Mélina. Je sais pas trop quand ça va arriver mais ça va venir, ne vous inquiétez pas. Pis promis, j'attendrai pas trop... Non, pas trop...

CHAPITRE 12

Lorsque l'on a écarté tous les impossibles, on doit constater
ce qui reste, aussi invraisemblable que cela puisse
nous sembler, là se trouvera la vérité.

SIR ARTHUR CONAN DOYLE

MONTRÉAL, DÉCEMBRE 1996

Pendant la nuit, la première neige s'est enfin décidée et a
saupoudré la ville d'un peu de clarté. Les rues sombres et
mouillées d'hier ont cédé la place à une image de carte postale
invitante et chaleureuse. C'est ce que Sébastien se répète, assis à
la cuisine, un œil distrait sur son café et un autre curieux sur les
toits lourds et blancs. Invitant et chaleureux, douillet même,
voilà l'impression que l'hiver lui laisse en ce moment, alors qu'il
est confortablement installé.

Depuis deux semaines, il est revenu à la ville. Sans discussion,
sans même l'ombre d'une hésitation, il est venu rejoindre
Virginie dès la fin des travaux à la cidrerie. Ils savent que pour
l'instant, leurs pas vont dans la même direction. Ni l'un ni l'autre
ne cherchent à savoir de quoi tous les lendemains seront faits.
Ils sont bien ensemble au quotidien comme dans leurs projets
et leurs vues sur l'avenir qui se croisent et se complètent.
Sébastien a donc payé sa part du loyer à même le pécule amassé
pendant l'été et déménagé son maigre butin chez son amie, sous
le regard humide de Gilbert. Les histoires d'amour le remuent
toujours jusqu'au fond de l'âme.

— C'est beau de vous voir, vous deux.

Puis, dans un soupir à faire fondre une banquise :

— Sapristi que je vous envie !

Et son opulente personne en tressaillait, de soupirs en
soupirs, tandis qu'il allait d'une pièce à l'autre, rectifiant un
coussin, redressant une gravure, déplaçant une chaise. Les nom-

breuses illustrations de Sébastien ont changé l'allure du modeste logement, l'éclairant d'une personnalité nouvelle, redonnant certaines lettres de noblesse aux vieux meubles défraîchis. Et se promenant d'une pièce à l'autre, de la cuisine au salon et du salon à la chambre, puis revenant à la cuisine, les sourcils de Gilbert fronçaient de plus en plus.

— T'as pas pensé à recouvrir ce vieux divan, ma belle ? Un bout de tissu et le tour serait joué. J'peux t'aider si tu veux !

Les yeux du gros Gilbert en brillait de plaisir anticipé. Rien de tel qu'un projet de décoration pour lui remettre l'humeur au beau fixe.

— Pis on pourrait décaper cette vieille table toute égratignée avant de la peindre dans les tons de violet avec une pointe de crème pour les…

— Les meubles sont pas à moi, Gilbert.

Avertissement inutile. Le gros homme avait balayé l'objection de sa courte main en balayant l'air devant lui comme pour se débarrasser d'une invisible mais malencontreuse poussière.

— Pis ça ? La propriétaire de tout ce vieux barda serait sûrement contente de voir son bien amélioré. Non ?

Virginie avait fait la moue, par principe.

— Ouais… Peut-être.

Puis après une hésitation, brève et peu convaincante :

— Pourquoi pas ? Quand tu seras prêt tu me feras signe, Gilbert. J'embarque… Ça va me faire du bien d'avoir un peu de couleur autour de moi. Pis je pense pas que ça va lui déplaire.

D'un accord tacite, on évite de prononcer le nom de Claudie. Elle n'a toujours pas donné signe de vie et chaque matin, en s'asseyant à la table de cuisine qui lui appartient, Virginie se promet de la contacter. Chaque soir en se couchant, elle constate, navrée, que le temps lui a encore manqué. En attendant, elle se prépare à tout chambarder, se répétant, comme pour s'en convaincre, que Claudie devrait apprécier de retrouver des meubles remis à neuf si jamais l'envie lui prenait de les ravoir. Samedi prochain, Gilbert et elle ont même pris congé afin de faire les boutiques ensemble.

— On va écumer Saint-Hubert, ma belle. Rien de moins.

Il n'en dort plus, imaginant des milliers de combinaisons possibles, essayant de tenir compte à la fois des goûts de Sébastien et de ceux de Virginie. Il a même dessiné un plan afin d'emménager de façon plus adéquate le coin de travail de celui qu'il aime comme son garçon.

— Un artiste a besoin de beauté autour de lui, Sébas! M'en vas t'en faire, moi, te contenter du coin de la table pour dessiner! Voir si ça a de l'allure. Allons, mon beau, faut voir grand dans la vie!

Car lorsque Sébastien était arrivé, une surprise l'attendait. Tout contre la large fenêtre de la cuisine, Virginie avait placé quelques étagères pour ranger son matériel à dessin.

— Va falloir que tu te prépares pour la rentrée, non? Pis ça m'a presque rien coûté. J'ai tout trouvé dans une vente de garage à la fin d'octobre.

Sébastien en avait eu le regard tout brillant.

— C'est gentil d'avoir pensé à ça…

— Pis moi, asteure, je m'en vas te compléter tout ça dans les règles de l'art, avait alors ajouté Gilbert, coupant court aux démonstrations émotives. Fais-moi une liste de ce que tu as besoin. Crayons, peinture, chevalet, table à dessin… J'sais pas, moi!

— Mais Gilbert!

— Y'a pas de « mais Gilbert » qui tienne.

Puis le ton baissant de quelques décibels, regardant Sébastien droit dans les yeux, le gros homme avait plaidé:

— S'il te plaît, Sébastien. C'est à moi que je fais plaisir. Viens pas gâcher ma joie, d'accord?

Alors depuis son arrivée, tous les jours, pendant que Virginie est à ses cours, Sébastien fait des croquis au crayon ou à l'aquarelle en attendant le matériel que Gilbert veut lui acheter en fin de semaine. Des tas de croquis pour se monter un portfolio. Mi-janvier, il est attendu chez Christobal, un peintre de talent tenant une école sur la Rive-Sud.

Et ce matin, un café fumant à portée de main, un œil critique posé sur l'extérieur, il tente de reproduire l'enfilade de toits enneigés qui s'offre à lui. Le jeu de la brillance et des zones sombres de la neige le fascine. Surpris, il constate qu'il n'y a rien de tel qu'un peu de couleur pour rendre une neige vraiment blanche. Une touche de bleu grisâtre, un soupçon de brun sali, et voilà qu'apparaît un amoncellement tellement blanc qu'il semble éclatant et froid en même temps.

— Super, murmure-t-il, franchement satisfait de son travail.

Ce qu'il comprend et admet enfin, c'est que le dessin et le jeu des couleurs sont innés chez lui. Comme un instinct qui lui dicte spontanément le tracé des lignes, le rôle des ombres et des lumières. Aujourd'hui, plus sûr de lui, Sébastien ne se contente plus de fleurs et de papillons. D'un dessin à l'autre, il s'enhardit à reproduire tout ce que son esprit lui suggère. Le résultat est troublant de vérité. Et rien n'arrive à déranger sa concentration quand il est devant la table en train de dessiner. Sinon la sonnerie du téléphone, car tout un chacun espère et attend un appel de François annonçant enfin la naissance du bébé dont on ne sait toujours pas s'il est un petit garçon ou une petite fille, les parents ayant préféré se réserver la surprise. Quand Sébastien a rencontré Marie-Hélène samedi dernier lors d'un souper chez Gilbert, il n'a pu s'empêcher de la taquiner devant l'ampleur pris par son tour de taille.

— Un petit dessin pour garder un souvenir de ta grosse bedaine?

La jeune femme avait éclaté de rire.

— Grosse, tu dis? Énorme, oui! C'est incroyable de voir à quel point la peau est élastique. Mais j'avoue que s'il faut que bébé Léveillé reste encore bien longtemps dans sa cachette, je pense que je vais éclater comme une balloune trop gonflée... Et merci quand même pour le dessin, François s'est chargé d'immortaliser la rondeur. Il a fait toute une série de photos. Ma bedaine, on la voit sous tous les angles, ça me suffit amplement...

Marie-Hélène était rayonnante. La médication intensive imposée par sa grossesse n'a présenté que de légers effets secondaires et, tel que conseillé par les médecins qui la suivent, la future maman a profité de sa maternité comme toute autre femme.

Samedi, au souper, François la suivait du regard, ému, visiblement amoureux, attentif à ses moindres besoins. Ensemble, ils avaient choisi la vie. Leur vie, telle qu'elle se présente avec ses hauts et ses bas, sans artifices, sans faux-fuyants. Les matins de nausée et les journées de grande fatigue faisaient désormais partie de leur quotidien. La rigueur en tout face à la propreté aussi. Ils avaient décidé d'accepter ces impondérables comme d'autres doivent finalement accepter un handicap à la suite d'un accident.

— Ou on accepte ou on commence tout de suite à mourir à petit feu, avait un soir déclaré durement Marie-Hélène, en conclusion à une journée plus pénible où elle avait été incapable de garder quelque nourriture que ce soit. Demain, ça ira mieux. Il faut que ça aille mieux.

Elle ne se fait nulle illusion face à l'avenir mais n'a pas envie de gâcher le temps présent. François et elle ne veulent ni pitié ni apitoiement sur leur sort. Et au bout d'une longue discussion entre eux, soupesant le pour et le contre, ils ont choisi de taire leur réalité. Seules quelques personnes sont au courant du drame qui affecte leur vie, et cela suffit pour l'instant. Leurs parents, tout à la joie d'avoir un petit à aimer bientôt, ne savent rien du terrible combat qu'ils doivent mener.

Alors, tout en dessinant les toits d'une ruelle de Montréal, Sébastien pense aussi à Marie-Hélène et François, espérant entendre bientôt la sonnerie du téléphone, lui apprenant enfin si c'est un petit Jean-Nicolas ou une petite Laurence qui est arrivé. Mais quand un bref coup frappé à la porte se fait entendre, Sébastien ne peut s'empêcher de froncer les sourcils. Machinalement, il lève les yeux vers le poêle pour vérifier l'heure. Se pourrait-il qu'il ait été à ce point absorbé qu'il n'a pas vu l'avant-midi passer? Il arrive parfois que Gilbert lui fasse la surprise d'une pizza toute chaude à partager avec lui pendant son heure de lunch. Mais à onze heures trente, il est beaucoup trop tôt pour une visite imprévue de son ami.

— Curieux, murmure-t-il en déposant son crayon. À moins que ce soit François qui...

Sébastien se lève d'un bond. S'il fallait que François ait une mauvaise nouvelle à annoncer et qu'il n'ait pas eu le courage de le faire par téléphone... Puis c'est le nom de Maxime qui lui traverse l'esprit en coup de vent. Tombé des nues, juste comme ça, parce qu'il pense souvent à son frère tout comme à son père depuis qu'il est revenu à Montréal, cherchant en lui le courage de donner suite aux recommandations de Mélina. Ne pas laisser la peur ou la rancœur gruger sa vie... Chaque fois qu'il y repense, il se dit qu'à Noël, peut-être...

— J'arrive, lance-t-il, tandis qu'il emprunte le long corridor sombre qui mène au salon et à l'entrée, au moment précis où un second coup impatient se fait entendre.

C'est à l'instant où il fait glisser la chaîne du verrou et tourne la poignée que le temps s'arrête. Juste une seconde, le temps d'un battement de cœur douloureux, le temps de retrouver à travers ses souvenirs le masque d'indifférence, le masque de la rue pour gommer ses émotions.

Devant lui se tient Me Duhamel, arrivé de nulle part, peut-être une apparition.

Pourtant, Sébastien se heurte au même regard perçant, à ce même pli dédaigneux à la commissure des lèvres, remarque les sourcils broussailleux, froncés en permanence, comme avant.

Puis un éclat de surprise traverse brièvement son regard.

Me Duhamel est tellement plus petit que dans son souvenir. Le géant de son enfance a rétréci, s'est glissé dans un personnage à dimension presque humaine.

Aujourd'hui, Sébastien peut le regarder droit dans les yeux.

— Je peux entrer?

Même voix gutturale, rauque, capable encore de hanter certains rêves de certaines nuits. Pourtant, Sébastien est presque soulagé d'entendre cette voix-là. L'apparition se matérialise. Voilà, c'est fait... Son père est là. Ainsi en a choisi la vie.

Alors le jeune homme se glisse contre la porte avec un imperceptible haussement d'épaules, sans dire un mot. Me Duhamel fait un pas, regarde autour de lui, puis un autre, détaille le mur du salon, son regard allant d'un dessin à l'autre.

— Tu dessines toujours?

Nul bonjour, nulle explication à sa présence. Que cette interrogation. À moins que ce ne soit qu'une constatation? Sébastien sent son humeur se hérisser. Son souffle s'accélère, ses poings se referment impulsivement.

— Si t'es venu ici pour continuer tes critiques, tu peux t'en aller. J'ai pas besoin de...

— Je ne critique pas, je constate.

Cette voix, dure, sans chaleur qui tranche, qui décide. Puis ces mots, surprenants.

— Tu as du talent. Non que j'apprécie habituellement ce genre de dessin mais j'avoue que c'est fait d'une main sûre. Ça, je peux le reconnaître facilement.

Alors Sébastien ébauche un sourire. À la fois désabusé devant le personnage qui n'a pas tellement changé mais aussi rassuré de se retrouver en pays de connaissance. Un très, très léger sourire. Peut-être aussi à cause de ces mots qu'il aurait tant voulu entendre quand il était petit. Par contre, il n'est pas certain que c'est ainsi et sur ce ton qu'il aurait voulu que ce soit dit. Alors, laissant volontairement un sourire narquois flotter sur son visage, il ajoute:

— T'as pas changé, hein, toujours aussi grande gueule...

Brusquement, il lui semble qu'il peut tout dire. Qu'il a le droit de tout dire. Il est ici chez lui et si son père n'aime pas, il n'a qu'à s'en aller. Mais en même temps, du plus profond de tous ses souvenirs comme dans son espérance la plus folle, il souhaite qu'il n'en sera rien.

Me Duhamel se retourne d'un bloc, laisse flotter un instant de silence lourd, dense, théâtral. L'avocat de talent n'est jamais bien loin. Puis il hausse les épaules.

— Pourquoi changer? demande-t-il sans relever l'impertinence du propos et du ton. C'est cette grande gueule comme tu dis qui a fait de moi un plaideur reconnu. Je le vois comme une qualité. Mais toi non plus tu n'as pas changé, remarque-t-il, presque moqueur, saisissant une invisible couette de cheveux à hauteur de sa nuque. Et c'est bien comme ça, admet-il, reportant les yeux sur les dessins de son fils. L'artiste que tu es deviendra peut-être un maître.

De nouveau, un lourd silence s'abat sur la pièce. Ils sont là, le père et le fils, immobiles, chacun perdu dans ses pensées, ayant peut-être imaginé l'un comme l'autre un moment comme celui qu'ils sont en train de vivre. Est-ce ainsi que Sébastien avait prévu la scène? Mais avait-il vraiment prévu quoi que ce soit? Sinon la peur qu'il sentait naître en lui chaque fois qu'il y pensait. Curieusement, cette peur qui a tout dicté, cette rage et cette colère qu'il entretenait en lui, elles ont disparu à l'instant où le rêve s'est concrétisé. Peut-être à cause de la distance scrupuleusement observée pendant si longtemps ou parce que le souvenir ne correspond plus exactement à la réalité. L'ogre de son enfance est mort. Devant lui, il ne voit qu'un homme. Rien de plus. Peut-être un père, il n'en est pas encore certain. C'est à cet instant que Me Duhamel lui fait face de nouveau.

— Je ne te demanderai pas pardon. Ce n'est pas dans ma nature. Mais je dis quand même que je regrette.

Cette voix dure qui confesse sans préambule, comme en passant. Cette voix brusque qui prononce des mots presque doux, déconcertants. Sébastien soutient le regard de son père sans répondre. Il n'y a rien à répondre. Il espérait ces mots sans vraiment y croire. Il ne sait pas s'il doit s'y fier. Trop de souvenirs, trop de déceptions au fil des ans. Pourtant l'homme devant lui poursuit:

— Je regrette les bouteilles vides et les critiques qui venaient avec. Muriel, ta belle-mère, m'a fait comprendre bien des choses.

Sa belle-mère… C'est vrai, Sébastien a une belle-mère. L'espace d'un instant il aurait envie de demander à son père s'il a des nouvelles de sa mère. Il y renonce au même moment. Pas maintenant, pas tout de suite. L'idée lui paraît même incongrue à peine formulée dans son esprit. Il y a peut-être plus important à dire.

— Tu nous as fait mal, tu sais. Et quand tu dis que le mot pardon ne fait pas partie de ton vocabulaire, j'avoue qu'il ne fait peut-être pas partie du mien non plus.

Une mise au point qui lui paraissait essentielle. Ce droit qu'il sent en lui de tout dire. Ne rien négliger pour ne rien regretter par la suite. Et tant pis pour les conséquences. Sébastien a vécu sans cet homme pendant si longtemps qu'il est convaincu de pouvoir probablement le faire le reste de sa vie sans trop en souffrir. Car en ce moment, malgré l'apparence d'un dialogue du bout des mots, il est en train de faire la paix avec son passé.

— Je comprends…

Tant mieux. Me Duhamel semble prendre la chose comme lui. Encore une fois, un silence à couper au couteau se glisse entre eux. Puis lentement, comme s'il calculait son geste, Me Duhamel tend la main à Sébastien.

— Ça veut peut-être dire qu'on repart à égalité?

Cette fois, l'interrogation est sans équivoque. Et elle appelle une réponse. Longtemps, Sébastien regarde la main tendue. Cette main qui s'abattait derrière sa tête, qui déchirait ses dessins, qui serrait son bras si fort, trop fort alors que les larmes lui montaient aux yeux. Cette main qui se tend vers lui aujourd'hui, nue, légèrement tremblante. Sébastien lève alors la tête vers le visage de son père. Les plis se sont accentués avec le temps, les cheveux ont grisonné et le regard n'est peut-être plus tout à fait le même. Surpris, Sébastien aurait envie de dire que c'est là le regard d'un homme qui souffre. Alors, lentement, il avance le bras, frôle la main de son père avant de refermer les doigts sur elle.

— Disons qu'on se donne une dernière chance. Je ne peux aller plus loin pour l'instant.

— C'est de bonne guerre.

Aussitôt la main de Me Duhamel se retire. Pour lui, une première chose vient d'être réglée et il n'est pas dans sa nature d'y revenir. Il n'est pas dans sa nature de s'éterniser sur les émotions. Son esprit de plaideur s'y perd quand il s'agit de les exprimer pour lui-même alors qu'il est passé maître dans l'art de les manipuler à la défense de ses clients. Alors, il reprend, d'une voix neutre, détachée:

— J'ai besoin de toi.

À ces mots, Sébastien a l'impression qu'un vent glacial vient de s'engouffrer dans le salon. Un vent de désillusion.

— C'était donc ça, murmure-t-il en mordant dans les mots. Comment est-ce que j'ai pu croire que tu étais ici juste pour me retrouver, pour me voir.

— Non !

La réponse a éclaté en un véritable cri du cœur. Comprenant la méprise, Me Duhamel fait le pas qui le sépare de Sébastien, l'oblige à lever la tête.

— Ce n'est pas ce que tu crois. Je suis ici pour toi. D'abord et avant tout. C'est vrai. Mais je suis ici pour Maxime aussi. Dans mon esprit, vos deux noms sont indissociables. Ça, tu peux au moins le reconnaître, non ?

Maxime… Manipulation ou sincérité ? Sébastien ne sait plus. Il admet cependant du bout des lèvres :

— D'accord. Oui, ça a peut-être un certain sens.

Peut-être… Me Duhamel ne peut s'empêcher de hausser les épaules. Son fils ne changera jamais. Toujours indécis. Puis son impatience retombe aussi vite qu'elle s'était levée. Il a vieilli, il est fatigué de se battre, tant pour les autres que pour lui-même. Alors, il reprend d'une voix plus calme :

— Donne le sens que tu voudras à ma démarche, ça ne changera rien au fait que vous êtes tous les deux mes fils. Pense ce que tu voudras, Sébastien, mais sache que vous avez de l'importance à mes yeux. Je sais reconnaître les erreurs du passé, il ne faudrait pas qu'elles soient garantes de l'avenir. Tu m'as dit que tu voulais qu'on se donne une dernière chance. C'est bien ça ?

— Oui. Mais je…

— Alors on va se donner cette dernière chance pour Maxime. Après, nous deux, on avisera, si c'est ce que tu veux. Mais en attendant, peux-tu faire ça pour ton frère ?

— Tu sais que oui.

La réponse de Sébastien fuse spontanément, sincère. Me Duhamel ébauche un sourire.

— Tu as raison, je savais que oui. Et c'est pour ça que je suis ici ce matin. Pour te dire que je regrette et pour te demander de m'aider à retrouver ton frère. Moi, il me fuit. Mais toi…

— Qu'est-ce qui te fait croire que je peux réussir ?

— Parce que toi, tu es fort. Tu as toujours été le plus fort des deux. Quand tu as choisi la rue, je n'ai même pas été surpris.

— Tu savais que…

— Oui. Je ne t'ai jamais perdu de vue. Pas plus que je ne perds Maxime de vue. Il faut bien que l'argent serve à quelque chose. Surtout aux choses qui nous paraissent essentielles. Quand je me suis remarié, tu as fait savoir que tu ne voulais plus me revoir. J'ai respecté ton choix. Mais tu restais mon fils quand même, non ?

Sébastien a l'impression de tomber des nues. Ainsi donc son père savait qu'il vivait dans la rue. Il aurait dû s'en douter. Ça ressemble à son père de vouloir rester en contrôle. Il est à la fois choqué d'avoir été épié à son insu et reconnaissant de n'avoir jamais été vraiment abandonné. Et voilà que maintenant, Maxime… Il revient à son père, le fixe un moment avant de demander :

— Et que veux-tu que je fasse que toi tu n'as pas fait ?

L'arrogance pointe sous la question. Me Duhamel fait celui qui n'a rien perçu.

— Je veux que tu lui parles. Que tu le raisonnes. Présentement, je sais qu'il est en France, dans le sud, à Marseille. La dernière fois que j'y suis allé, je l'ai même aperçu. Mais il s'est sauvé dès qu'il a entendu ma voix. Mais toi, je sais qu'il va t'écouter.

— Moi ? Pourquoi moi ?

— Parce que Maxime t'admire. Il t'a toujours admiré. Et il sait que tu l'as toujours protégé.

— Peut-être…

Présentement, des milliers de souvenirs lui reviennent à l'esprit. Les nuits d'orage, les bonbons à un sou, la cabane dans le gros chêne du parc, les moments de larmes dans les bras l'un de l'autre quand leur père buvait…

— Mais pourquoi chercher à le ramener ici ? Moi, quand

j'étais dans la rue, tu m'as laissé faire. Pourquoi pas lui?

— Toi, c'était toi. Maxime, c'est Maxime. Je te savais capable de t'en sortir tout seul. Alors que lui…

C'est alors que, pour la seconde fois en quelques minutes, Sébastien sent littéralement le temps se figer autour de lui. Les plis d'arrogance du visage de son père s'affaissent. Ils ne sont plus que souffrance alors que sa voix rauque se brise en milliers d'éclats, comme un vase que l'on jette contre le mur, l'écho de leur cassure se répercutant à l'infini dans ses oreilles, dans sa tête, dans son cœur.

— Parce que présentement, ton frère se sauve. De moi, de la justice, de certains individus plutôt non recommandables. Il est dans le trafic de drogue jusqu'aux oreilles, Sébastien. C'est ce qu'il m'a écrit avant de quitter la maison comme un voleur. Je m'en doutais, il n'a fait que confirmer. C'est pour ça que tu dois m'aider. Je sais que toi, il va t'écouter. Je t'en supplie, ne le laisse pas tomber, implore-t-il, laissant couler ses larmes sans la moindre retenue, sans la moindre pudeur.

Larmes dures, déchirantes pour celui qui en a si peu versées dans sa vie. Larmes déconcertantes, bouleversantes pour Sébastien qui n'a jamais vu son père pleurer. Cet homme dur, arrogant, aujourd'hui vulnérable, fragile et qui s'en remet à lui. «Toi, tu es fort!» Ces quelques mots que son père vient d'avoir en parlant de lui. Ces quelques mots qui malgré tout remettent son passé en question, imprimant certains souvenirs en relief. Sa perception des choses aussi. Son père voyait en lui quelqu'un de fort alors que Sébastien pensait tout le contraire. «Ne laisse pas la rancœur gruger ta vie!» Et la voix de Mélina qui s'impose brusquement. Sébastien ne sait pas, ne sait plus. Cette hésitation en lui, comme une seconde peau. Puis brusquement, l'inquiétude pour Maxime prend toute la place. Le petit Maxime qui le suivait partout comme une ombre, qui levait de grands yeux vers lui, confiant dans les pouvoirs de son grand frère… Alors, Sébastien tend la main, effleure l'épaule de son père du bout des doigts avant de répondre d'une voix étranglée:

— D'accord. Je vais t'aider à retrouver Maxime. Je te promets que je vais tout faire pour le ramener. Et après, on verra pour le reste…

Me Duhamel renifle ses dernières larmes, essuie son visage du revers de la main, détourne enfin les yeux, mal à l'aise, confus de s'être abandonné si facilement à ses émotions. À toutes ses émotions. Car ses larmes, elles sont à la fois larmes de détresse face à Maxime et larmes de joie d'avoir enfin revu Sébastien. Puis il redresse les épaules.

— Merci pour Maxime. Je savais que tu comprendrais. Et pour le reste comme tu dis…

Me Duhamel ne complète pas sa pensée et les derniers mots prononcés restent en suspens dans le salon pendant qu'il s'approche du dessin de la jeune fille aux pivoines.

— C'est bon. Ton coup de crayon est sûr… Il l'a toujours été…

Mots surprenants que Sébastien ne comprend pas. Pourquoi, alors, avoir déchiré tant de dessins si son père reconnaît y avoir vu une forme de talent? La question lui brûle les lèvres sans qu'il n'ose la demander. Et comme s'il devinait ses pensées, son père ajoute:

— Mais ce genre de talent-là me faisait peur à cause de…

Encore une fois, Me Duhamel ne précise pas ses propos. Il hausse les épaules, jette un regard à sa montre, reporte les yeux sur son fils et reprend.

— Un jour je t'expliquerai certaines choses, Sébastien. Des choses que je n'avais pas le droit de révéler à l'enfant que tu étais. Pour moi, c'était une question de respect, de principe. Après, tu prendras la décision que tu jugeras à propos pour ce que tu appelles le reste entre nous deux. Maintenant, je dois partir. Je plaide dans une heure et j'ai toujours eu besoin d'un long moment de silence autour de moi avant de me présenter en cour. Ça aussi, c'est une question de respect, de principe…

Puis glissant une main dans la poche de son luxueux manteau de cachemire, il en ressort un bout de papier froissé, un peu sali à force d'avoir été consulté, plié et déplié.

— Prends ça. Tu le liras quand je serai parti. Moi, je n'en ai plus besoin, je le connais par cœur. C'est un ami qui me l'a donné quand j'ai décidé d'arrêter de boire et ça m'a fait comprendre certaines choses. Ça m'a fait du bien et ça a changé bien des choses dans ma vie. Peut-être que ces quelques mots t'aideront toi aussi ?

Et sans plus, Me Duhamel repart comme il est venu, sans salutation. La porte se referme sur lui dans un bruit de soupir.

Pendant un long moment, Sébastien regarde le papier qu'il tient du bout des doigts sans se décider à le lire. Puis sans vraiment y penser, il fait quelques pas, se laisse tomber sur la causeuse du salon aujourd'hui tendue d'une livrée sombre qui met en valeur les coloris éblouissants de ses dessins. Décidément, Gilbert a un talent incroyable ! Lentement, son regard se porte sur le papier et Sébastien s'aperçoit que sa main tremble légèrement.

Un petit bout de papier sali qui lui confirme que son père est vraiment venu. Venu et reparti, comme par hasard. Me Duhamel a rendu visite à son fils entre deux rendez-vous. Comme avant, toujours pressé…

— Et après, murmure Sébastien.

Il lui semble que ce n'est plus tellement important. Que l'essentiel ne se joue pas uniquement à ce niveau. Ne se joue surtout pas à ce niveau… Relevant le bras, il se met à lire et aussitôt son regard s'embue.

Seigneur, donne-moi la sérénité d'accepter les choses que je ne peux changer,

Le courage de changer celles qui doivent l'être

Et la sagesse de voir la différence entre les deux.

Une prière. Son père lui a remis une prière. Le froid, l'impassible avocat s'en est remis à une prière pour donner un sens à sa vie.

De grosses larmes glissent sans bruit sur les joues de Sébastien.

Que de choses mal comprises, probablement. Que de silences inutiles, que de rancœurs stériles… Peut-être bien que l'avenir saura répondre à toutes ces interrogations restées en latence au fond de son cœur depuis tant d'années. Peut-être…

Essuyant ses yeux, Sébastien relit le papier et alors c'est à François et Marie-Hélène qu'il pense. Connaissent-ils cette prière? Sébastien ne saurait le dire. Par contre, à voir leur détermination, leur courage justement, ces quelques mots sont le reflet de leur vie.

Malgré l'incroyable déchirure dans leur vie, ils semblent heureux…

Sébastien revoit le sourire de Marie-Hélène, l'autre soir. Un sourire éblouissant, sincère. Mais il se rappelle aussi son regard voilé qui posait en même temps une ombre sur son visage. Un regard triste, inquiet. Et s'il s'en souvient aussi clairement, c'est justement à cause de ce regard qu'il avait proposé de faire un croquis de son gros ventre. Sa façon à lui de dire qu'il est là au besoin, qu'il les aime et les admire…

La présence de cet enfant a obligé Marie-Hélène et François à dépasser leurs peurs. Et vite. Ils n'ont pas eu le choix.

Présentement, assis dans la pièce assombrie par l'amoncellement de lourds nuages gris revenus poudrer un peu de neige, Sébastien comprend à quel point le bonheur de ses amis est fragile. Éphémère peut-être…

Et dire que lui, depuis des années, il crie à l'injustice, à la dureté de la vie à son égard!

Que sont ses petites considérations existentielles à côté des perspectives d'une existence tronquée, soumise peut-être à de grandes souffrances, à la mort venue en avance au rendez-vous?

Sébastien se sent petit, mesquin. Que de temps perdu à se complaire dans ses petites misères! Lui, il n'a qu'à le vouloir pour changer les choses alors que François et Marie-Hélène doivent trouver la sérénité d'accepter…

Me Duhamel a raison: cette prière a le pouvoir de changer bien des choses quand on se donne la peine d'y croire. Oser croire que malgré les apparences, Dieu existe peut-être…

Une dernière fois, Sébastien relit les quelques mots qu'il a toujours à la main avant de se relever brusquement pour se diriger vers la cuisine.

Il vient de trouver le cadeau qu'il va offrir à ses amis pour la naissance de leur bébé.

Prenant une grande feuille blanche, la dernière encore attachée à la tablette offerte par Jérôme, il se met à dessiner fébrilement.

Aussitôt, un immense jardin naît sous son crayon. Un jardin de roses à peine écloses et de papillons aux ailes multicolores. Un soleil doux mais quand même lumineux dessine des ombres translucides. Au beau milieu, l'esquisse d'une femme se penchant vers un berceau.

La main de Sébastien vole sur le papier.

Peu à peu, l'esquisse se précise. Marie-Hélène apparaît. Une Marie-Hélène au regard tendre, doux, serein, à la main toute légère posée sur la couverture qui enveloppe le bébé endormi.

Une Marie-Hélène heureuse, épanouie, confiante comme elle a le droit de l'être…

Quand l'aquarelle est bien sèche, Sébastien sort une bouteille d'encre de Chine et une plume de bois à la pointe de métal comme on en voyait dans les écoles à une autre époque.

Dans l'herbe vert tendre du jardin, à travers les fleurs blanches et roses qui jonchent le sol, en lettres très fines, il transcrit les mots du papier.

Seigneur, donnez-moi la sérénité d'accepter…

Et pendant que la main trace les lettres, le cœur de Sébastien répète les mots à l'infini pour Marie-Hélène et François, avec la ferveur d'une prière…

CHAPITRE 13

*Je suis devenue celle qui promène un regard triste
sur le bonheur des autres.*

PAROLES DE CÉCILE, DITES LE 22 SEPTEMBRE 1944

17 DÉCEMBRE 1996

La date prévue pour l'accouchement est déjà largement dé-
passée. Neuf jours… Depuis neuf longues journées, Marie-
Hélène regarde le temps s'écouler une minute après l'autre.
Écoute l'anxiété grandir en elle seconde après seconde. Que se
passe-t-il encore? Pourquoi ce retard? Le bébé serait-il déjà
malade?

Comme elle l'a vécu durant les quelques mois de saignements
qu'aucun médecin n'a pu clairement expliquer, à nouveau, la
peur repousse le sommeil. L'inconfort précipite ses réveils. Entre
les deux, les journées sont interminables.

Quand François revient de l'ouvrage, le soir, fatigué, parfois
même exténué, l'anxiété de Marie-Hélène se soude à son abattement. Alors, repoussant délibérément sa lassitude, il prend la
relève. Marie-Hélène aurait-elle envie de quelque chose?
Aussitôt, François est prêt à repartir pour trouver l'introuvable.
Il est de toutes les corvées, obligeant Marie-Hélène à s'installer
confortablement pour jouer les contremaîtres.

— Demandez, madame! Vos désirs sont des ordres!

Maintenant, c'est souvent lui qui parle pour deux, le bébé
étant le principal sujet de ses monologues. Tout, n'importe quoi
pour voir fleurir le sourire de sa bien-aimée. Parce qu'il sait qu'au
cœur de leurs pensées, intimement emmêlée à la joie de voir
bientôt leur bébé, la peur perdure. Nul besoin d'en parler, encore moins l'envie de s'y attarder. Ils ont fait le point ensemble,
le plus froidement possible, essayant même de le faire avec un

certain détachement. Depuis, seuls les regards crient l'angoisse en eux. Les regards et certains silences. De jour en jour, Marie-Hélène semble se tasser sur elle-même. L'ambivalence des émotions qui l'habitent doit être intolérable. Et sans le vivre aussi intensément qu'elle puisque ce n'est pas lui qui porte l'enfant, François croit tout de même le pressentir. À cause de ce creux dans l'estomac, toujours présent, trois fois par jour lorsqu'il doit avaler ses médicaments. Il se répète comme une implacable litanie qu'un jour, peut-être, leur enfant aura lui aussi à prendre toutes ces damnées pilules...

Seigneur, je Vous en supplie, faites qu'il n'ait rien...

Et cette prière, à chaque fois répétée avec ferveur comme un écho répondant à sa peur devant l'inconnu...

Ce matin, un peu surprise, Marie-Hélène constate qu'elle a bien dormi. Déjà sept heures... Enfin, une nuit complète. C'est une clarté nouvelle, blanchâtre et insistante, qui l'a éveillée. Sachant qu'elle n'arrivera pas à se rendormir, elle se glisse le plus doucement possible hors de son lit, tempêtant gentiment contre son gros ventre qui la rend si malhabile. L'inévitable arrêt à la salle de bain, puis elle se dirige vers le salon, ouvre tout grand les tentures qui habillent les hautes fenêtres. Le Carré Saint-Louis ressemble à un gros gâteau saupoudré de sucre glace tant les arbres sont lourds de cette première neige tombée. Une main soutenant le lourd rideau, Marie-Hélène retient son souffle, éblouie par la beauté du paysage. Un rayon de soleil, bravant hardiment les nuages encore denses, se glisse entre les toits et givre les allées du parc où l'on peut deviner les traces de pas de quelque promeneur matinal. La fontaine endormie, encapuchonnée de blanc, brille de mille feux aveuglants. Un peu comme le faisaient les gouttelettes d'eau éclaboussant le ciel d'été.

Pendant un long moment, Marie-Hélène se tient immobile à la fenêtre, sensible comme toujours aux émotions suscitées par un décor, par l'atmosphère qui s'en dégage. Cette douceur qu'elle ressent, cette impression de grandeur lui fait pousser un long soupir de bien-être. Une auto qui passe dans la rue dans un bruit feutré, dans un bruit de chuintement mouillé, la tire de sa rêverie à l'instant même où le bébé, plutôt discret depuis quelque temps, en profite pour s'étirer. Marie-Hélène penche la tête en souriant.

— Allez, paresseux, murmure-t-elle, sors de là. Sinon, le père Noël ne saura pas qu'il y a un petit bébé qui habite ici et tu n'auras pas de cadeaux!

Noël… Le mot s'accroche à sa pensée comme une boule scintillante à l'arbre. Brusquement, Marie-Hélène revoit les Noëls de son enfance. L'attente impatiente devant l'arbre décoré, la joie un peu somnolente pour les cadeaux offerts, l'excitation grandissante accompagnant la fête qui commence… Puis brusquement, tout droit sorti du monde des souvenirs cachés, elle revoit les sourires attendris de ses parents et aussitôt, c'est comme si une main impitoyable lui broyait le cœur.

Combien de Noëls aura-t-elle le droit de vivre avec son enfant? Combien d'anniversaires?

Reniflant bruyamment les larmes qui spontanément lui sont venues aux yeux, Marie-Hélène doit se faire violence pour repousser les pensées sombres. Pas ce matin, il fait trop beau…

De son pas lourd et dandinant (François dit qu'elle marche comme un canard!), Marie-Hélène se dirige vers la cuisine pour infuser le café. Fixant pensivement le liquide ambre qui tombe goutte à goutte dans la cafetière, elle ne cherche pas à prévoir la journée qui vient, car elle ne peut retenir ses émotions plus longtemps. Incapable de leur résister, elle les laisse se poser là où bon leur semble, à travers des tas de pensées disparates, cheminant jusqu'à son cœur.

Comment, comment oublier que la mort nous guette? Comment oser croire encore que l'espoir est toujours permis? Comment réussir à faire confiance à la vie quand elle nous a sournoisement joué dans le dos?

Marie-Hélène laisse ses larmes couler librement, n'ayant nulle envie de les retenir. Elle se dit qu'elle y a droit et curieusement, elles lui font du bien. Quand elle entendra François se lever, elle s'inventera un sourire. Pour lui. Parce qu'elle l'aime et que malgré tout, elle tient à la vie qui est la leur. Parce qu'elle aussi, elle a hâte de connaître leur enfant. C'est la déchirure en elle, sise quelque part entre une joie immense et une peur encore plus grande, qui lui fait terriblement mal...

Finalement, soutenue par les propos échevelés de François qui lui aussi a pensé à Noël en voyant la neige, l'ambiance de carte de souhait a eu le dessus. Se laissant emporter de nouveau par les plus beaux souvenirs de son enfance, Marie-Hélène quitte l'appartement peu de temps après son mari. Bizarrement, aujourd'hui, elle a l'impression que le bébé est moins lourd et de ce fait, elle se sent remplie d'une énergie débordante. Une main volontairement placée sous son ventre proéminent, comme s'il était trop lourd pour elle, et le geste accompagné d'un sourire enjôleur, Marie-Hélène amène le vendeur du bout de la rue à venir lui installer le sapin jusque dans son salon.

— S'il vous plaît! C'est pour la surprise! Pour mon fils qui est à l'école, ajoute-t-elle avec précipitation, subitement inspirée, voyant l'hésitation du brave homme.

Petit mensonge qui ne fait de mal à personne! Quand on s'installe au coin d'une rue pour vendre des sapins, c'est qu'on est sensible à la joie des enfants, non? Reins cambrés, le ventre poussé vers l'avant à l'extrême, Marie-Hélène est convaincante! Ronchonnant, le vendeur lui jette un regard méfiant.

— Ouais... On sait bien. Ma femme était pareille quand elle attendait le p'tit. Marcel par-ci, Marcel par-là, pour un oui ou pour un non. S'il te plaît, Marcel, minaude-t-il pour lui-même une dernière fois...

Dans un soupir résigné, il ajoute:

— Moi, j'avais l'impression qu'elle se moquait de moi. Mais allez donc savoir! Pis c'est lequel que vous avez choisi?

Marie-Hélène a fait trois voyages jusqu'à la cave pour trouver les décorations à travers les objets inutiles que l'on garde au cas où et réussir à les monter jusque chez elle. Mais l'effort en valait la peine. En fin de journée, le sapin scintille doucement dans la pénombre du salon, son éclat bleuté mis en valeur par la valse rougeâtre des flammes qui tournoient dans l'âtre. Éreintée, Marie-Hélène se laisse tomber sur le premier fauteuil venu. Une douleur sourde et continue lui scie le bas du dos.

— Ça t'apprendra aussi à jouer les matamores, se gronde-t-elle à voix basse, une main glissée dans son dos. Auriez-vous oublié que vous êtes enceinte, madame ?

De nombreux papiers et des boîtes de toutes formes s'éparpillent à qui mieux mieux dans la pièce. D'un regard navré, Marie-Hélène survole le salon, incapable de se résoudre à les ramasser. De toute façon, présentement, elle est persuadée que jamais elle ne trouvera la force nécessaire pour se relever de ce fauteuil. De là à imaginer qu'elle pourrait faire le ménage...

C'est ainsi que François retrouve sa femme : toujours prostrée, affalée tant bien que mal en biais sur le fauteuil, le regard attaché au sapin, une main glissée dans son dos et grimaçant à tous moments...

— Mais veux-tu bien me dire ce...

Marie-Hélène lève les yeux, contrite.

— Je me sentais en pleine forme ce matin. Je t'assure... Mais là...

Un élancement plus violent la fait grimacer.

— Quelle idée aussi !

François hésite entre une bonne réprimande et un éclat de rire. Puis il fronce les sourcils et demande, sévère :

— Et l'étoile tout en haut ?

— J'ai grimpé sur une chaise, confesse alors la jeune femme, penaude.

Et sur ce, elle refait une autre grimace.

— J'ai mal dans le dos, constate-t-elle en essayant de se redresser. J'ai peut-être surestimé mes forces. Tu as probablement raison.

— Et comment si j'ai raison ! Allez, debout, ordonne-t-il en lui tendant un bras charitable. Et vite, dans un bon bain chaud. Ça devrait te faire du bien. Moi, je vais préparer le souper. Qu'est-ce que tu veux manger ?

Le bain n'a rien donné. Bien au contraire ! La douleur est de plus en plus forte. Incapable de trouver de position confortable, Marie-Hélène repousse son assiette.

— Je n'ai pas très faim, avoue-t-elle en soupirant.

— Veux-tu qu'on appelle à l'hôpital?

— Pour quoi faire, demande Marie-Hélène en haussant les épaules. Ce n'est pas des contractions que j'ai, c'est un mal de dos bien mérité après une journée de fou que je n'aurais jamais dû entreprendre sans toi. Tant pis pour moi. Je vais m'allonger dans le salon et ça devrait passer...

Mais rien ne passe... Vers vingt-deux heures, n'en pouvant plus de voir le visage crispé de sa femme, François se dirige vers la cuisine pour appeler à la maternité de l'hôpital. Malgré les exhortations de Marie-Hélène qui le poursuivent jusqu'à l'autre bout de l'appartement, le suppliant presque de n'en rien faire.

— Puisque je te dis que c'est juste un mal de dos...

Peine perdue, François entend déjà la sonnerie qui lui donne la communication avec l'aile des salles d'accouchement.

— Des maux de dos, vous dites?

L'infirmière a une voix claire, joyeuse.

— Oui. Depuis le souper. Même un bain chaud n'a rien changé. Ma femme dit que ça ne ressemble pas aux fausses douleurs qu'elle a connues la semaine dernière alors qu'elle les ressentait dans le bas du ventre, alors moi ça m'inquiète.

— Et vous avez dit que ça durait depuis l'heure du souper, demande l'infirmière sans se préoccuper le moins du monde de l'inquiétude du futur père.

— Exactement. Par contre ma femme dit que ce ne sont pas des...

— Ça ressemble fort à un début de travail, l'interrompt alors la voix qui semble tout à coup pressée. Pour quelle date était prévu l'accouchement?

— La semaine dernière. Mais...

— À votre place je m'en viendrais ici...

— Vous croyez? Mais ma femme dit que...

— Monsieur! Je crois savoir de quoi je parle, non?

La voix de l'infirmière est à la fois sévère et amusée.

— Pardon, s'excuse François d'une voix contrite. Vous avez raison, je n'y connais rien. Le temps de boucler la valise et on arrive.

— Donnez-moi le nom de votre femme. Je vais faire monter le dossier…

François repose le combiné d'une main tremblante. Ça y est. Le moment tant attendu semble enfin arrivé. Le cœur veut lui sortir de la poitrine. Incapable de la moindre pensée cohérente, il regarde autour de lui, fait quelques pas vers l'évier pour se prendre un verre d'eau, s'apercevant qu'il a la gorge en feu. Y renonce aussi vite, revient sur ses pas. Puis il prend une profonde inspiration. Ce n'est pas le moment de céder à la panique grandissante qu'il sent palpiter en lui. Marie-Hélène n'aura sûrement pas besoin de ses états d'âme de père apeuré! Affichant une assurance qu'il est bien loin de ressentir, François s'en retourne au salon.

— L'infirmière conseille de nous rendre à l'hôpital, annonce-t-il prudent, mesurant bien ses mots, sur un ton détaché. Quitte à revenir ici, ajoute-t-il précipitamment, apercevant la lueur de panique qui traverse le regard de Marie-Hélène.

— Je n'ai pas envie d'aller à l'hôpital.

La voix de Marie-Hélène est sourde, presque gutturale, dure.

— Mais voyons Marie…

— Je n'ai pas envie d'aller à l'hôpital, répète-t-elle butée.

Puis brusquement, elle éclate en sanglots, tremblante comme une feuille d'automne malmenée par le vent. D'une main crispée, elle s'accroche au bras de François qui s'est agenouillé près d'elle.

— J'ai peur, François! J'ai peur de ne pas être à la hauteur. J'ai peur que notre bébé ne soit pas en santé. Tant qu'il est là, lance-t-elle en posant une main possessive sur son ventre, l'espoir reste permis.

Puis, dans un cri étouffé:

— J'ai peur de mourir!

Toutes les pensées sombres, les tourments, les appréhensions et la peur à l'état pur qui ont accompagné le cours des derniers mois viennent d'éclater au grand jour. Le visage inondé de larmes, Marie-Hélène se blottit contre l'épaule de son mari. C'est alors que les inquiétudes de François s'évanouissent.

Marie, sa toute petite Marie, si belle et si fragile a besoin de lui, de sa force. Glissant un doigt sous son menton, il l'oblige à lever les yeux vers lui.

— Marie, je t'aime… Et moi aussi je serais probablement mort de trouille devant ce qui s'en vient. Mais je sais que tu vas être à la hauteur. Comme toutes les femmes le sont, mon amour. Je sais bien que ce n'est pas très réconfortant de savoir ça mais que…

— Et si je mourais? Si à cause de… S'il y avait des complications? Je ne suis pas les autres femmes, François. Je suis moi avec cette terrible…

À ces mots, la main de François se fait presque dure pour soutenir le visage de Marie-Hélène, l'obligeant à se taire. Et d'une voix très calme, douce et enveloppante, il redit:

— Je t'aime, Marie. Au-delà de la maladie, de la peur ou de la mort. Cet enfant-là, on l'a fait avec amour. Rien, tu m'entends, rien ne pourra faire en sorte que ce soit différent à mes yeux. Je t'aime, toi, et je l'aime, lui. Pour le reste, on ne peut plus rien changer. Mais pour lui, fait-il en posant sa main sur le ventre de Marie-Hélène, pour lui et pour toi, j'ai choisi de me battre. Et je vais le faire jusqu'à mon dernier souffle, tu m'entends. Alors, si tu as peur, amour, appuie-toi sur moi et je vais t'aider à vaincre tes fantômes. Avec toi, je sais que je serai encore plus fort. Ensemble, on peut tout vaincre…

Les paroles de François ont un pouvoir apaisant, le ton de sa voix enveloppe Marie-Hélène d'un voile protecteur. C'est vrai, ils sont deux. Et au-delà des souffrances de la naissance, ils seront encore deux. Pour leur enfant, pour la vie quelle qu'elle soit. Toujours aussi tremblante, elle n'y peut rien, c'est incontrôlable, Marie-Hélène lève un regard plus calme vers François.

— Je suis prête…

Elle se relève péniblement, aidée par François, inspire profondément puis le regarde droit dans les yeux, intensément.

— Pour le meilleur et pour le pire, dit-elle alors comme au matin des noces, étrangement grave. Je comprends maintenant ce que veulent dire ces mots. Et je t'aime comme jamais avant je ne t'ai aimé.

Puis elle se détourne, fait quelques pas, revient face à François qui n'a pas bougé. Une lueur mutine traverse son regard. À travers la force de son mari, elle a retrouvé une partie de la sienne. Et puis, elle doit l'avouer, elle en a assez de trimbaler partout ce gros ventre encombrant. Le médecin ne lui a-t-il pas dit lors du dernier rendez-vous que l'accouchement s'annonçait bien ? Comme lorsque l'on se retrouve au sommet de la plus haute tour, Marie-Hélène vient de comprendre qu'elle ne peut plus reculer. L'échelle pour redescendre a été enlevée ! Ainsi en a voulu la vie, et ce, depuis des millénaires… Alors Marie-Hélène prend une longue inspiration avant de murmurer tout doucement :

— Alors tu viens, François ? On a un rendez-vous important. Laurence ou Jean-Nicolas nous attend…

ÉPILOGUE

Douillettement enveloppée, son petit berceau placé à angle près de la fenêtre, tout à fait indifférente au ciel gris qui perdure depuis sa naissance, bébé Laurence dort à poings fermés. Quelques mèches sombres, douces comme la soie, dépassent de la couverture rose pâle qui se soulève régulièrement au rythme du souffle de la petite. Debout près du berceau, une main posée légèrement sur le bord de la couverture pour ne pas troubler le sommeil de Laurence, Marie-Hélène ne se lasse pas de la regarder dormir.

Sur le bureau vert terne et écaillé par endroits, appuyé contre le mur, le dessin offert par Sébastien éclaire la pièce d'une douceur lumineuse à défaut d'un soleil absent depuis quelques jours. Le ciel est lourd et la brillance de la neige n'est plus qu'un souvenir. Une gadoue grisâtre détrempe la chaussée et les trottoirs. Sur le rebord de la fenêtre, de merveilleux bouquets embaument la chambre. Gilbert, Mamie Cécile et Jérôme, les grands-parents, venus pour une visite éclair malgré la distance, les compagnons de travail… Tout le monde a voulu souligner l'arrivée de la petite fille…

Quand il était venu visiter Marie-Hélène, Sébastien était resté un long moment à contempler le bébé. Son regard d'artiste détaillait le petit visage presque parfait sans même sans rendre compte.

— Elle est belle, avait-t-il alors dit en se retournant vers Marie-Hélène.

Sa voix avait une gravité nouvelle que la jeune femme ne lui connaissait pas. Ils avaient alors simplement échangé un long sourire. Et Marie-Hélène aurait été prête à jurer qu'il y avait quelque chose de différent chez Sébastien. Puis le jeune homme avait secoué sa longue mèche de cheveux, rompant le charme. Ils avaient bavardé à bâtons rompus, redisant souvent, au fil de la conversation, à quel point Laurence était une belle petite fille.

Oui, mademoiselle Laurence est un joli bébé. C'est ce que Marie-Hélène se répète à l'infini, ravie, depuis la naissance. Une naissance facile, finalement, selon les dires du médecin.

— Vous avez fait ça comme une pro! Félicitations, c'est un bébé superbe.

— Vous trouvez? C'est vrai que moi je la trouve belle...

Et sur ces mots, Marie-Hélène avait levé un visage rayonnant. Ils étaient encore à la salle d'accouchement. Au creux de son bras, le bébé bien éveillé découvrait, avec un drôle de petit regard curieux et sceptique, le monde qui serait désormais le sien. François, penché sur elles, affichait un sourire euphorique.

— Et comment si elle est belle! C'est le plus beau bébé que je n'ai jamais vu. Rien de moins.

D'Artagnan! Puis il s'était redressé en bombant le torse.

— Et ma femme! Avez-vous vu comment elle a fait ça? Vous avez raison, docteur : une vraie pro!

À croire qu'il avait accouché lui-même! C'est alors que Marie-Hélène était redevenue grave, le temps d'une réflexion. Levant les yeux vers le médecin, elle avait alors expliqué :

— C'est une drôle de sensation. Comment dire... Une douleur ingrate. C'est ça. Ça fait une bizarre d'image mais ce sont les mots qui me viennent à l'esprit. Je me souviens fort bien avoir crié, avoir pensé que la douleur allait m'achever tellement ça faisait mal. Mais en même temps, c'est comme si j'avais oublié l'intensité de cette souffrance-là. Comme si maintenant que Laurence est née, ça n'avait plus la moindre importance.

Puis elle avait reporté les yeux sur son bébé.

— C'est vrai qu'elle est jolie, tellement...

Un bébé superbe qui semble en parfaite santé. Laurence avait eu droit à une batterie de tests dès son arrivée sur terre. Le pédiatre semblait confiant.

— Rien à signaler. Tout fonctionne à merveille dans cette petite machine-là. On attend les résultats de ses prises de sang et vous pourrez partir si votre médecin est d'accord.

Et le docteur Couture était d'accord.

— Pas la moindre infection. Pas de problèmes majeurs à la formule sanguine. Tout juste une légère anémie, normale pour une maman qui a accouché avec un peu de retard. Continuez à prendre vos vitamines de maternité et tout devrait rentrer dans l'ordre rapidement.

Marie-Hélène avait fait la grimace.

— Ouache!

— Que voulez-vous? On n'a rien sans effort… Et vous avez une fille splendide.

Il ne manque que la visite du pédiatre pour ce qu'ils appellent l'examen de sortie et François pourra ramener ses deux femmes à la maison, comme il le dit avec fierté. Jamais il n'aurait pu penser être si heureux et ne pas en mourir.

Et c'est exactement la même sensation qu'éprouve Marie-Hélène chaque fois qu'elle contemple la petite Laurence endormie. Un bonheur si grand qu'il donne l'impression d'étouffer. Le spectre de la mort, de la maladie, a reculé d'un pas depuis l'arrivée de bébé Laurence. Dans le cœur de Marie-Hélène, dans sa tête comme dans son âme, il n'y a pas de place pour autre chose que Laurence. Une petite puce qui a tout bouleversé à sa naissance et s'est posée en conquérante sur la vie de ses parents.

— Alors, prête à partir?

François vient de glisser la tête dans l'embrasure de la porte.

— Presque… Le temps de ramasser mes choses et c'est fait. Ne reste que la visite du pédiatre. Il doit venir avant onze heures. L'infirmière de la pouponnière m'a remis plein de choses pour Laurence et elle m'a dit que notre fille allait on ne peut mieux…

Pendant un instant, Marie-Hélène soutient gravement le regard de François. Elle sait que leurs pensées se rejoignent, qu'ils partagent la même inquiétude. Dans quelques instants, ils vont savoir... Le résultat des prises de sang effectuées sur Laurence doit être connu à l'heure actuelle. Puis elle secoue vigoureusement la tête, soupire et refait un sourire pour François en lui tendant la main.

— Viens ici toi ! Regarde comme elle dort bien. Un vrai petit ange. Un bébé aussi calme ne peut pas être malade...

Une toute petite phrase qui dit à la fois l'inquiétude et l'espoir. Entourant les épaules de Marie-Hélène d'un bras protecteur, François approuve :

— C'est vrai qu'elle est calme. Et si petite...

Puis, forçant l'enthousiasme :

— Alors on les fait, ces bagages ? J'ai hâte d'être à la maison...

Le pédiatre est entré en coup de vent dans la chambre selon une technique qui lui semble personnelle. C'est un homme tout petit, sec et nerveux, aux gestes rapides et précis. Mais malgré cette apparence détachée, presque indifférente, son regard a une lueur de bonté qui n'a pas échappé à Marie-Hélène. Cet homme-là aime les enfants, c'est indéniable. Approchant du berceau, il déshabille bébé Laurence en un tournemain puis l'examine sous toutes ses coutures.

— Tout est beau, annonce-t-il finalement. Pas la moindre malformation. Le cœur, les poumons, les réflexes, tout fonctionne normalement.

Puis prenant le dossier qu'il a posé sur le lit en entrant dans la chambre, il le feuillette un instant avant de lever les yeux.

— Pour ce qui est des examens, on en a parlé lors de notre première rencontre. Ces résultats-là ne sont pas définitifs. Ni dans un sens ni dans l'autre. À première vue, votre petite fille est débordante de santé. Elle semble même avoir échappé aux petits problèmes que l'on rencontre parfois chez les nouveau-nés. Pas de jaunisse en vue, pas de baisse dans le taux de sucre, pas de problèmes digestifs. Tout est parfait. Il ne reste que les résultats du test de détection du VIH.

De nouveau, le médecin se penche sur les papiers qu'il tient à la main pour les consulter une dernière fois. Puis il relève la tête et regarde Marie-Hélène droit dans les yeux. Alors celle-ci, sans même avoir entendu ce que le médecin va lui dire, devine qu'elle va avoir mal. Très mal. Impulsivement, elle se tourne vers Laurence, referme la couverture sur son petit corps encore nu et la prend dans ses bras. Puis, forte de tout son amour de mère, elle revient face au médecin et soutient son regard.

— Alors docteur, ces résultats ?

Le médecin hausse les épaules, trace un sourire qui se veut encourageant. Pour lui, rien n'est dit, rien n'est fait. Il faut attendre…

— Ils ressemblent à ce que je vous avais prédit. Mais je vous l'ai expliqué : le résultat d'aujourd'hui ne veut rien dire. Ce n'est que dans trois ou quatre mois que l'on pourra se prononcer avec exactitude. Les résultats qui sont aujourd'hui positifs auront peut-être changé. Ne vous inquiétez pas inutilement.

Rien n'a été dit clairement mais tout est là. Le test pour déceler la présence du virus du Sida est positif. Le médecin continue de parler, mais Marie-Hélène ne l'entend pas. Elle a l'impression que le sang se vide de tout son corps. Ses oreilles bourdonnent et elle est lourde, lourde…

D'un pas, François est près d'elle et la soutient fermement tout en glissant la main sous le corps de Laurence. Ils restent là, immobiles, tous les trois enlacés. Le médecin parle toujours mais ils ne l'entendent pas. Cet homme n'a plus rien à faire ici. Il n'a rien à voir avec leur vie… Alors refermant les bras sur sa femme et sa fille, François demande d'une voix sourde :

— S'il vous plaît, pouvez-vous nous laisser ? Je comprends très bien ce que vous essayez de nous dire mais c'est inutile. Rien ne pourrait atténuer notre inquiétude. Rien…

Puis il porte les yeux sur son enfant. Comme si elle comprenait la gravité du moment, Laurence fixe son père de ce regard bleuté qui n'appartient qu'aux nouveau-nés, de ce regard un peu flou comme s'il portait en lui une portion de ciel, d'éternité et qu'une telle vision était indéfinissable. Alors François resserre son étreinte sur les épaules de Marie-Hélène et, étouffant un sanglot rauque qui lui déchire le cœur, il répète :

— S'il vous plaît, laissez-nous…

À SUIVRE…

AGMV Marquis

MEMBRE DE SCABRINI MEDIA

Québec, Canada
2005